DE GOEDE DIEF

HANNAH TINTI

De goede dief

Vertaling Ralph van der Aa

2008

DE BEZIGE BIJ

AMSTERDAM

Voor mijn zussen, Hester en Honorah

Als een man een beter boek kan schrijven, een betere preek kan houden of een betere muizenval kan maken dan zijn buurman, ook al heeft hij zijn huis midden in het bos gebouwd, dan zal de wereld zijn deur platlopen.

RALPH WALDO EMERSON

DEEL I

EEN

De man arriveerde na het ochtendgebed. Binnen de kortste keren verspreidde zich het gerucht dat er een bezoeker was gekomen, en de jongens van Saint Anthony duwden elkaar met hun ellebogen opzij om een glimp van hem op te vangen terwijl hij zijn paard losmaakte en het naar de trog leidde om te drinken. Het gezicht van de man was moeilijk te zien; zijn hoed was zo ver naar beneden getrokken dat de rand bijna zijn neus raakte. Hij maakte de teugels vast aan een paal, ging naast het drinkende paard staan en gaf het dier een paar klopjes in de nek. De jongens keken toe hoe de man stond te wachten, en toen de merrie ten slotte haar hoofd ophief, zagen ze dat de man zich naar voren boog, het dier over de neus aaide en er een kus op gaf. Vervolgens veegde hij met de rug van zijn hand over zijn mond, zette zijn hoed af en liep de binnenplaats over, in de richting van het klooster.

Er kwamen vaak mannen voor kinderen. Soms omdat ze goedkope arbeidskrachten zochten, soms vanuit de behoefte om goed te doen. De kinderen werden door de kloosterbroeders in een rij opgesteld, en dan liepen de mannen de rij langs om hen te keuren. Door hun blik te volgen kon je meteen zien waar ze naar op zoek waren – meestal naar de jongens van bijna veertien, de langste, de luidruchtigste, de sterkste. Vervolgens richtten ze hun blik omlaag, op de jongetjes die nog maar nauwelijks konden kruipen en op de waggelende tweejarigen, die nog onbedorven en zuiver waren. En dus bleef de tussengroep over – de jongens die hun babyvet en babykrullen al kwijt waren, maar die nog niet oud genoeg waren om zich nuttig te kunnen maken. Deze kinderen waren meestal humeurig en hadden weinig méér te bieden dan luizen en mazelen. Ren was een van hen.

Hij kon zich niets van een begin herinneren – van een moeder of vader, van een zus of een broer. Zijn leven in Saint Anthony was er gewoon altijd geweest, en zijn herinneringen begonnen ermiddenin – de geur van in kokend water gewassen lakens en van schoonmaakmiddel, de smaak van waterige havermoutpap, het gevoel dat het gaf wanneer je een baksteen op een steen liet vallen, toekeek hoe de rode stukken ervan afspatten en vervolgens de afgebrokkelde scherven gebruikte om op de muur van het klooster te schrijven, en daar een tik voor kreeg en met een koude, natte doek de strepen weg moest halen.

Rens naam was in de kraag van zijn nachthemd genaaid. Drie met donkerblauw garen geborduurde letters. Het nachthemd was van fijn linnen, en Ren had het gedragen tot hij bijna twee was. Daarna was het hem afgenomen en aan een kleiner kind gegeven. Ren leerde Edward in de gaten te houden, en vervolgens James, en vervolgens Nicholas – en om ze in te sluiten op de binnenplaats. Hij duwde de tegenstribbelende kinderen tegen de grond en bestudeerde aandachtig de verschoten letters, en vroeg zich af wat voor hand ze had aangebracht. De R en de E waren met een dikke kruissteek geborduurd, maar de N was dunner en helde naar rechts, alsof degene die de naald had gehanteerd zich had gehaast om de klus af te krijgen. Toen het nachthemd was versleten, werd het tot zwachtels verknipt. Broeder Joseph gaf Ren het stuk van de kraag met de letters, en de jongen verborg dat 's avonds onder zijn kussen.

Nu keek Ren toe hoe de bezoeker op de trap van de priorij stond te wachten. De man pakte voortdurend zijn hoed van de ene hand in de andere over, waardoor er vochtplekken in het vilt ontstonden. Toen ging de deur open en stapte hij naar binnen. Een paar minuten later kwam broeder Joseph de kinderen ophalen en zei: 'Naar het beeld.'

Het beeld van de heilige Antonius stond midden op de binnenplaats. Het was uit marmer gehouwen, en Antonius droeg een gewaad van de minnebroeders. De bovenkant van zijn schedel was kaal en rondom zijn hoofd hing een halo. In zijn ene hand hield hij een lelie en in de andere een klein kind met een kroon op het hoofd. Het kind hield één hand smekend uitgestrekt en raakte met de andere de wang van de heilige aan. Er waren momenten, wanneer de zon 's middags langzaam begon te verdwijnen en de schaduwen over het marmer dansten, dat de aanraking meer weg had van een klap. Dit kind was Jezus Christus, en zijn aanwezigheid vormde het bewijs dat de heilige Antonius in staat was om boodschappen aan God over te brengen. Als er een brood uit de keuken werd vermist of als vader John de sleutels van de kapel niet kon vinden, werden de kinderen naar het beeld gestuurd. *Heilige Antonius, beste vrind, maak dat ik de sleutels vind.*

Je had in dit deel van New England weinig katholieken. Een Ier die hier in de buurt had gewoond en een vermogen had verdiend met krachtige port die hij van goedkope druiven maakte, had zijn wijngaard aan de kerk nagelaten in een wanhopige poging een plekje in de hemel veilig te stellen voordat hij stierf. De broeders van Saint Anthony werden erheen gestuurd om het land in bezit te nemen en het klooster te bouwen. Ze werden omringd door protestanten, die binnen een maand na hun komst de schuur platbrandden, de put verontreinigden en in het donker twee broeders op de weg te grazen namen en met pek en veren naar huis stuurden.

Nadat de monniken om raad hadden gebeden, zochten ze hun toevlucht tot de wijnpers van de Ier, die nog steeds in ongeschonden staat op het terrein stond. Uit Italië werden gewassen overgebracht, en na een paar mislukte pogingen vonden de broeders een wijnstok die goed gedijde op de steenachtige grond van New England. Al snel werd Saint Anthony beroemd om zijn unieke wijn, die in oude vaten werd gerijpt en voor de ochtend- en avondmis werd gebruikt. De ongewijde wijn werd verkocht aan de plaatselijke taveernes en aan particuliere landeigenaren, die hun knechten 's nachts de flessen lieten ophalen zodat hun buren niet merkten dat ze zaken deden met katholieken.

Niet lang daarna werd het eerste kind achtergelaten. Op een ochtend hoorde broeder Joseph voor zonsopgang gehuil, en toen hij de poort opende trof hij een baby in een vieze jurk aan. Het tweede kind werd in de buurt van de put achtergelaten in een emmer, en het derde in een mand bij het gemakhuisje. Meisjes werden om de zoveel tijd opgehaald door de liefdezusters die in een ziekenhuis werkten dat een eind verderop lag. Wat er met hen gebeurde wist niemand, maar de jongens bleven in Saint Anthony, en al snel was het klooster feitelijk veranderd in een weeshuis voor de buitenechtelijke kinderen van de mensen uit de omgeving, die nog steeds zo nu en dan probeerden het klooster plat te branden.

Om deze pogingen tot brandstichting aan banden te leggen, bouwden de monniken een hoge stenen muur om het terrein heen die als een hellend fort boven de weg uittorende. Onder in de houten toegangspoort zaagden ze een klein deurtje, en door deze opening werden de baby's naar binnen geduwd. Aan Ren werd verteld dat ook hij door deze deur was geschoven en dat hij de volgende ochtend helemaal onder de modder in de kloostertuin was aangetroffen. Het had de avond daarvoor geregend, en hoewel Ren zich er niets van kon herinneren, vroeg hij zich vaak af waarom hij in slecht weer was achtergelaten. Dat bracht hem altijd weer tot dezelfde conclusie: dat degene die hem had afgeleverd, wie het dan ook was geweest, zo snel mogelijk van hem af had gewild.

Het deurtje was zo bevestigd dat het maar naar één kant open kon – naar binnen. Wanneer Ren met zijn vinger tegen het kleine deurtje duwde, kon hij voelen hoe sterk het houten frame was dat erachter zat. Aan de kant waar de kinderen zich bevonden zat geen handvat, en er was geen gleuf onder het deurtje waarmee je het van onderaf omhoog kon tillen. Het hout was zwaar, dik en oud – een mooi stuk eikenhout dat jaren geleden uit de bossen achter het weeshuis was gehaald. Ren vond het fijn om te fantaseren dat er aan de andere kant ook tegen het deurtje werd geduwd: een moeder die zich had bedacht en haar arm er wild tastend weer doorheen probeerde te steken – een dunne, witte arm.

De jongere jongens stonden onder het beeld van de heilige Antonius te duwen en te trekken, terwijl de oudere zenuwachtig hun keel schraapten. Broeder Joseph liep de rij langs en trok hun kleren recht of spuugde in zijn hand om hun gezicht schoon te boenen, en hij botste met zijn grote, dikke buik tegen de kinderen aan die niet op hun plek bleven staan. Hij duwde zijn buik nu in de richting van een zesjarig joch dat van opwinding spontaan een bloedneus had gekregen.

'Snel, zorg dat niemand het ziet,' zei hij, terwijl hij de jongen met zijn lichaam afschermde. Aan de andere kant van de binnenplaats kwam vader John aanlopen, met in zijn kielzog de man die het paard een kus had gegeven.

Hij was een boer van een jaar of veertig. Hij had stevige schouders, op zijn vingers zaten dikke eeltlagen en zijn huid was getaand door de zon. Er zat bruine huiduitslag op zijn voorhoofd en op de rug van zijn handen. Hij had geen onvriendelijk gezicht; zijn jas was schoon, zijn hemd was wit gesteven en zijn kraag zat strak om zijn nek. Hij was gekleed door een vrouw. Dat betekende dat er een echtgenote zou zijn. Een moeder.

De man begon de rij af te lopen. Hij bleef staan voor twee blonde jongens, Brom en Ichy. Ook zij hoorden bij de tussengroep – ze waren een tweeling en waren drie winters na Ren achtergelaten. Broms nek was een centimeter of vijf dikker en Ichy's voeten waren een centimeter of vijf langer, maar afgezien van deze onderscheidende kenmerken waren de jongens moeilijk uit elkaar te houden wanneer ze stilstonden. Pas als ze buiten in het veld aan het werk waren, of als ze stenen gooiden naar een pijnboom, of als ze 's morgens hun gezicht wasten, waren de verschillen duidelijk zichtbaar. Brom gooide altijd een hand water over zijn gezicht, en dan was hij klaar. Ichy vouwde een zakdoek in vieren, depte die in het bassin en waste zich zorgvuldig achter zijn oren.

Er werd gezegd dat Brom en Ichy nooit geadopteerd zouden worden omdat ze een tweeling waren. Het stond vast dat een van hen ongelukkig zou worden. Eén-na-oudsten werden meestal als ondergeschoven kinderen beschouwd en kort na hun geboorte verdronken. Maar niemand wist wie er als eerste was geboren, Brom of Ichy, dus viel onmogelijk te zeggen wie het ongeluk zou treffen. De broers zouden eigenlijk uit elkaar moeten gaan en er zo verschillend mogelijk uit moeten zien. Ren hield dat inzicht echter voor zich. Ze waren zijn enige vrienden, en hij wilde hen niet kwijt.

De tweeling stond naast elkaar naar de boer te grijnzen, toen Brom opeens zijn armen om zijn broer heen sloeg en hem van de grond probeerde te tillen. Hij had dat al een keer eerder gedaan, om aan twee oudere heren te laten zien hoe sterk hij wel niet was, en dat was slecht afgelopen. Nu keek Ren vanaf de andere kant van de rij toe hoe de overrompelde Ichy zijn tafels van vermenigvuldiging begon op te zeggen, terwijl hij ondertussen fel met zijn broer worstelde; het ging er zelfs zo fel aan toe dat op een gegeven moment een van zijn laarzen door de lucht vloog, rakelings langs het hoofd van de boer.

Vader John had een klein zweepje in de mouw van zijn gewaad, waarmee hij nu de tweeling bewerkte, terwijl broeder Joseph Ichy's laars ging halen en de boer de rij verder af liep. Ren deed zijn armen achter zijn rug en ging in de houding staan. Hij hield zijn adem in toen de man voor hem stil bleef staan.

'Hoe oud ben jij?'

Ren opende zijn mond om antwoord te geven, maar de man gaf zelf het antwoord.

'Je lijkt me een jaar of twaalf.'

Ren wilde zeggen dat hij van elke leeftijd kon zijn, dat hij alles kon worden wat de man wilde, maar in plaats daarvan deed hij wat hem door de broeders was geleerd en zei hij niets.

'Ik wil een jongen,' zei de boer, 'die oud genoeg is om me bij het werk te helpen en jong genoeg om mijn vrouw het gevoel te geven dat ze een kind heeft. Een jongen die eerlijk is en die bereid is om te leren. Iemand die een zoon voor ons kan zijn.' Hij boog zich voorover en zei zo zachtjes dat alleen Ren het kon horen: 'Zou jij dat kunnen, denk je?'

Vader John kwam achter hem staan. 'Die moet u niet nemen.'

De boer stapte achteruit. Hij keek verward en vervolgens kwaad omdat vader John hem had onderbroken. 'Waarom niet?'

Vader John wees naar Rens arm. 'Laat zien.'

Nu bogen de andere kinderen zich naar voren. De priester en de boer stonden te wachten. Ren bewoog zich niet, alsof het moment, als hij maar lang genoeg wachtte, vanzelf in iets anders zou veranderen. Hij staarde achter de boer langs naar een esdoorn die vlak achter de stenen muur stond en waarvan de bladeren van kleur begonnen te veranderen. Het zou niet lang duren voordat ze een heel andere tint zouden hebben, en dan zou de wind komen en zou de boom er volkomen anders uitzien. De hand van vader John verdween in de mouw van het gewaad, en vervolgens kwam het zweepje omlaag; het liet een dunne rode striem achter, die genoeg pijn deed om de jongen zijn geheim te laten prijsgeven.

Ren miste een hand. Zijn linkerarm hield eenvoudigweg op op de plek waar de huid netjes over het bot was getrokken en scheef in de vorm van een V was genaaid – het littekenweefsel stulpte uit maar was genezen. De huid was op sommige plekken wit, het stiksel had de vorm van de poten van een duizendpoot: uitgespreid, verstijfd en versteend.

Ergens tussen het moment waarop hij ter wereld was gekomen en het moment waarop hij bij de poort van Saint Anthony was afgeleverd, had Ren de hand verloren. Hij vroeg zich af waar de hand nu was. Hij sloot zijn ogen en zag hem duidelijk voor zich: de palm geopend, de vingers ietsje gebogen. Hij stelde hem zich voor achter een vuilnisbak, in een houten kist, verborgen in een grasveld. Hij dacht er niet over na hoe groot de hand was. Hij bedacht niet dat de hand hem niet meer zou passen. Ren keek alleen maar naar zijn linkerhand en dacht aan de tegenhanger die ergens in de wereld geduldig lag te wachten tot hij hem kwam halen.

De boer probeerde niet te reageren, maar Ren zag de walging op zijn gezicht toen hij zich afwendde en verder de rij af liep. Toen de man een jongen aan de andere kant van de rij uitkoos – een jongen met rood haar die William heette en de gewoonte had om op zijn vingers te bijten – deed hij net of dat zijn eerste en enige keus was.

Ren keek toe hoe de boer zijn nieuwe zoon in de wagen tilde. De man gaf William een klopje op zijn hoofd, draaide zich om om wat geld uit te tellen en overhandigde dat aan vader John, die het snel in de mouw van zijn gewaad liet glijden. De boer klom op de bok en maakte aanstalten om te vertrekken, maar op het laatste moment liet hij de teugels zakken en keek hij even achterom naar het beeld van de heilige Antonius.

'Wat gebeurt er met de jongens die niemand kiest?'

'Die worden ingelijfd door het leger,' zei vader John.

'Geen gemakkelijk leven.'

'Het is de wil van God,' zei vader John. 'Wij trekken Zijn wegen niet in twijfel.'

De boer keek neer op de priester en keek toen naar zijn nieuwe zoon, die zenuwachtig op de huid van zijn duim beet. Hij haalde de rem van de wagen. 'Ik wel,' zei hij, en toen schreeuwde hij tegen zijn paard en reed de weg af.

TWEE

In de schuur schonk broeder Joseph een beker wijn voor zichzelf in en installeerde zich op zijn plek. Onder zijn gewaad stond een voetenwarmer – een tinnen kistje vol kolen uit de open haard van de keuken. Terwijl hij de kinderen in de gaten hield die aan het werk waren, zette hij er eerst zijn ene sandaal op en vervolgens de andere. Zo nu en dan dommelde hij in en vatte zijn gewaad vlam. Op de een of andere manier werd hij telkens net op tijd wakker om de vlammen te doven met zijn beker.

Om hem heen ontdeden de jongens de druiven van de steeltjes, persten ze uit en zeefden ze. Het was herfst, de oogsttijd was bijna voorbij. Onder het toeziend oog van broeder Joseph voegden ze de suiker en de gist toe aan het verzamelde sap, bedekten de emmers met kaasdoeken en zetten de emmers opzij. Later zouden ze het bezinksel verwijderen, de vloeistof in de houten vaten gieten, een beetje wijn toevoegen die al klaar was en het brouwsel laten gisten. De laatste stap was om de wijn in flessen over te hevelen en die te kurken. Drie maanden later zou hij klaar zijn om gedronken te worden.

Broeder Joseph stelde Ren nergens van vrij, maar bedacht wel manieren om hem te helpen. Hij bond een mand om Rens middel wanneer de jongen in de velden aan het plukken was; hij liet Ren zien hoe hij de schuimspaan stil kon houden door zijn elleboogholte te gebruiken; hij plaatste de trechter tussen Rens vingers en zijn stomp. Soms deed Ren er twee keer zo lang over als de andere jongens om iets af te krijgen, maar broeder Joseph sprak hem dan bemoedigend toe, en meestal gaf dat Ren de moed om zijn taak af te maken.

Nu tuurde de monnik naar het bezinksel op de bodem van zijn

beker. Vervolgens keek hij naar de kinderen, die rondliepen op de stille manier waarop ze dat altijd deden nadat er iemand uit hun groep was gekozen, met sombere en ontstemde gezichten. Broeder Joseph zette zijn beker op de grond en schoof de voetenwarmer aan de kant. 'Het lijkt me goed om met z'n allen voor William te bidden,' zei hij.

'Hij heeft geen gebed nodig,' zei Ichy.

'We hebben allemaal gebed nodig,' zei broeder Joseph. 'Vooral wanneer ons iets goeds overkomt.' Hij zuchtte. 'Goede dingen worden altijd gevolgd door pech. En slechte dingen komen altijd in drieën.'

De jongens dachten hierover na terwijl ze verdergingen met hun werk. En er waren er heel wat die stiekem opgelucht waren.

'Wat voor pech denkt u dat William zal overkomen?'

'Dat is moeilijk te zeggen,' zei broeder Joseph. 'Het kan van alles zijn.'

'Ik wil wedden dat ze op weg naar huis worden beroofd,' zei Ichy.

'En als ze daar aankomen,' zei Brom, 'staat hun huis in brand.'

De andere jongens begonnen mee te doen, en ze hadden allemaal hun eigen versie van de tegenslag die William en zijn nieuwe vader zou treffen. Ze werden aangevallen door bijenzwermen en achternagezeten door hordes wolven. Ze werden opgezadeld met jicht, de waterpokken en de pest.

'Zo is het wel genoeg!' zei broeder Joseph. 'Er moeten hun maar drie dingen overkomen.' Maar de jongens bleven doorgaan; ze bedachten steeds ergere dingen en hun gemeenheid bracht hen in een uitgelaten stemming.

Ren probeerde zijn eigen tegenslag voor William te bedenken, maar hij kon alleen maar aan de boer denken die de jongen op de wagen had getild. Hij vroeg zich af of William zou schrijven als hij een beetje gewend was. Soms stuurden jongens die geadopteerd waren een brief, waarin ze gedetailleerd hun nieuwe leven beschreven: hun warme bed en de nieuwe kleren en speciale maaltijden die hun moeder voor hen klaarmaakte. Die brieven werden gekoesterd en door de jongens aan elkaar doorgegeven, net zo lang tot de bladzijden gescheurd waren en de inkt was vervaagd.

Ren stelde zich het avondeten voor dat thuis op William stond te wachten. De vrouw van de boer had vast de mooie borden tevoorschijn gehaald, als ze die hadden. Ja, besloot Ren, die hadden ze. Borden van wit porselein. En er zou een schaaltje wilde bloemen op tafel staan die bij de keukendeur waren geplukt, roze en blauw, met kleine boterbloemen ertussen. Er zou brood zijn, gesneden en nog warm, in een mandje dat was bedekt met een servet. Er zou stoofpot zijn, lekker warm en vol vlees dat was ingewreven met kruiden en dat zacht en mals was. En een berg aardappels. En verse maïskorrels. En glazen verse melk. En op een vensterbank, vlak achter de boerin, die nu in de deuropening stond uit te kijken naar de wagen van haar man, stond een bramentaart. Een hele taart alleen voor hen drieën.

Zijn hand zou haar niets hebben kunnen schelen. Helemaal niets.

Ren zat op de vloer van de distilleerderij druiven te sorteren; hij trok blaadjes en stukjes van de rank uit het vruchtvlees en gooide de beschadigde en onrijpe druiven aan de kant. Er zaten altijd spinnen in de manden die van de velden kwamen, en zwermen muggen, en soms dunne zwarte slangen. Rens vingers waren helemaal rood. Het zou dagen duren voor de kleur van zijn huid was verdwenen.

Toen hij alle druiven had gesorteerd, gooide hij ze over de rand van de wijnpers, een enorm geval dat in het midden van de schuur stond opgesteld. De kinderen kropen bij elkaar rondom de vultrechters die aan de onderkant zaten en hielden er emmers onder om het sap op te vangen, terwijl andere jongens de zwengel rondduwden, die als een windmolen op zijn kant in het midden van de pers was bevestigd. Het was zwaar werk. De oudste jongens moesten de wijnpers laten draaien door met één wiek per arm rondjes te lopen. Over een jaar zou Ren een van hen zijn.

Er waren maar een paar jongens in Saint Anthony die oud genoeg waren geworden en vaak genoeg waren overgeslagen om naar het leger te worden gestuurd. Een van die jongens heette Frederick, een stevig kind dat moeite had met ademhalen en vaak flauwviel. Hij zakte dan zonder een geluid te maken op de grond. De soldaten waren hem 's nachts komen halen. Vanuit het raam van de kleinejongenskamer had Ren gezien hoe de mannen het slappe lichaam van Frederick over de binnenplaats en door de houten poort hadden gesleurd, met zijn voeten stuiterend over de keien. Er was nooit meer iets van hem vernomen.

Een andere jongen heette Sebastian; hij was opvallend bleek en dun. Een halfjaar nadat hij met de soldaten was vertrokken, verscheen hij bij de poort van het weeshuis, en hij was zo veranderd dat de kinderen hem niet herkenden. Hij had een verwilderd gezicht en twee blauwe ogen. Zijn lip was helemaal gespleten en hij leek een gebroken been te hebben. Sebastian duwde het deurtje in de poort open, hetzelfde deurtje waar hij als kind door naar binnen was geschoven, en smeekte de broeders hem terug te nemen. Vader John kwam aanlopen, mompelde een gebed en schoof de extra grendel voor de poort. De jongen bleef daar drie dagen lang; eerst huilend, toen smekend, toen schreeuwend, toen biddend, toen scheldend, en toen viel hij stil en kwam er een wagen met drie soldaten aanrijden die Sebastian achterin gooiden en met hem wegreden.

Het gerucht ging dat vader John betaling van de soldaten aannam en dat hij een of ander contract tekende waarmee hij de eigendom over de jongens overdroeg. Er ging geen dag voorbij dat Ren hier niet aan dacht, en altijd als dat gebeurde begon het litteken aan zijn arm te jeuken. Elke keer als hij in de rij met kinderen werd overgeslagen, elke keer als hij een andere jongen gekozen zag worden, en elk jaar dat hij ouder werd, werd de jeuk erger.

Als compensatie stal Ren dingen. Het begon met kleine beetjes eten. Hij ging dan voor de kok staan nadat hij de open haard had schoongemaakt, en dan wierp de man een blik op het litteken van de jongen en wendde hij zijn blik af om een berg kool te bestuderen terwijl hij tegen iemand schreeuwde dat hij de bonen moest wassen, wat Ren precies genoeg tijd gaf om een van de stukken brood die op het aanrecht lagen in zijn zak te laten glijden.

Hij pikte nooit iets wat hij niet makkelijk kon verbergen. Hij stal sokken en schoenveters, kammen en bidprentjes, knopen, sleutels en kruisbeeldjes. Alles waar hij maar tegen aanliep. Soms hield hij de spullen, soms bracht hij ze terug, soms gooide hij ze in de put. Zodoende was Ren verantwoordelijk voor de meeste zoekgeraakte dingen waar bij het beeld van de heilige Antonius voor gebeden werd.

De spullen die hij bewaarde, verstopte hij in een kleine scheur die zo'n dertig centimeter onder de rand van de put zat. Als Ren over de stenen muur leunde, paste zijn hand precies in de schuilplaats, terwijl het geluid van zijn ademhaling weerkaatste tegen het water ver beneden. Hij bewaarde er een scherf blauw-wit aardewerk, een slangenhuid die hij in het bos had gevonden, een paar kralen van een rozenkrans die hij had gestolen van vader John en die van echt rozenhout waren gemaakt, en, het belangrijkste van alles, zijn stenen.

De jongens van Saint Anthony verzamelden stenen. Ze potten ze op alsof het kostbare voorwerpen waren, alsof het verzamelen van veldspaat en schalie de weg naar een nieuw leven voor hen zou vrijmaken. Als ze op de juiste plekken groeven, vonden ze dingen die nog zeldzamer waren: kwarts, of glimmer, of pijlpunten. Deze stenen werden bewaard en geruild en gekoesterd, en soms, als de kinderen werden geadopteerd, werden ze achtergelaten.

Die middag, toen broeder Joseph in slaap was gevallen, werden de stenen van William uitgespreid over de grond van de schuur, en de jongens begonnen ruzie te maken over hoe ze verdeeld moesten worden. Er waren wel dertig of veertig stenen. Stenen die glansden als metaal, en stenen met bruine en zwarte strepen, en rode en oranje stenen met de kleur van een zonsondergang. Maar de mooiste steen uit de collectie was een wenssteen: een lichtgrijze steen met een ononderbroken witte band die om de steen heen liep. Je kon er één wens mee laten uitkomen.

Ren had maar één keer eerder een wenssteen gezien, en die was van Sebastian geweest. Die had de steen een keer aan Ren laten zien, maar niemand mocht hem vasthouden. Hij was bang om de wens te verliezen. Hij zei dat hij de wens bewaarde voor als hij een keer in moeilijkheden kwam, en hij had de steen meegenomen toen hij naar het leger ging. Later, aan de andere kant van de bakstenen muur die om het weeshuis stond, met lippen die gebarsten waren van de zon, vertelde Sebastian Ren door het deurtje in de poort dat iemand de steen had gestolen terwijl hij sliep. 'Ik had hem niet moeten bewaren,' zei hij huilend. 'Ik had hem moeten gebruiken zodra ik hem in handen kreeg.'

De dakspanten vingen de stemmen van de jongens op en stuurden ze als echo terug. Een paar jongens hadden de wenssteen al ontdekt. Ren was ervan overtuigd dat zijn kans verkeken zou zijn wanneer Williams stenen eenmaal verdeeld waren. Hij schuifelde voorzichtig naar de plek waar de steen op de grond lag, terwijl hij ondertussen zijn mouw oprolde. Toen deed hij net alsof iemand hem van achteren een duw had gegeven, liet zich midden in de groep vallen en rolde over de grond, terwijl hij met de stomp van zijn linkerarm zijn rechterarm afdekte. De andere jongens duwden hem met hun ellebogen opzij.

'Hoepel op.'

'Lepralijder.'

'Ga opzij.'

Terwijl de jongens verder ruzieden, trok Ren zich achter in de schuur terug, met de steen veilig tussen zijn vingers. Hij opende zijn hand en keek naar beneden. De wenssteen had de kleur van regen. De randen waren glad. Hij voelde de inkeping op de plek waar de witte band begon en dacht aan alle dingen waar hij om zou vragen.

Brom en Ichy waren tegen elkaar aan het fluisteren, en vervolgens maakten ze zich los van de groep en kwamen achter Ren aan. Ze wisten dat hij iets had weggepakt. Ze waren zijn vrienden maar wilden delen in de buit.

'Wat heb je in je hand?'

'Niks.'

'Geef hier.'

De andere kinderen kregen er lucht van. Als eerste Edward, met zijn loopneus, en toen Luke en Marcus. Ren wist dat het nog maar heel even zou duren voordat ze zich allemaal op hem zouden storten. Hij gaf Brom een klap; hij raakte de kin van zijn vriend hard met zijn knokkels. Vervolgens dook hij onder Ichy's arm door en stormde de schuur uit. Hij rende zo hard hij kon naar de put, hopend dat hij er op tijd zou aankomen om de steen te kunnen verbergen, en onafgebroken biddend dat de jongens niet achter hem aan zouden komen. Maar ze kwamen wel achter hem aan – ze zaten vlak achter hem, Brom voorop. Hij wist bijna Rens schouder vast te grijpen, en toen lukte het hem en vielen ze allebei op de grond.

Ichy ging op Rens borst zitten en Brom draaide Rens arm net zo ver op zijn rug tot hij zijn vingers opende. Ren probeerde de tweeling bijtend en krabbend van zich af te schoppen, maar hij wist in zijn hart dat hij ging verliezen en voelde de steen uit zijn hand glijden. De jongens lieten hem hijgend in de modder liggen en bogen zich over hun buit heen.

'Ik wil een pijlpunt wensen,' zei Ichy.

'Dat is niet goed genoeg,' zei Brom.

'Snoep dan.'

'Ik ga wensen dat vader John zijn nek breekt.'

'Speelgoed!'

'Dat we gekozen worden als we in de rij staan.'

'Dat we honderd wensen kunnen doen in plaats van eentje.'

Ren luisterde naar zijn vrienden. Hij had nog nooit iemand zo gehaat. De haat stroomde uit zijn vingertoppen, en hij schoot naar voren om de steen terug te grissen. Als hij de wens niet kon gebruiken, dan mocht niemand dat. De tweeling pakte hem bij zijn hemd en wanhopig trok hij zich los. De haat die hij in zich had gaf hem kracht, meer dan hij ooit had gehad, en hij boog zich voorover en gooide de steen in de put. Er klonk geen geluid terwijl de steen viel; het enige wat te horen was, was de echo van Rens eigen ademhaling in het donker, en toen een nauwelijks hoorbare plons die hem duidelijk maakte dat de steen het water had bereikt.

DRIE

De kleine studeerkamer van vader John lag op de eerste verdieping van het klooster. Hier kwamen de dictaten en benedicties vandaan, hier werden de beslissingen genomen over de etensporties en het avondprotocol, de gebedsroosters, de onderverdeling van zonden en het schoonmaakrooster voor de latrine, en hier klonken de geluiden die het afdwingen van de naleving van al die regels en bepalingen met zich meebracht. Ren was er drie keer afgeranseld omdat hij eten had verstopt, zes keer omdat hij 's nachts uit zijn bed was gekomen, vijftien keer omdat hij zonder toestemming op het dak was geweest en zevenentwintig keer omdat hij had gevloekt. Hij kende de studeerkamer goed, en hij was ervan overtuigd dat de priester hem minder hard sloeg – bij de anderen had hij striemen gezien die centimeters diep waren.

Vader John pakte een boek van de plank aan de muur: *De levens der heiligen.* Hij liep ermee naar zijn bureau en begon te lezen, terwijl Ren in de hoek stond toe te kijken. Er verstreken dertig minuten. Soms liet vader John de kinderen uren zo staan. Het wachten was altijd erger dan de straf.

Ren was op zijn eigen manier een gelovige. Geloven ging net zo vanzelf als ademhalen. Achter het weeshuis liep een beekje. Ren vond het fijn om zijn hand daarin te steken en het water tussen zijn vingers door te voelen stromen. Hij keek dan toe hoe er bladeren en takjes meedreven en voelde de stroming aan zijn pols trekken. Het was dezelfde trekkracht die hij weleens voelde als hij bad – het gevoel dat hij werd meegenomen naar een diepere plek. Maar hij had nooit de moed om zich helemaal te laten meevoeren. Zodra hij de aandrang kreeg om los te laten, haalde hij zijn hand uit het water.

De priester sloeg een bladzijde om in zijn boek. Hij liet zijn vinger langs de rug glijden en begon hardop te lezen: 'In Padua gaf een jongeman die Leonardo heette zijn moeder in een vlaag van woede een trap. Vervolgens kreeg hij zoveel wroeging dat hij te biecht ging bij de heilige Antonius. De heilige zei tegen de jongeman dat hij het lichaamsdeel dat de zonde had begaan moest verwijderen. Leonardo ging naar huis en sneed zijn voet af. Toen de heilige Antonius hiervan hoorde, ging hij langs bij de gewonde. En met één aanraking maakte hij de voet weer aan het lichaam vast.' Vader John deed het boek dicht maar hield zijn vinger op de bladzijde. 'Ik dacht dat dat verhaal je misschien wel zou interesseren.'

Ren wist dat hij niet moest antwoorden. Dat hij geen woord moest zeggen. Zijn linkeroog was gezwollen, zijn gezicht zat onder de modder op de plek waar Brom het tegen de grond had geduwd. De tweeling had net zo lang aan zijn haren getrokken tot hij had verteld waar hij zijn verzameling verborgen hield en was er toen vandoor gegaan met alles wat hij had gespaard. De broers waren de schuur weer binnen geglipt voordat broeder Joseph wakker was geworden. Vader John had de vechtpartij vanuit zijn studeerkamer gehoord en trof Ren in zijn eentje bij de put aan, onder de blauwe plekken en het bloed en huilend om wat hij had verloren.

'Zonde verblijft niet slechts in het vlees.' Vader John stond op en liep door het vertrek. 'Zonde is een onuitwisbaar deel van je ziel. Elke overtreding veroorzaakt een zwarte vlek die alleen kan worden verwijderd door de heilige biecht en door het heilige vuur van Gods oordeel.' Hij sloot het boek en zette het terug op de plank. 'De heiligen zijn een voorbeeld voor ons allemaal. Denk aan ze, de volgende keer dat je wordt verleid.' De priester haalde het twijgje uit zijn mouw, inspecteerde het en trok een haartje van de schors. 'Dat doe ik ook altijd.' Hij wees op de geselbank, en de jongen liep ernaartoe en liet zijn broek zakken.

De geselbank had door de jaren heen Rens gewicht en dat van vele andere jongens gedragen. Ren herinnerde zich de eerste keer dat hij erop plaats had genomen, nadat hij door broeder Peter op een leugen was betrapt. Nu zaten er nóg meer krassen in het hout en zaten de scharnieren op nóg meer plekken los. De bank leek het elk moment te kunnen begeven.

'Wie heeft je geslagen?'

De eerste slag kwam altijd als een schok. De jongen probeerde zich niet te bewegen toen de klap zijn huid schroeide. Het zweet liep over zijn onderrug. Tussen zijn benen door.

'Wie heeft je geslagen?'

Ren probeerde aan andere dingen te denken. Hij kon voelen dat de randen van de wonden begonnen te wijken, terwijl de stekende pijn zich over zijn lichaam verspreidde. Het speeksel droop uit zijn mond en vormde een plasje op de grond.

'De maaltijden gaan op rantsoen totdat je hun naam noemt. De schoenen en dekens voor de winter worden teruggestuurd.'

Ren klemde zich aan de bank vast. Hij wachtte tot die zou breken. Er werd elk jaar gesproken over nieuwe schoenen en dekens. En elk jaar weer bleken ze niet te komen.

De kleinejongenskamer was een langwerpige, smalle zolderruimte die vol stond met bedden. De muren van de kamer waren zo schuin dat het plafond niet meer was dan een streep. Het vertrek had twee kleine, afgesloten ramen, eentje bij de deur en een aan het donkere uiteinde. Bij dat laatste raampje probeerde Ren in slaap te vallen, terwijl hij nog steeds een brandend gevoel had aan de achterkant van zijn benen.

De kamer rook naar gekookte vis. Het was dezelfde olieachtige geur die in de rest van het weeshuis hing. De olie was afkomstig van de lichamen van de kinderen en sijpelde op de tafels en de stoelen, en in de stenen muren van het gebouw. De jongens werden twee keer per maand gewassen, samen met hun beddengoed, door een groep liefdadige grootmoeders. Op die dagen zetten de broeders de deuren en ramen open om te proberen alles te luchten, maar dat sorteerde weinig effect. Tegen het einde van de eerste avond kwam de geur alweer terug – een combinatie van bedplas, angst en braaksel.

Brom en Ichy lagen in het bed naast dat van Ren, zoals dat altijd het geval was geweest sinds het moment dat ze naar Saint Anthony waren gebracht. Ren kon zich nog de avond herinneren waarop broeder Joseph met de tweeling in zijn armen de kamer binnen was geschuifeld. De jongetjes waren doorweekt geweest en hun lijfjes trilden helemaal. Ren had toegekeken hoe broeder Joseph ze op het bed legde en de dekens begon los te wikkelen.

'De moeder heeft zichzelf verdronken.' Broeder Joseph gooide de natte dekens op de grond, terwijl hij mompelde in het donker. 'Niets dan pech. Niemand zal ze willen.' Hij wreef over de armen en benen van de jongens. 'Ze moeten warm worden.' En met die woorden stopte hij ze een voor een bij Ren in bed en haastte zich vervolgens de gang in om op zoek te gaan naar iets droogs wat hij ze aan kon trekken.

De jongens schurkten onder de deken tegen Ren aan. Ze waren dan misschien een jaar jonger, ze namen wel twee keer zoveel ruimte in beslag, en Ren overwoog ze op de grond te schoppen. Ichy klampte zich vast aan Rens nachthemd, alsof hij aanvoelde wat Ren van plan was, en stopte de stof in zijn mond. Brom huilde van kwaadheid. Ren dacht aan hun moeder, drijvend in de rivier. Hij vroeg zich af wat voor kleur haar ze had. Blond, besloot hij. En hij nam ook een besluit over de kleur van haar ogen (blauw) en haar huid (bleek) en het patroon van haar jurk (groen), tot hij haar voor zich zag staan, druipend van het water. Onder haar schoenen zat een dikke laag slijm en in haar haren zaten allemaal takjes. Ze hield haar armen om zich heen geslagen, alsof ze het koud had, en het duurde even voordat Ren doorhad dat ze iets van hem verwachtte.

'Wat wilt u?' vroeg hij. Maar ze gaf geen antwoord. En dus begon hij te fluiten, om maar een geluid in de kamer te horen. Naast hem stopte de tweeling met huilen en werd het stil. Het werd zelfs zo stil dat Ren bang was dat ze misschien dood waren. Hij ging rechtop zitten en keek naar hun slapende gezichten, tot hij zich ervan had overtuigd dat ze ademhaalden. Toen hij zich omdraaide was hun moeder verdwenen.

Nu woelde Ren met zijn brandende benen heen en weer en probeerde hij de pijn te negeren. Vader John was rechtshandig en liet daardoor bij voorkeur aan de linkerkant zijn sporen na. Ren draaide zijn hoofd naar de ene kant en weer naar de andere. De huid rondom zijn oog klopte en zijn arm deed pijn op de plek waar Brom hem op zijn rug had gedraaid. Hij peuterde aan een korstje dat zich op zijn knie begon te vormen en zoog lucht tussen zijn tanden door terwijl het loskwam.

'Doet het pijn?' fluisterde Ichy vanuit het bed naast hem.

Ren wilde niet laf lijken. 'Nee.'

'Je had me niet moeten slaan,' zei Brom.

Ren draaide zich om en keek uit het raampje. Hij was nog niet bereid om weer vrienden te zijn.

'Zou William al thuis zijn?' vroeg Ichy.

'Dat moet wel,' zei Brom.

'Tenzij hij gevangen is genomen door piraten,' zei Ichy.

Toen zweeg de tweeling, en ten slotte werd hun ademhaling oppervlakkig. Ren ging op zijn zij liggen en dacht aan Sint Antonius die Leonardo's voet weer had vastgemaakt. Hij vroeg zich af of er een litteken op de huid had gezeten of dat de heilige erin was geslaagd de enkel weer helemaal gaaf te maken. Hij liet zijn hand onder de dekens glijden en haalde *De levens der heiligen* tevoorschijn.

Toen vader John klaar was met de geseling en zich had omgedraaid om het twijgje weer in zijn mouw te stoppen, had de jongen het boek uit de boekenkast gegrist. Hij had het onder zijn hemd verstopt en zich er op de geselbank overheen gekruld tot hij weg mocht. Hij had de leren boekband tegen zijn huid aan gedrukt en nu was de band warm, alsof het een levend ding was.

Ren zette het boek tegen zijn elleboog, zodat er genoeg licht op viel om te kunnen lezen. Hij zocht het verhaal op over de feestdag van Sint-Antonius, 13 juli, en kwam tot de ontdekking dat Leonardo's voet niet het enige wonder was dat de heilige had verricht. Antonius woonde ook in een walnotenboom en verplaatste zich op een magische manier van het ene land naar het andere. Hij preekte tegen vissen, stuurde engelen achter dieven aan en zorgde ervoor dat ezels hooi weigerden en alleen nog de heilige hostie wilden. Hij redde vissers uit stormen, bracht duizenden ketters tot bekering, begeleidde nonnen door Marokko en liet een jongen opstaan uit de dood.

De vermoorde jongen was begraven in de tuin van de vader van Sint Antonius aangetroffen. De vader van de heilige werd gearresteerd en beschuldigd van de moord. Maar toen verscheen de heilige Antonius, die de dode jongen aanraakte en weer tot leven wekte. Het kind opende zijn ogen en vertelde wie de echte moordenaar was. In het boek stond niet vermeld wat er vervolgens gebeurde, en Ren vroeg zich af of de jongen was teruggekeerd naar zijn graf. Dat leek niet eerlijk. Als je moest sterven, dacht Ren, dan zou dat maar één keer moeten gebeuren.

Er klonk gehuil aan de andere kant van de kleinejongenskamer. Ren luisterde eventjes en schoof toen voorzichtig zijn boek onder de deken. De andere jongens begonnen wakker te worden; hij kon er een paar horen mompelen, nog half in slaap. Brom ging rechtop zitten en schreeuwde dat het stil moest zijn. Een andere jongen vloekte. Toen kwam er iemand uit bed. Ren hoorde de voetstappen over de grond gaan. Even hielden alle kinderen hun adem in, en toen klonk er een luide klap. Het gehuil hield op en de voetstappen gingen terug naar het bed.

Ze waren nu allemaal wakker en lagen naar het donker tussen de spanten te staren en te luisteren. De jongens wisselden elkaar 's nachts af met huilen. Het was slechts een kwestie van tijd voordat er een andere jongen begon. En toen de bekende zachte geluidjes begonnen, wist Ren dat het uren zou duren voordat hij verder kon lezen.

Hij deed het boek dicht en sloot zijn ogen. Hij dacht aan de wenssteen die op de bodem van de put lag. Hij had hem vastgehouden, al was het dan maar voor even geweest. Ren balde zijn hand tot een vuist en probeerde zich de vorm te herinneren. Hij kon het bloed onder zijn huid voelen kloppen, en even voelde hij de warmte van de steen weer tegen zijn vingertoppen en trokken alle mogelijke wensen aan zijn geestesoog voorbij. Ren plaatste zijn hand in een lichtstraal en deed hem langzaam open, half verwachtend dat de steen weer zou verschijnen. Maar er was die avond geen magie in de kleinejongenskamer. Alleen Rens lege, open handpalm,

31

die afkoelde in het donker. Een paar bedden verderop begon een andere jongen te huilen, en Ren drukte zijn gezicht in zijn kussen. Hij was blij dat hij de steen had weggegooid. Niemand zou er ooit nog een wens mee kunnen doen.

VIER

De lessen van broeder Peter werden elke dag gegeven in de kamer aan de voorkant van het klooster. Wat de jongens van deze lessen moesten opsteken hing af van de gelegenheid en, zo leek het, van het weer. Op regenachtige dagen haalde broeder Peter kaarten tevoorschijn en vertelde hij waar in de wereld zich dingen bevonden. Als de zon scheen droeg hij poëzie voor. Als er sneeuw lag, pakte hij het telraam van zijn bureau en besprak hij getallen. En wanneer het stevig waaide, deed hij helemaal niets en staarde hij alleen maar door de ramen naar de bomen die door de wind heen en weer werden geblazen.

Er was bepaald dat de broeders de kinderen enige kennis moesten bijbrengen; op z'n allerminst voldoende taalvaardigheid om de Bijbel te kunnen lezen en voldoende rekenkunde, zodat ze niet bedrogen konden worden door de protestanten. Waarom deze taak aan broeder Peter was toebedeeld was de jongens niet duidelijk, want het gebeurde vaker wel dan niet dat hij zijn voorhoofd op tafel legde en de kinderen volledig negeerde. Veel van wat de jongens hadden geleerd, was als een besmettelijke ziekte van het ene kind op het andere overgebracht, en meestal ging het dan om flarden van de geschiedenis van New England: Amerikaanse revolutionairen en de North Bridge, Giles Corey en Crispus Attucks.

Vandaag oefenden de jongens in het schrijven en herschrijven van psalmen op kleine schrijfbordjes, die ze rond lieten gaan en met elkaar deelden. De psalm waar ze aan werkten was Psalm 118, vers 8: HET IS BETER TOT DE HEER TOEVLUCHT TE NEMEN DAN OM OP DE MENS TE VERTROUWEN. Broeder Peter had nog maar net zijn hoofd op de tafel gelegd, toen de jongens begonnen te fluisteren en uit het raam wezen. Ren keek op van de woorden die voor hem waren gespeld. Er stak een vreemdeling de binnen-plaats over.

De man droeg een bril. Hij had strokleurig haar dat met een lint bij elkaar was gebonden, waardoor hij eruitzag als een student. Hij had geen hoed op, maar droeg wel laarzen en een lange, donkere jas met openstaande kraag, als de kraag van een koetsier. Broeder Joseph ging de man voor naar de priorij, en de kinderen keken toe hoe de vreemdeling even de pas inhield en naar één kant over-helde, alsof zijn been hem pijn deed. Hij was tenger gebouwd, en voordat hij in het gebouw verdween zag Ren dat hij bleke, dunne handen had. Hij was geen boer.

Een kwartier later kwam broeder Joseph het klaslokaal binnen stormen. Hij was buiten adem en had vlekken op de voorkant van zijn gewaad. Hij liet zijn ogen door het vertrek met jongens glijden en sprak de woorden waar ze allemaal op wachtten: 'Iedereen naar het beeld.'

Ren haastte zich het vertrek uit en stormde naar de heilige An-tonius, terwijl hij op de een of andere manier het gevoel had dat zijn geluk hem vooruitsnelde. Hij ging samen met de andere jon-gens in de rij staan. Broeder Joseph liep voor hen langs om hem-den in broeken te stoppen en kragen recht te trekken, terwijl aan de overkant van de binnenplaats de deur van de priorij openging.

Vader John kwam naar de kinderen toe lopen met dezelfde on-gemakkelijke houding die hij altijd had voordat hij hen sloeg. In zijn ene hand hield hij papieren. De andere hand zat in zijn mouw, wat betekende dat hij zijn twijgje bij zich had. De vreemdeling volgde op korte afstand, terwijl zijn lange jas achter hem aan door de modder sleepte.

Hij was een jonge man. Zijn gezicht was getekend en knap, al waren zijn oren iets te groot voor zijn hoofd. Toen hij bij het beeld van de heilige Antonius kwam, sloeg hij zijn armen over elkaar en leunde ertegenaan. Hij keek over de rand van zijn bril naar de jon-gens. Zijn ogen waren blauw, blauw als de zomerlucht; het waren de blauwste ogen die Ren ooit had gezien.

'Dit is de heer Nab,' zei vader John. Hij keek even op het papier in zijn hand en wendde zich toen tot de vreemdeling, die nu op één voet stond en zijn enkel ronddraaide in de lucht.

'Een oude oorlogswond,' zei de man. 'Als het koud wordt, doet het een beetje pijn.' Hij zette zijn voet weer op de grond en stampte ermee, en toen nog een keer, en vervolgens brak er op zijn gezicht een brede, opgeruimde, stralende glimlach door. Het was een innemende glimlach, en hij bewerkte er eerst de priester mee en toen de rij jongens.

Vader John herstelde zich en keek weer op het papier. 'Meneer Nab is op zoek naar zijn broer, die hier als baby naartoe is gebracht. Hij zegt dat zijn broer een jaar of elf is – klopt dat?'

'Ik geloof het wel. Al is het ondertussen zo lang geleden dat ik het me moeilijk kan herinneren.'

'Welnu,' zei vader John, en hij liet een stilte vallen. Ren kon zien dat hij zijn geduld verloor. 'Komt een van deze jongens u bekend voor?'

Benjamin Nab stapte naar voren en bekeek elk kind grondig. Hij leek ergens naar op zoek te zijn, maar het was moeilijk te zeggen waarnaar, want bij alle jongens zocht hij op een andere plek. Hij pakte ze bij hun kin en draaide hun gezicht naar het licht. Hij voelde aan hun nek, mat met zijn vinger de lengte van hun wenkbrauwen en trok twee keer een pluk bruin haar tot bij zijn neus.

'Te klein,' zei hij tegen de ene jongen.

'Te groot,' zei hij tegen een andere.

'Laat me je tong eens zien.' Marcus stak zijn tong uit in het zonlicht, en de man dacht even na en schudde toen opnieuw zijn hoofd.

Ren voelde dat de tweeling naast hem zenuwachtig heen en weer schoof. Brom had zijn handen tot vuisten gebald. Ichy had zijn voeten recht naast elkaar gezet. Maar Benjamin Nab nam niet eens de moeite om ze te bekijken. Hij ging verder, alsof hij al van hun pech op de hoogte was en bang was ermee besmet te raken. Toen kwam hij bij Ren.

Benjamin Nab gaf de jongen een por tegen zijn schouder. Het was een harde por, alsof hij Ren erop had betrapt dat hij sliep.

'Je ziet eruit als een kleine man.'

Het werd uitgesproken als een compliment, maar Ren was bang

dat het misschien iets anders betekende. Hij wist dat hij kleiner was dan de andere jongens. Benjamin Nab stapte naar voren, terwijl zijn blauwe ogen langs elke centimeter van Rens gezicht, nek en schouders gleden. Ren wachtte, terwijl zijn hart in zijn borstkas bonsde. Hij stond kaarsrecht, en spande zijn spieren toen de man naar beneden reikte en in zijn arm kneep. Toen verstijfde Benjamin Nab plotseling, en Ren wist dat de man had gezien dat hij een hand miste.

Benjamin Nab sloot zijn ogen, alsof hij zijn best deed zich iets te herinneren. En vervolgens ging hij op zijn hurken zitten en sloeg hij zijn armen om de jongen heen en werd Rens gezicht tegen de koetsierskraag geduwd, die naar zweet en naar vuil van de weg rook, en Ren hoorde Benjamin Nab uitroepen: 'Dit is hem. Deze is het.'

Het drong nauwelijks tot Ren door wat er gebeurde. Het ene moment had hij in de rij gestaan en het volgende moment werd hij stevig omhelsd door de vreemdeling en klonken er uitroepen en geschreeuw in zijn oren en werd hij op zijn voorhoofd gekust. De andere jongens wierpen elkaar blikken toe. Ren voelde dat er vanaf de plek waar hij stond rimpelingen door de rij gingen, die zich verspreidden over de binnenplaats. Toen duidelijk werd dat hij was gekozen, dat hij nu bij een gezin hoorde en het weeshuis voorgoed zou verlaten, spoelde er een golf van blijdschap door zijn lichaam die een blos op zijn wangen bracht en plotseling overging in overweldigende duizeligheid, en hij gaf over op de grond.

Benjamin Nab duwde de jongen van zich af en haalde toen een zakdoek uit zijn zak, die hij gebruikte om zijn jas af te vegen. Hij had een blik van afkeer op zijn gezicht. Toen keek hij even naar de priester en lachte hij weer, en hij overhandigde de zakdoek aan Ren. Hij gaf de jongen een klopje op zijn hoofd.

'Het was niet mijn bedoeling je zo op te winden, hoor.'

Vader John stond bij dit alles toe te kijken en deed toen iets ongebruikelijks. Hij nodigde Benjamin Nab uit voor een kop thee. Door zijn misselijkheid heen werd Ren bang dat vader John de vreemdeling ervan wilde overtuigen dat hij hem niet moest nemen. Hij hield de zakdoek van de man vast, maar schaamde zich te erg om hem te gebruiken, en dus veegde hij zijn mond af zoals hij dat altijd deed, met de achterkant van zijn mouw. Hij bad dat er niets was veranderd door zijn misselijkheid, en toen hij opkeek leek God zijn gebed te hebben verhoord, want Benjamin Nab was niet verder gelopen langs de rij. Hij had nog steeds dezelfde merkwaardige glimlach op zijn gezicht toen hij zich vooroverboog en zijn zakdoek lostrok.

In zijn studeerkamer ging vader John achter het bureau zitten en gebaarde naar Benjamin Nab dat hij de enige andere zitplaats kon gebruiken – de geselbank. De man schoof die naar het midden van het vertrek, installeerde zich erop en leunde naar achteren, zo ver dat Ren bang was dat de bank zou bezwijken. De jongen nam zijn gebruikelijke plek in de hoek in, maar toen vader John hem een strenge blik toewierp, realiseerde hij zich dat hij nu een nieuwe plek had, naast Benjamin Nab.

Toen de thee was gebracht, dronk de priester daar zwijgend met kleine slokjes van, alsof hij niet verwachtte dat er een gesprek zou worden gevoerd. Vader John gebruikte dit soort stiltes altijd om bekentenissen van zijn jongens los te krijgen, maar Benjamin Nab liet zich er niet door intimideren. De man leek zich volkomen op zijn gemak te voelen terwijl hij de thee opslurpte die op zijn schoteltje was gemorst. Hij smakte met zijn lippen, zette het theekopje neer en vertelde hun toen hoe Ren zijn hand had verloren.

'Het begon allemaal toen onze vader ons in de huifkarren meenam naar het westen. We namen een veld in bezit bij een van de buitenposten – Fort Wagaponick, kent u dat?' Vader John zei van niet. Benjamin keek naar Ren, en de jongen realiseerde zich dat hij een antwoord wilde voordat hij zijn verhaal vervolgde. Ren schudde zijn hoofd.

'Nou ja,' zei Benjamin. 'Vroeger kende je het wel. Maar je zult wel te klein zijn geweest om het je te herinneren. Er waren daar bomen die zo groot waren als huizen, en zo breed dat er twintig mannen voor nodig waren om hun armen eromheen te slaan. De vogels die in de takken van die bomen zaten, waren zo groot als ezels en tilden honden en kinderen anderhalve kilometer mee de lucht in om er hun jongen mee te voeden. De bergen raakten de hemel en creëerden hun eigen soort weer – sneeuw in de zomer en woestijnhitte in het midden van januari. Daar ben je geboren, in het dal daar vlak onder, tussen de bossen en een rivier vol gevaar.

Onze vader zat vol dromen. Hij was altijd op zoek naar de rand van het niets. Nou, dat was het daar. Niets dan wildernis en dingen waar je de naam niet van weet – vreemde kleine stuivers die door de bladeren van de bomen schoten en grote hossers die 's nachts voorbijkwamen. Ik was een stuk groter dan jij,' zei hij, knikkend naar Ren, 'maar ik vond het eng om water te gaan zoeken.'

We onderhandelden met stropers en soldaten die in de buurt gestationeerd waren om voor ons te komen werken en bouwden onze eerste hut. Het was er donker. Er was geen glas om ramen te maken en de balken waren ingesmeerd met pek om de wind buiten te houden. We maakten een haard van op elkaar gestapelde stenen, met een pijp om de rook af te voeren die het nooit deed. Toch sliepen we 's nachts bij de haard, op matrassen die waren gevuld met maïsvliezen, en met brandende ogen. Jij werd er ziek van. Je was hartstikke misselijk en moest hoesten. Moeder was zo bezorgd dat ze een week in het fort ging wonen om te proberen je longen schoon te krijgen.'

Ren haalde diep adem en ademde weer uit. Hij kon de rook in de hoeken voelen hangen. Roetvlokjes achter in zijn keel. Hij zag de lange tocht voor zich die zijn moeder door het bos had gemaakt, met zijn lichaam als een strak bundeltje in haar armen, en voelde onder de deken haar snelle pas.

'Toen de lente begon, konden we buiten vuur maken. De zaden die we hadden geplant voordat het ging vriezen begonnen te ontkiemen, en de bevroren rivier brak open en ging weer stromen, en langs de oever ontstonden ijsschotsen. De dagen werden langer, en bij al dat licht ploegden we bijna drie hectare om, kapten we bomen, haalden we stenen weg en verjoegen we marmotten en konijnen, vossen en veldmuizen, herten, beren, elanden en wezels.

Onze vader was heel gelukkig. Hij droomde ervan om een kasteel voor ons te bouwen, om een gracht te graven met alligators erin. Hij zei dat er reusachtige bedden en wandtapijten en kroonluchters vol kaarsen en duizenden kamers zouden komen; we konden elke dag in een andere kamer wonen. Natuurlijk zou er personeel zijn, en tientallen koks die klaarstonden om alles te maken wat we maar wilden. Er zouden boeren zijn om het land te bewerken. Er zouden nieuwe kleren zijn voor de winter. Er zouden koeien en kippen en varkens en paarden zijn, en tovenaars die toverspreuken bedachten waardoor we nooit oud zouden worden.

Die zomer heb je leren lopen,' zei Benjamin Nab. 'Moeder bond je vast, zodat je niet aan de wandel ging. Ze was bang dat een wolf je te pakken zou krijgen als ze even niet op je lette. Maar er kwam geen wolf. Er kwam een indiaan.'

Er viel een stilte in het vertrek. Ren had nog nooit een indiaan gezien, maar nu kon hij er bijna een voelen; hij hield zich schuil in de schaduw van de boekenkast, met zijn sterke, beschilderde lichaam, en zijn bedompte adem was zo dichtbij dat Ren hem kon ruiken.

'Ik was water gaan halen,' zei Benjamin. 'Ik droeg twee emmers op mijn schouders, en toen ik bij de hut kwam, hoorde ik een vreemd geluid, dat wel een beetje klonk als gekreun in bed. Ik zette mijn emmers neer en bleef tussen de bomen, en toen ik dichterbij kwam, zag ik een groep indianen. Het waren kleine bruine mannen, en ze droegen vrouwenponnen – witte met ruches, net als die van onze moeder. Er was er maar één die zijn pon op de juiste manier aanhad. De anderen droegen hun pon om hun schouders, en eentje had de mouwen als een schort om zijn middel geknoopt. Ze stonden ergens overheen gebogen in de moestuin en beukten daar met hun knuppels op in. Het was vader. Dat kon ik zien toen een van de indianen zijn been optilde om de schoen uit te trekken.

Het gekreun was afkomstig van moeder. Er zat bloed op haar gezicht en ze lag languit op de grond. Ze hield jou vast bij je enkels. Een indiaan trok je weg aan je handen en sleurde moeder mee over de grond. Ze kwamen langs de houtstapel, en ik zag moeder naar de bijl grijpen, en voordat ik wist wat er gebeurde zwaaide ze hem over haar hoofd naar beneden en hakte ze je arm doormidden.' Benjamin Nab keek Ren recht in de ogen. 'Ik denk dat ze op de indiaan richtte.

Ze doodde drie man voordat de anderen bij haar waren. Dat gaf mij de tijd om je vast te pakken en weg te komen. Je gilde toen we bij het bos kwamen, en ik moest mijn hemd in je mond proppen. Ik ging met je naar de rivier en begon te zwemmen. Ik hield je hoofd boven water en liet ons zo veel mogelijk meevoeren door de stroom. Het is puur aan het koude water te danken dat je niet bent overleden.'

Ren deed zijn armen achter zijn rug en legde zijn rechterhand om de stomp. Die tintelde, alsof hij ijs aanraakte. Vader John boog zich naar voren. De zware houten kralen die aan zijn riem hingen, zwaaiden heen en weer en tikten zachtjes tegen de zijkant van het bureau, in hetzelfde ritme als zijn ademhaling.

'Ik heb je meegegeven aan een groep mensen in een huifkar die het niet hadden gered en terugkeerden naar het oosten. Ik vroeg hun of ze je naar een goed tehuis wilden brengen. Een fatsoenlijke plek waar je onderwijs zou krijgen.' Het gezicht van Benjamin Nab werd ernstig. 'Toen ben ik achter die indianen aan gegaan.

Ik leerde schieten. Ik leerde drinken en gokken. Ik sloot me aan bij indianen – goeie indianen – en een paar jaar lang joeg ik op buffels en woonde ik in een tent, terwijl ik al die tijd naar de indianen zocht die het hadden gedaan. Ik leerde water vinden waar geen water was, ik leerde sporen vinden waar geen sporen waren, ik leerde schuilplaatsen maken waar geen plek was om te schuilen.'

Toen zweeg Benjamin Nab, en hij kneep zijn ogen half dicht. 'Het heeft me tien jaar gekost. Maar ik heb die indianen opgespoord en onze vader en moeder gevonden.' Hij haalde een leren zakje uit de zak van zijn lange jas en maakte het touwtje los. Hij legde twee strookjes haar op het bureau – één met bruin, pluizig haar en één met verbleekte blonde krullen.

'Dat is alles wat er over was.'

Benjamin Nab, vader John and Ren keken naar de scalpen. De priester schraapte zijn keel. Ren voelde de aandrang om zijn hand uit te steken en de haren aan te raken. Hij kon zien waar twee blonde krullen in elkaar waren geknoopt.

Ten slotte zei vader John: 'Haalt u ze alstublieft weg.'

Benjamin stopte de scalpen weer weg in zijn jas. 'Hij is mijn broer. Hij is van mij en van niemand anders.'

'Wel,' zei vader John. 'Natuurlijk.' En plotseling wist Ren dat de priester hem zou opgeven. Hij had hier zijn hele leven doorgebracht; hij had binnen deze muren leren praten en lezen, maar vader John stelde geen vragen meer. Hij legde zijn hand op het hoofd van de jongen en zegende hem. Toen zei hij dat hij zijn spullen moest gaan pakken.

Broeder Joseph was in de gang aan het wachten. Toen hij Rens gezicht zag, ademde hij zwaar uit en zei: 'Nou, dan is het dus zover.' Hij ging Ren voor naar de kleinejongenskamer, waarbij het hem veel moeite kostte de trap op te komen. Hij zei: 'Ik dacht dat we nog wel een paar jaar zouden hebben.' Toen opende hij de deur, liep tussen de bedden door en keek toe hoe de jongen bij elkaar sprokkelde wat er onder zijn kussen lag. Veel was het niet. Het stuk stof met de blauwe letters, een paar sokken en *De levens der heiligen*.

Broeder Joseph pakte het boek en bladerde het door. 'Waar heb je dit vandaan?'

Ren keek naar het vieze, gevlekte gewaad van de monnik en naar de buik die over het touw hing dat als riem diende. Hij zou deze man nooit meer zien. En toch kon hij het niet over zijn hart verkrijgen om te liegen. 'Ik heb het gestolen.'

'Dan heb je een gebod overtreden.'

Ren haalde zijn schouders op.

De monnik bladerde het boek door. 'Waarom heb je het gestolen?'

Ren wist niet wat hij moest antwoorden. Hij had het boek gepakt omdat hij de rest van het verhaal over de heilige Antonius had willen horen. Maar toen had hij gelezen over de heilige Veronica die Tiberius genas met haar sluier, over de heilige Benedictus die water uit een rots liet stromen, over de heilige Elizabeth met haar schort vol rozen. Doordat hij het boek bezat, had datgene wat er op de bladzijden gebeurde hem op de een of andere manier toebehoord. Overdag verheugde hij zich op het moment dat de zon onder zou gaan, wanneer alle anderen zouden gaan slapen en hij de verhalen weer kon lezen. Hij vond het belangrijker dan eten.

Belangrijker dan slapen. Ten slotte zei hij: 'Ik wilde de wonderen.'

Broeder Joseph keek van het boek naar de jongen en weer terug en streek met zijn vinger over het omslag. 'We kunnen er maar beter een snelle biecht van maken.'

De jongen knielde neer naast zijn bed. Broeder Joseph ging op het bed zitten; het kleine houten frame kraakte onder zijn gewicht terwijl Ren de gebeden fluisterde. Toen hij klaar was, overhandigde de monnik hem *De levens der heiligen*.

'Moet ik het niet terugbrengen?'

Broeder Joseph maakte een kruisteken op het voorhoofd van de jongen. 'Neem het maar mee,' zei hij. 'Het is geen gestolen boek meer.'

Toen hij de trap weer af liep, liet Ren zijn hand langs de oude houten leuning glijden. Dit is de laatste keer dat ik hem aanraak, dacht hij, en precies op dat moment boorde zich een splinter in de palm van zijn hand. Terwijl Ren naar buiten liep en de binnenplaats overstak, zoog hij aan zijn hand, in een poging het hout los te trekken; hij kon het uiteinde met zijn tong voelen. In het zonlicht bekeek hij aandachtig de splinter die onder het oppervlak van zijn huid zat: een klein stukje van Saint Anthony dat had besloten met hem mee te gaan.

Hij draaide zich om en keek naar de wijnmakerij, en vervolgens naar de kapel, en naar het weeshuis. Het was moeilijk te geloven dat hij hier niet meer zou werken of bidden of slapen. Hij had altijd dolgraag weg gewild, maar nu het bijna zover was, voelde hij zich ongemakkelijk. Hij liep naar de hoge bakstenen muur die om de gebouwen heen stond en duwde er met zijn vochtige handpalm tegenaan. Het metselwerk voelde net zo stevig aan als altijd.

'Vaarwel,' zei hij. Maar dat leek niet genoeg. En daarom gaf hij zo hard hij kon een trap tegen de muur. De botten in zijn been trilden ervan. Even stond hij uit te hijgen, toen liep hij strompelend weg, met zijn teen bonzend in zijn laars.

Bij de put stonden Brom en Ichy op hem te wachten.

'Ga je echt weg?'

Ren knikte. Brom en Ichy staken hun handen in hun zakken.

Ren wist dat de tweeling blij voor hem probeerde te zijn. Brom fronste zijn wenkbrauwen en Ichy wroette met zijn schoen in de aarde. Alles wat de jongens met elkaar hadden meegemaakt leek te worden samengevoegd in de streep die Ichy op de grond tussen hen in trok. De tweeling had alle maaltijden samen met Ren gebruikt, altijd met hem gespeeld in de eerste sneeuw, altijd met hem uit het raam toegekeken wanneer de soldaten kwamen om de zoveelste jongen mee te nemen. Ze waren elke avond van zijn leven naast hem in bed gaan liggen en hadden elke ochtend naast hem hun ogen opengedaan.

De drie jongens stonden opgelaten en zwijgend bij elkaar, tot Ichy zich bukte en een steen uit de streep trok die hij bij hun voeten had gemaakt. Hij maakte hem schoon met een punt van zijn hemd en gaf hem toen aan Ren. De steen was warm van de zon, het oppervlak was zwart en verweerd, en er zaten fonkelende stukjes granaat op. Even keek Ren bewonderend naar de steen, en toen sloot hij zijn vingers eromheen, terwijl hij nog steeds de splinter in zijn handpalm voelde.

'Waar neemt hij je mee naartoe?' vroeg Brom.

'Weet ik niet,' zei Ren. En hij werd overspoeld door een soort spijt – een heimwee naar alles wat hij ging verliezen: de geur van vis, de havermout bij het ontbijt, de dunne dekens, de koude stenen muren die het geluid weerkaatsten. Maar hij wist hoe het voelde om te worden achtergelaten, en voor de eerste keer in zijn leven was hij niet degene die met pijn in zijn buik vanuit de poort toekeek hoe iemand anders werd meegenomen naar huis. Toen wist hij dat hij moest zeggen wat ze allemaal zeiden – *Ik kom weer terug om jullie op te zoeken* – en net als zij wist hij dat hij dat nooit zou doen.

VIJF

Pas toen de poort achter hem in het slot viel, dacht Ren eraan om bang te worden. Het middaggebed stond op het punt van beginnen. Vader John zou voorgaan bij het eerste tientje van de rozenkrans en Ren zou er niet bij zijn. In plaats daarvan was hij buiten en liep hij over de weg achter een vreemdeling aan. De zon en het gras en de bomen leken dit te weten; zelfs de lucht waar ze doorheen liepen voelde geladen. Hij wist niet goed wat hij moest zeggen, dus probeerde hij Benjamin Nab alleen maar zo goed mogelijk bij te houden.

Ze hadden nog geen kilometer gelopen toen ze bij de bosbessenstruiken kwamen. Verder dan hier was Ren nooit van het weeshuis weg geweest. De jongens werden er midden in de zomer soms op uit gestuurd om bessen te plukken. Het was altijd heel spannend om buiten de bakstenen muur te komen, en Ren verbond dat gevoel met de smaak van de bessen, de vlekken die het sap maakte, de dunne blauwe velletjes die zo gemakkelijk stukgingen. Nu was het herfst en zagen de struiken er heel anders uit; de blaadjes waren nu oranje en rood.

Ren en Benjamin Nab liepen verder over de weg. Ze kwamen langs verscheidene velden en liepen over een heuvel. Ze ademden zwaar bij het bereiken van de top. Ren kon ver kijken, helemaal tot aan de bergen, en onder zich zag hij het dal liggen. Over alles lag de schaduw van de bomen, waarvan de herfstbladeren de zon opvingen. Hun prachtige kleuren – geel, rood en oranje, maar ook oker, vermiljoen, magenta en goud – vormden een schitterend, glinsterend schouwspel.

Benjamin Nab plaatste zijn handen op zijn heupen en keek uit over het landschap alsof het allemaal van hem was. Vervolgens wendde hij zich weer tot de jongen. 'Laat me je nog eens bekijken.'

Ren bleef doodstil staan terwijl de man om hem heen liep. Benjamin Nab tilde de arm van de jongen op en bekeek aandachtig de plek waar de pols was gehecht. Ren verwachtte de gebruikelijke tekenen van onbehagen of afkeer, maar op het gezicht van Benjamin Nab was daarvan niets te zien. Hij trok zijn wenkbrauwen op.

'Nou ja,' zei hij. 'Je hebt er nóg een, nietwaar?'

Er zaten plekken onder zijn jukbeenderen, die wezen op een slechte huid. Hij had lichte, weinig geprononceerde wenkbrauwen, maar dat werd gecompenseerd door het montuur van zijn bril, dat hem een krachtige en vastberaden uitstraling gaf. 'Je zult het prima doen,' zei Benjamin. Toen stond hij op en liepen ze verder over de weg, het dal in. Achter hen verdween langzaam de zon, en hetzelfde gold voor Saint Anthony.

Benjamin liep stevig door en ontweek met soepele, snelle bewegingen van zijn laarzen de mesthopen en de geulen in de weg. De oorlogswond waar hij in Saint Anthony nog over had geklaagd, leek te zijn verdwenen. Ren moest zijn best doen om hem bij te houden. Hij hoopte dat Benjamin nog een verhaal over hun ouders zou vertellen, maar de man bleef zwijgen, terwijl de bomen in schaduwen veranderden en ten slotte als donkere silhouetten tegen de lucht afstaken.

'Waar gaan we naartoe?' vroeg Ren ten slotte.

'Daar zul je snel genoeg achter komen.'

'Ik moet de latrine gebruiken.'

Benjamin Nab bleef staan. Hij streek zijn haar naar achteren, bond het opnieuw vast en gebaarde toen naar het bos. 'Daar is je latrine.'

Ren liep aarzelend de ondergroei naast de weg in.

'Niet te ver,' zei Benjamin. 'Er zitten wezens in het bos die je kunnen meenemen.'

Ren luisterde naar het geluid van de bomen terwijl hij zijn broek losmaakte. Het begon harder te waaien, en aan de hemel verschenen de eerste sterren. De jongen hoorde hoe de takken boven zijn hoofd tegen elkaar schuurden, en het gekraak van een boomstam die heen en weer zwaaide. Toen er links van hem iets bewoog, sprong hij op en liep achteruit de doornstruiken in, die naar zijn haren grepen terwijl hij zich terughaastte naar de weg.

Toen hij tussen de bladeren door tevoorschijn kwam, stond Benjamin met zijn handen in zijn zakken te wachten. Zijn lange jas zwaaide heen en weer in de wind. Hij keek naar de kruinen van de bomen. Ren volgde zijn blik en zag boven op een heuvel een boerenhoeve, en een pad dat naar een schuur liep die een stukje van de weg af lag. Er scheen geen licht door de ramen, maar er kwam nog wat rook uit de schoorsteen. Een vuur dat bijna gedoofd was.

Benjamin trok Rens jas recht. Hij bekeek de jongen van top tot teen.

'Maak je broek goed dicht.'

Ren deed zijn gulp dicht en maakte het touw vast dat zijn broek omhooghield.

'Ik wil geen woord horen,' zei Benjamin. 'Jij houdt alleen maar je mond. En je kijkt naar mij. En leert van me.' Met die woorden pakte hij Ren bij de hand en stapte met stevige passen naar de hoeve.

Het was een klein gebouw met een groentetuin en een flinke lap grond erachter. Het had een leien dak en de schoorsteen stond op het midden van het huis. Er stond een rozenstruik bij de deur waarvan een paar gesloten knoppen nog steeds standhielden tegen de kou. Benjamin klopte aan, en na een paar minuten verscheen er een kaars bij een van de ramen. Toen werd het raam omhooggeschoven en werd de loop van een geweer naar buiten geschoven en op hen gericht.

Benjamin knikte tegen het geweer alsof het een mens was. 'Wij zijn op weg naar Wenham, en het lijkt erop dat we verdwaald zijn. Ik hoopte dat we de nacht in uw schuur zouden mogen doorbrengen.'

'Ik laat geen vreemdelingen toe op mijn grond, of het nu overdag is of 's nachts,' zei een mannenstem. 'Wegwezen.'

'Ik zou u graag betalen voor de overlast,' zei Benjamin, en hij zocht omstandig in zijn zakken. 'Ik maak me zorgen om de jongen. Ik durf niet goed verder met hem te lopen in het donker. We zijn al de hele dag onderweg, en hij is vreselijk moe.'

Terwijl hij dit zei, schopte Benjamin Ren tegen zijn knieën. De jongen viel struikelend op de grond voor het raam, met de loop van het geweer op een paar centimeter afstand van zijn hoofd.

'Jim.' Het was de stem van een vrouw. Ren keek op en zag haar gezicht in het kaarslicht. Ze had bruin gevlochten haar en droeg een omslagdoek over haar nachthemd. Haar voorhoofd raakte het glas toen ze naar hen keek. Ze fluisterde iets in het donker van het huis. Er klonk een zacht gebrom als antwoord. De loop van het geweer verdween weer in het raam.

De deur ging open.

'Kom binnen,' zei de vrouw.

Benjamin tilde Ren op van de grond, klopte hem af, pakte hem bij een elleboog en liep met hem de drempel over. 'We kunnen u niet genoeg bedanken.'

'Iedere christen zou hetzelfde doen,' zei ze.

De kaars gaf zo weinig licht dat ze amper konden zien waar ze liepen. Ren stootte ergens tegenaan wat aanvoelde als een kruk, en vervolgens tegen iets wat als de rand van een tafel voelde. De vrouw stak met de kaars een andere aan. Ze plaatste de tweede kaars in een constructie die aan het plafond hing en deed er een stormlamp overheen, waardoor er een gloed over de kamer kwam, en toen zag Ren de boer bij de haard staan die hem in Saint Anthony had overgeslagen, gekleed in zijn nachthemd en met het geweer in zijn hand geklemd.

Toen de boer de jongen herkende, veranderde zijn gelaatsuitdrukking. Het was bijna alsof hij zich schaamde, en hij liet het geweer zakken en keek even omlaag langs de voorkant van zijn nachthemd. Toen hij zijn gezicht weer ophief zei hij: 'Je hebt dus toch iemand gevonden die je wilde hebben.'

Ren wist niet wat hij moest zeggen. Toen herinnerde hij zich tot zijn opluchting dat hij zijn mond moest houden.

'William slaapt,' zei de boer. 'Maar ik weet zeker dat hij blij zal zijn om je morgenochtend te zien.' Hij wendde zich tot Benjamin en stak zijn hand uit. 'Wij hebben ook een jongen uit Saint An-thony.'

'Aha,' antwoordde Benjamin, alsof hij het niet helemaal begreep. Toen zei hij het nog een keer – 'Aha!' – en begon hij enthousiast de hand van de boer te schudden.

Ze gingen om de tafel zitten en de boerin ontstak snel een vuur, maakte koffie en zette het restant van een koude vleespastei op tafel. Ren propte het voedsel in zijn mond. Het was precies zoals hij het zich had voorgesteld. Het rundvlees was zacht en lekker, de groenten glibberig van de jus, de korst geribbeld in een volmaakt patroon dat de smaak van verse boter op zijn lippen achterliet. De mannen keken toe hoe Ren zat te eten en bespraken de beste we-gen naar Wenham. Toen ze hun borden leeg hadden, bood de boer Benjamin wat tabak aan en schoven de mannen hun stoel bij de haard.

De boerin pakte een pot van een hoge plank en maakte hem open. Ze haalde er iets zwarts uit wat er raar uitzag en gaf dat aan Ren. De jongen staarde ernaar; hij wist niet goed wat hij ermee aan moest.

'Het is drop,' zei ze. En toen hij bleef staren, zei ze: 'Je moet het eten.'

Ren hield het snoepgoed bij zijn neus. Het had een merkwaar-dige, maar niet direct onaantrekkelijke geur. De boerin stond met een blos op haar wangen naar hem te kijken. Voorzichtig stak de jongen de drop in zijn mond. Het stroperige spul was zacht, en wat hij proefde was eerder een geur dan een smaak. Het had iets wat maakte dat zijn maag zich omdraaide. Hij keek op naar de vrouw en probeerde te glimlachen.

'We zijn op weg naar de boerderij van mijn oom,' zei Benjamin. 'Ik ben er al in geen jaren meer geweest.'

'Je hebt gereisd,' zei de boer.

Benjamin knikte. 'Ik ben kok geweest op een koopvaardijschip. Drie weken geleden zijn we aangekomen in Boston.'

Ren stopte met kauwen.

De boer liet zijn pijp zakken. 'En in welke landen ben je ge-weest?'

'In China. En één keer in India.'

'Hoe was het daar?'

'Heet.' Benjamin trok aan zijn pijp, blies een grote rookwolk uit en boog zich voorover. 'Alsof het het hele jaar zomer is. Het eten is te scherp, en in de oerwouden stikt het van de reusachtige slangen die in één keer een heel mens opslokken.'

'Dat klinkt angstaanjagend,' zei de boerin.

'Ik ben New England erdoor gaan waarderen,' zei Benjamin. 'Ik verlangde naar sneeuw.'

'Kijk eens of je een paar extra dekens kunt vinden, Mary,' zei de boer.

De vrouw trok zich terug van de tafel. Ze klom een ladder op die tegen de schoorsteen stond en verdween op een vliering boven hun hoofd. De mannen rookten verder en keken naar het vuur.

'Heb je een vrouw?'

Benjamin aarzelde even. 'Nog niet.'

'Dus de jongen gaat naar familie van je?'

'Naar mijn oom en tante. Die hebben zelf geen kinderen.'

De boer keek vluchtig naar Ren, draaide zich weer naar het vuur en begon zachter te praten. 'Heb je het niet gezien?'

'Wat bedoelt u?'

'Hij is verminkt.'

'Daarom heb ik hem gekozen.'

'Maar het zijn boeren, zei je. Ze zullen niets aan hem hebben.'

'Ze wilden gezelschap, geen arbeidskracht,' zei Benjamin, 'en de jongen heeft andere kwaliteiten.'

De boer en Benjamin Nab draaiden zich tegelijkertijd om in hun stoel om naar Ren te kijken, die bezig was om wat er nog over was van de drop in zijn hand te spugen.

'Vertel deze man wat je kunt,' zei Benjamin.

Ze wachtten allemaal, terwijl het vuur knetterde.

'Ik kan fluiten,' waagde Ren.

'Nou, dat is tenminste iets,' zei de boer. 'Kun je ons een liedje laten horen, jongen?'

Ren liet de drop in zijn zak glijden. De binnenkant van zijn mond voelde aan als stijfsel. Hij bevochtigde zijn lippen. Hij dacht aan de gezangen die de broeders in de kapel zongen en liet er daar een van horen, waarbij zijn adem de noten volgde. Toen hij bijna klaar was, zag hij dat de vrouw van de boer halverwege de ladder stond te luisteren, met een bundel dekens onder haar arm.

Ze zag eruit zoals Ren zich zijn eigen moeder altijd had voorgesteld. Beeldschoon, en half verlicht door schaduwen. Hij wilde niet stoppen met fluiten, maar het gezang was afgelopen, en ze wendde haar gezicht af, legde haar handen op de trap en klom naar beneden.

De boer stond op en klopte Ren op zijn rug. 'Kom,' zei hij, terwijl hij de dekens van zijn vrouw overnam. 'Ik zal jullie de schuur wijzen.'

Ze stapten de avond in, en de boer ging hun voor met een lantaarn. De bomen zwaaiden heen en weer; hun droge takken sloegen in de wind tegen elkaar. Er dwarrelden bladeren over het veld. De boer ontgrendelde de deur en hield hem open terwijl Benjamin en Ren naar binnen liepen.

Het was een klein gebouwtje met een hooizolder, die zorgde dat er een zoete geur in de schuur hing die bijna nog sterker was dan de mestgeur. Ren kon de dieren heen en weer horen schuifelen in hun stal, opgeschrikt door het licht van de lantaarn. Aan de zijkant van de schuur stond de wagen waarmee de boer naar Saint Anthony was gekomen.

'Alleen een paar kippen en een koe,' zei de boer, 'en het paard. Er zitten ook vleermuizen in de spanten, maar daar zouden jullie geen last van moeten hebben.' Hij overhandigde Benjamin de dekens.

'We kunnen u niet genoeg bedanken.'

'Mijn vrouw zal hier vroeg zijn voor het melken.' De boer aarzelde. Hij keek naar Ren alsof hij iets wilde zeggen, maar toen liep hij naar zijn paard. De bruine merrie hief haar hoofd op en snuffelde in de nek van de boer. Die streelde het voorhoofd van het dier en gaf het nog een zoen op de neus. 'Ik zal de lamp achterlaten.' Hij had het zowel tegen hen als tegen het paard kunnen hebben. Maar met die woorden zette hij de lantaarn op de grond en sloot de deur.

Benjamin gooide de dekens op wat stro in een hoek en ging toen zitten om zijn laarzen uit te trekken. Hij hield ze ondersteboven, klopte er een paar kiezelsteentjes uit en trok ze toen weer aan. Ren wreef over zijn armen tegen de kou en dacht aan alle plaatsen waar zijn broer naartoe was gereisd en die hij had gezien, aan alle avonturen die hij had beleefd. De jongen wilde zoveel vragen dat hij niet wist waar hij moest beginnen.

'Heb je weleens een olifant gezien?'

'Een wat?'

'Een olifant. In India. Ik heb een keer een foto van een olifant gezien, in een boek.'

'Doe niet zo stom,' zei Benjamin. 'Ik ben nog nooit in India geweest.' Hij frommelde een deken achter zijn hoofd. 'Je kunt maar beter wat gaan rusten. Over een uur of twee moeten we op.'

De jongen deed een stap achteruit. 'Maar je zei – ' begon hij.

'Ik weet wat ik zei. Heb je niet geluisterd? Wat heb ik gezegd voordat we naar binnen gingen?'

'Dat ik niets moest zeggen.'

'En wat nog meer?'

'Dat ik moest leren.'

'We hadden een plek nodig om te slapen. En die hebben we nu. Ik heb ze verteld wat ze wilden horen, zodat we die slaapplek van ze zouden krijgen. Zo simpel is het.'

Ren keek met een groeiend gevoel van onrust toe hoe Benjamin Nab zich installeerde voor de nacht. De man veegde met zijn ene arm een berg stro bij elkaar en legde daar een deken overheen. Toen pakte hij nog wat meer stro en stopte dat in zijn jas en in zijn laarzen. Vervolgens deed hij de kraag van zijn jas omhoog, rondom zijn gezicht, sloeg nog een deken om zijn schouders en rolde zich op het bed dat hij had gemaakt op tot een bal. Het leek wel of hij alle dagen van zijn leven buiten had geslapen.

'Ik zou ze graag nog een keer zien,' zei Ren.

'Wie?'

'Onze ouders.'

Benjamin stak zijn hand in zijn zak. 'Hier,' zei hij, 'je mag ze hebben.' Hij gooide het leren zakje op de grond.

Ren maakte het touwtje los. Hij haalde de twee scalpen uit het zakje en bekeek ze aandachtig in het licht van de lantaarn. De scalp met het bruine haar was klein en stijf. Het leek wel zwijnenhaar – de haarzakjes waren dik en glanzend en zaten plat tegen de huid. De blonde scalp was zachter, maar de strengen waren droog als stro. Ren kon zien waar de krullen op het leer waren gelijmd.

'Ze zijn niet slecht als je ze niet grondig bekijkt. In elk geval hadden we die priester er volgens mij goed mee te pakken. Hij liet je best snel genoeg gaan, vind je niet?'

Ren deed de scalpen weer in het zakje en ging op een stapel stro zitten. Hij hoorde de kuikens ritselen in het kippenhok; hun kleine pootjes krabden zijn angstige voorgevoelens tevoorschijn. Er kwam een windvlaag tussen de latten van de schuur door. 'Wat is er echt met onze ouders gebeurd?'

Benjamin liet zich op zijn rug rollen en staarde naar de dakspanten. Er verstreek zoveel tijd dat Ren dacht dat hij geen antwoord zou geven. Maar net toen de jongen tot die conclusie was gekomen, zei Benjamin: 'Ze zijn vermoord. Ze zijn vermoord door een vreselijke man.'

Er fladderde een mot tegen de lantaarn, en zijn schaduw verspreidde zich over de muur. Ren trok de kraag van zijn jas strak tegen zich aan. 'Waarom heb je tegen me gelogen?'

'Omdat je niet zou willen horen wat er echt is gebeurd.' Benjamin ging rechtop zitten. Hij duwde de dekens van zich af, liep met grote passen naar de schuurdeur en deed die open. Even ging hij op de drempel staan, met zijn afhangende schouders die afstaken tegen de donkere avondlucht, en leek het of hij zou vertrekken. Toen sloot hij de deur en kwam hij naast Ren zitten.

'Onze vader was een soldaat. Onze moeder was een rijke vrouw van stand. Ze kwamen elkaar op een dag tegen in het bos. Zij was daar om paddenstoelen te plukken, en hij – ik weet eigenlijk niet wat hij deed. Misschien had hij zo lang gevochten dat hij was vergeten hoe het was om niets te doen, en omringd te worden door bomen zonder bang te hoeven zijn dat er iemand achter vandaan zou komen die hem wilde doden. Misschien stond hij daar alleen maar te kijken naar de takken die in de lucht heen en weer zwiepten, toen zij naast hem kwam staan, in een jurk die zo groen was als het mos onder zijn voeten, en zonder een woord te zeggen ook omhoogkeek.

Onze moeder had een broer. Sommige mensen zeiden dat hij vreselijk was. Andere mensen waren zo bang voor hem dat ze helemaal niets over hem zeiden. Maar hij hield heel veel van zijn zus. Hij hield zoveel van haar dat hij niemand anders toestond om van haar te houden. En vanwege hem ontmoetten onze ouders elkaar in het geheim, tot onze vader gedwongen werd om weer in dienst te gaan en naar het westen werd gestuurd. Ze schreven elkaar brieven. Prachtige brieven, die hun net zoveel kracht gaven als voedsel en water, maar de post deed er lang over en werd vaak verkeerd bezorgd, en daardoor hoorde onze vader een halfjaar te laat dat ze een kind van hem zou krijgen.

Uiteindelijk deserteerde hij. Hij verliet zijn post en zijn paard, en reisde het hele eind terug, door bossen en over rivieren, meren en bergen. Ondertussen probeerde zij te verhullen dat er een kind op komst was. Toen werd het kind geboren en ontdekte haar broer het geheim, en hij sneed haar handen af, en haar voeten, en haar neus; alle delen van haar lichaam die onze vader had liefgehad. Ze werd uit elkaar gehaald, beetje bij beetje, net zo lang tot er niets meer van haar over was.'

Benjamin stak zijn hand uit naar de lantaarn en trok hem naar zich toe.

'Geef me je arm eens.'

Ren gehoorzaamde.

Benjamin hield de pols bij het licht en streek met een vinger over het litteken, langs de plek waar de huid was omgevouwen en gehecht. Op sommige plekken die hij aanraakte was de huid gevoelloos en op andere juist heel gevoelig. Ren probeerde zijn arm los te trekken, maar Benjamin hield hem stevig vast.

'Ik wil geen andere dingen meer weten.'

'Goed dan.' Benjamin liet de arm los. 'Is dat wat je wilde horen?'

'Nee.'

De man reikte naar voren, pakte de lantaarn en blies de kaars uit. De schuur werd in nachtelijk duister gehuld. 'Nou,' zei hij ten slotte in het donker dat zich tussen hen in bevond. 'Dan weet je dat het de waarheid is.'

Ren werd 's morgens vroeg wakker van het geluid van ratelende kettingen. Het was nog donker in de schuur, maar de jongen kon de contouren van de wagen onderscheiden. Benjamin Nab was druk in de weer om het paard vast te maken aan de wagen.

'Wat doe je?'

'Stil!' De man kroop onder de wagen. 'Kom me helpen.'

Ren stond op en liep naar hem toe. Het stro was vochtig en plakte aan zijn kleren, en het had een zoete, weeïge geur die zijn neus vulde en hem duidelijk maakte dat hij niet droomde; Benjamin was het paard aan het pikken. Rens hartslag versnelde, zoals dat ook altijd gebeurde als hij iets had gestolen in Saint Anthony. De koe achter in de schuur begon hard te snuiven en schuifelde heen en weer. Ze was eraantoe om gemolken te worden.

Benjamin maakte de gespen vast en trok de teugels door naar de bok. De bruine merrie schudde haar hoofd heen en weer, de spieren trilden in haar rug. Ren pakte het hoofdstel vast en probeerde de neus van het dier te aaien.

'Ze kunnen elk moment opstaan. Schiet op!' Benjamin snelde naar het hooi waar ze in hadden geslapen, pakte de dekens in zijn armen en gooide ze naar de jongen. Ren legde ze achter in de wagen, en terwijl hij naast de wielen stond vroeg hij zich af of er misschien een mogelijkheid was om achter te blijven. Of hij de boer en zijn vrouw er op de een of andere manier van zou kunnen overtuigen dat hij hier niets mee te maken had. Of ze hem óók zouden adopteren. Maar toen klom Benjamin op de bok en zei dat hij de schuurdeuren open moest doen, en terwijl hij rillend in de kou stond en de wagen naar buiten kwam rijden, wist hij dat het uitgesloten was. Hij sprong op de bok, naast Benjamin, die de zweep boven het hoofd van de bruine merrie liet knallen en de wagen de heuvel af liet denderen.

Ren greep zich vast aan de houten bank, en terwijl ze met hoge snelheid wegreden, draaide hij zich om om naar het huis te kijken. Er kwam licht uit een van de ramen. Met ingehouden adem wachtte hij tot de boer achter hen aan kwam rennen, wachtte hij tot hij de knal van het geweer hoorde. Precies op het moment dat ze de weg bereikten, ging de voordeur open. Toen ze de bocht om gingen, kwamen de wielen van de grond. Ren hield zich vast aan de zijkant van de wagen en was ervan overtuigd dat ze werden gevolgd, maar toen hij weer achteromkeek naar het huis, zag hij alleen maar het silhouet van de boerin in de deuropening, met een emmer in beide handen.

Het duurde nog een uur voordat de zon opkwam. Ren hield een van de dekens om zijn schouders geslagen en keek toe hoe de lucht langzaam licht werd. De lucht was helder en de bladeren hadden een matbronzen kleur. Toen ze het dal uit kwamen, werd het landschap om hen heen vlakker, en boven hun hoofd spreidden de eiken en esdoorns en iepen hun takken uit.

Benjamin was in een veel betere stemming en wees naar dingen die ze onderweg tegenkwamen, alsof ze op vakantie waren in plaats van op de vlucht met gestolen spullen. Hij vertelde een verhaal over berkenstammen, en vervolgens een over een stenen muur die helemaal doorliep naar Maine.

Terwijl hij luisterde, probeerde Ren te bedenken wat de juiste boetedoening voor hun misdrijf was. De langste die hij ooit had gekregen bestond uit tien onzevaders en vijftien weesgegroetjes. Aan de haal gaan met andermans paard-en-wagen was van een heel andere orde; daarvoor verdiende je er twee, misschien wel drie keer zoveel.

'Wat doe je?' vroeg Benjamin.

'Ik ben aan het bidden.'

'Dat we niet gevolgd worden?'

'Nee,' zei Ren. 'Omdat we gestolen hebben.'

'Dit is geen stelen,' zei Benjamin. 'Het is lenen, met goede bedoelingen.'

Ren trok de deken steviger om zich heen. Hij had zichzelf vergelijkbare dingen voorgehouden als hij iets had gestolen in Saint Anthony, maar in zijn hart wist hij dat God wel een manier zou bedenken om hem te straffen. Ren zag de oude man vaak voor zich als een goeiige, onachtzame tuinman die zorgvuldig zijn rozen snoeide maar andere stukken liet verwilderen, tót iets zijn aandacht trok, bijvoorbeeld een rank die boven het hek uitstak – dan dan liet hij zijn volle toorn neerdalen en werd het hele bed uit de grond gerukt. Ren wist dat deze zonde te groot was om verborgen te houden. Er zou heel wat werk moeten worden verzet om weer door God te worden aanvaard.

Benjamin spuugde naast de wagen. Hij liet het paard langzamer lopen. 'Luister eens,' zei hij. 'Ik heb in mijn leven heel veel gezien, en bidden heeft nog nooit iets veranderd. Ik begrijp heus wel dat jij met andere regels bent grootgebracht, maar als je hier in leven wilt blijven, zul je die regels moeten overtreden. Je moet weten wat je nodig hebt, en als het op je pad komt moet je het pakken.'

De jongen keek naar de op en neer deinende rug van de merrie. Het was een krachtig dier, en als ze zou willen zou ze hen makkelijk de baas kunnen, maar ze hield het bit in haar mond en liep door over de weg.

'Hoe ben je eigenlijk in Saint Anthony terechtgekomen?' vroeg Benjamin.

'Dat weet ik niet meer.'

'Je moet je íets herinneren.'

'Ik ben door het deurtje geschoven, net als iedereen.'

'Jij bent niet als iedereen.' Benjamin bedoelde het als compliment, en Ren voelde zijn wangen rood worden. Alleen al het horen van die woorden was opwindend.

'Ik kan mensen goed inschatten,' zei Benjamin. 'Meestal heb ik aan één blik genoeg om iemands hele leven te zien. Kleine dingetjes verraden veel. Neem die boer. Aan de manier waarop hij zijn veters strikte kon ik zien dat hij nooit verder dan dertig kilometer van huis was geweest en dat de kans klein was dat hij ons lang zou volgen. En dan die vader John van jullie. Ik wist dat hij iets in die mouw verborgen hield. En ik wist dat hij het bij jou had gebruikt.

Het enige wat ik niet wist, was of je het had verdiend.'

De vogels waren wakker. Ze waren nog niet te zien, maar terwijl de wagen onder de bomen door reed golfde er een kakofonie van getjilp en gefluit heen en weer van de ene kant van de weg naar de andere, zo luid dat het wel leek of ze werden omgeven door alle gevleugelde schepselen van de hele wereld.

'Ik ben je broer niet,' zei Benjamin.

'Weet ik,' zei Ren, ook al had hij tot aan dat moment de hoop nog niet opgegeven.

Benjamin sloeg zijn jas terug en onthulde een revolver die in de riem van zijn broek was gestopt. 'Dat ik je dit laat zien betekent niet dat ik je iets zal aandoen,' zei hij. 'Ik wil alleen wel dat je weet dat je te maken hebt met een man die weet hij wat doet.'

Ren probeerde zijn gezicht in de plooi te houden, maar op het moment dat Benjamin zei dat hij hem geen kwaad zou doen, was de jongen er op de een of andere manier van overtuigd dat hij dat wél zou doen. Hij keek naar het bos. Hij vroeg zich af of hij van de wagen moest springen.

'Die hand van jou zal sneller portefeuilles openen dan welke revolver dan ook.' Benjamin deed zijn jas weer dicht. Hij liet het paard halt houden. 'Nu weet je met wie je te maken hebt. En ook al ben je nu mijn eigendom en ben je wettelijk verplicht om te doen wat ik zeg, en ook al ben ik gewapend en zou ik je kunnen neerschieten als ik dat wilde, ik geef je mijn woord dat ik je zal laten gaan en dat je mag proberen terug te komen.' Hij glimlachte. 'Maar je kunt ook bij mij blijven en de gok nemen.'

Rondom de wagen gingen de vogels door met hun gefluit. Ze floten zachter nu de zon aan het stijgen was, maar Ren vond dat ze nog steeds uitbundig klonken.

Benjamin boog zich dicht naar hem toe. 'Wat wil je het allerliefst in de hele wereld?'

Die vraag was Ren nog nooit gesteld. Toen hij erover nadacht, realiseerde hij zich dat hij beter wist wat hij níet wilde. Hij wilde niet worden neergeschoten met de revolver die hij zojuist had gezien. Hij wilde niet in zijn eentje langs de weg worden achtergelaten. Hij keek omhoog naar de vroegeochtendlucht en dacht aan de boerin.

'Een familie,' zei hij ten slotte.

'Doe niet zo onnozel,' zei Benjamin. 'Ik bedoel alles wat je maar wilt. Wat dan ook in de hele wereld.'

De jongen probeerde iets anders te bedenken, iets grenzeloos. 'Een sinaasappel,' zei hij. 'Ik wil een sinaasappel.'

'Daar kan ik voor zorgen.' Benjamin stak zijn hand uit. 'Wat zeg je daarvan, kleine man?'

Hij had lange, dunne vingers. Maar er zat geen eelt op, noch enige andere aanwijzing dat hij ooit zwaar werk had verricht. Zijn polsen waren zacht, zijn nagels opvallend schoon. Ren zag een sproet, die zich als een munt in zijn handpalm had genesteld – een teken van voorspoed en geluk – en dat maakte, meer dan wat ook, dat hij zijn hand uitstak en hem vastpakte.

ZEVEN

Laat in de middag kwamen ze hongerig en dorstig, en met hun paard onder het zweet, in Graston aan. Het was een havenplaats; de winkels en huizen lagen aan zee, en een kleine pier, waarop helemaal aan het uiteinde een vuurtoren stond, diende als toegangspoort tot de oceaan. Alle wegen liepen naar het water, en al snel bevond de wagen zich midden in de chaos van de haven. Vissers haalden hun netten met gezouten vis en kisten vol krab en kreeft van boord. De dieren leefden nog en tikten met hun scharen tegen de planken. Olievaten werden door gespierde mannen met tatoeages uit de walvisvaarders getild. Uit de koopvaardijschepen kwamen tonnen met specerijen, rollen stof en kisten vol serviesgoed.

Verkopers verkochten hun waren gewoon op straat. Ze prezen hun koopwaar aan terwijl ze over de prijs onderhandelden en de kopers hun spullen keurden. Een visser pakte een kronkelende inktvis vast en scheurde een van de armen af, waarna hij die op een weegschaal legde die op de kade stond opgesteld. Een zeeman tilde een aap boven zijn hoofd. Een groep vrouwen was gekleed alsof ze naar een feest gingen, in satijnen avondjaponnen en met kanten omslagdoeken. Ze wrikten een kist met glazen open en begonnen ze te inspecteren, zo op de grond. Een soldaat stak een parasol op tegen de zon. Het beschilderde groene papier veranderde de kleur van het licht. Boven de menigte schoten de masten van grote schepen recht de helderblauwe hemel in. Een groep vieze kinderen klom schreeuwend van de ene mast naar de andere, terwijl ze balanceerden op de touwen en ervan afsprongen, de haven in. Over dit alles heen hing de stank van vis.

Ren had de vis al van kilometers ver geroken, zelfs nog voordat ze de stad in reden. Ze waren een hoek om geslagen en opeens zaten ze midden in de rotte geur, alsof ze een mistwolk in kwamen. De stank verdrong het beeld van de boerin, dat Ren had achtervolgd vanaf het moment dat ze de hoeve hadden verlaten, en tegen de tijd dat ze de kade bereikten rook hij niets anders meer.

De zon weerkaatste op het water en Ren hief zijn hand op om zijn ogen af te schermen. Hij had de zee nog nooit gezien, en nu strekte die zich voor hem uit; de golven deinden in patronen van licht, helemaal tot aan de horizon; een reusachtig kolkend schepsel van weidsheid en ruimte. Het was alsof Rens voorhoofd werd opengemaakt en de wind die van de golven kwam door hem heen waaide en alle verwarde gedachten wegblies, om ruimte te maken voor iets nieuws en opwindends.

Hij keek over de rand van de kade. Dikke kluwens zeewier deinden heen en weer over de golven, als akkers in een storm. Rottende stukken hout waren bedekt met mossels en alikruiken en met talloze spierwitte zeepokken. Zeemeeuwen zaten op palen of scheerden krijsend en onbevreesd boven hun hoofd voorbij.

Benjamin leidde het paard weg van het water, en ze reden drie smalle straten door. De kasseien maakten plaats voor modder en zand. Aan beide kanten van de straten stonden houten huisjes, waar zeelui woonden die maar een paar weken in de haven verbleven, of vissers die in afwachting waren van hun volgende reis naar de Grote Zandbanken. De weg waar ze nu overheen reden werd steeds smaller naarmate hij verder tussen de gebouwen door kronkelde, tot er op een gegeven moment nog zo weinig ruimte was dat de wagen er nauwelijks doorheen kon.

Een stukje verderop stonden twee vrouwen met een soldaat te praten. Ze droegen bonte kleding, met laag uitgesneden hemdjes, en hadden rouge op hun wangen. Een van de vrouwen tilde haar rok op, en de andere had haar handen om het middel van de soldaat. Benjamin moest de wagen langzamer laten rijden om het groepje te kunnen passeren. Hij schermde zijn gezicht af terwijl ze erlangs reden. Ren had nog nooit zulke vrouwen gezien. Hij draaide zich om zodat hij kon blijven kijken, en de soldaat knipoogde grijnzend naar hem.

Ze lieten de wagen twee straten verder stilhouden, voor een

leegstaand gebouw. Er zaten planken voor de ramen en de bakstenen waren zwartgeblakerd, alsof het huis in brand had gestaan. Benjamin overhandigde Ren de teugels en opende een beschadigd houten hek dat toegang gaf tot een kleine binnenplaats. Hij maakte het paard vast en liep voor Ren uit naar de achterkant van het huis, waar ze bleven staan voor een vervallen deur die los in zijn scharnieren hing. Hij klopte aan. Ze wachtten. Hij klopte opnieuw. Binnen klonk geschuifel.

'Wie is daar?' vroeg een diepe stem door de kieren.

'Ik ben het maar,' zei Benjamin. 'Laat ons erin.'

Ren hoorde dat er werd gemorreld met metalen sloten. Een zwaargebouwde man met een volle rode baard opende de deur zo behoedzaam alsof het een celdeur was, ging in de deuropening staan en staarde hen knipperend met zijn ogen aan. Zijn hemd zag eruit alsof hij er in had geslapen had, en er zat een vlek op een van zijn broekspijpen.

'Je ziet er goed uit,' zei Benjamin.

'Leugenaar,' zei de man. 'Wie is dat? Je nieuwste slachtoffer?'

'Mijn zoon,' zei Benjamin.

'Tuurlijk!' zei de man.

'Laat je ons niet binnen, Tom?'

De man mompelde iets en ging toen opzij om ze erlangs te laten.

Ze liepen via een smalle trap naar een kelderruimte. De vloer bestond uit aangekoekt stof en modder, en de stenen muren waren witgekalkt. Er stonden een tafel met twee stoelen en een goedkoop, doorgezakt bed. Op de tafel stond een kaars en lagen verscheidene pijpen op een bord. Naast het bed bevond zich een rij lege flessen.

'Feestje gebouwd?' vroeg Benjamin.

'De laatste dagen niet,' zei Tom. Hij keek Benjamin behoedzaam aan.

Benjamin pakte een pijp van het bord en veegde de kop schoon met zijn vinger. Die kwam er zwart van het roet weer uit, en Benjamin gebruikte hem om iets op tafel te schrijven: A, B, C. Hij wendde zich tot Ren. 'Deze man was vroeger schoolmeester.'

Opeens werd Ren bang dat Benjamin hem hier achter zou laten. 'Ik kan al spellen.'

'Zie je hoe slim hij is?' Benjamin pakte een van de flessen en schonk zichzelf iets te drinken in. 'Ik dacht dat we wel wat hulp konden gebruiken.'

'Waarmee?' vroeg Tom. 'We moeten verder. We kunnen geen kind met ons meeslepen.'

'Dit is geen kind.' Benjamin pakte Rens mouw en trok die omhoog om het litteken te laten zien. 'Dit is een goudmijn.'

Tom kneep zijn ogen tot spleetjes en schudde zijn hoofd. 'In godsnaam, Benji,' zei hij.

'Deze jongen is nu vierentwintig uur van mij, en ik heb een voedzame maaltijd, iets te roken en een slaapplek gekregen, en ik heb ook nog een paard-en-wagen op de kop getikt.'

'Dus je wilt hem gebruiken als wat – als lokaas?'

'Hij zal deuren voor ons openen. Zo ver dat wij naar binnen kunnen.' Benjamin boog zich voorover en pakte de whisky weg, net toen Tom een glas wilde inschenken.

'Jij weet niks van kinderen,' zei Tom. 'Ze zijn alleen maar lastig. Kleine monsters zijn het.'

'Hij wordt óns kleine monster,' zei Benjamin.

Tom plofte in zijn stoel. Hij voerde geen nieuwe argumenten aan. Benjamin wachtte nog even en zette toen de whisky weer op tafel. De schoolmeester greep de fles en schonk een glas vol.

'Dat is dus besloten.' Benjamin knikte even, en Ren begreep dat het nooit echt ter discussie had gestaan dat hij zou blijven. Mokkend nipte Tom van zijn whisky, en Benjamin maakte zijn bril schoon, waarna hij hem voorzichtig inklapte en in zijn zak liet glijden. 'Nu moet ik eerst dat paard losmaken voordat iemand anders het steelt,' zei hij. Hij draaide zich om en liep de trap weer op.

Zodra ze alleen waren, doorzocht Tom Rens zakken. Daar zat niet veel in. De drie geborduurde letters van Rens naam werden op tafel gegooid, samen met de steen die Ichy hem had gegeven. Toen kwam *De levens der heiligen* tevoorschijn uit zijn mouw. Tom hield het boek bij de kaars en bekeek het aandachtig. Bij het licht kon Ren zien dat de man jonger was dan hij had gedacht. Hij had gebarsten lippen, er zaten klitten in zijn baard en hij had zeegroene ogen, dezelfde kleur als het water van de haven waar ze langs waren gekomen. Tom bekeek de rug van het boek, liet zijn vinger over het leer glijden en begon te lezen. Hij fronste zijn wenkbrauwen bij het omslaan van de bladzijden. Ren wou dat Benjamin terugkwam.

'Gelóóf jij dit?' vroeg Tom ten slotte.

'Nee,' zei Ren, al geloofde hij het wel.

Tom draaide het boek om en streek er met zijn handpalm overheen. 'Het zou best iets waard kunnen zijn.'

'Ik wil het niet verkopen.'

'Dat bepaal jíj niet.' Tom stak zijn hand onder zijn baard en begon aan zijn huid te pulken.

Ren keek de kamer rond, naar de geverfde stenen muren, de lege flessen en het doorgezakte bed. 'Woon je hier echt?'

'De afgelopen maand wel, ja.' Tom legde het boek op tafel, stak nu ook zijn andere hand onder zijn baard en ging door met krabben – zijn vingers verdwenen helemaal in de rode haarbos. 'We gaan van de ene plaats naar de andere. Waar het werk ons maar brengt.'

'Welk werk?'

'Dat is moeilijk te zeggen,' zei Tom. 'Steeds weer wat anders. Zoals Ophelia zei: *We weten wat we zijn, maar we weten niet wat we zouden kunnen zijn.*' Hij haalde iets uit zijn baard en rolde het heen en weer tussen zijn vingertoppen voordat hij het wegschoot op de grond. 'Meestal verkopen we dingen.'

'Wat voor dingen?'

Tom boog zich voorover, zodat zijn gezicht op gelijke hoogte kwam met dat van de jongen. Hij bekeek hem onderzoekend met zijn groene ogen, alsof hij probeerde vast te stellen of hij hem kon vertrouwen. Toen Ren niet wegkeek, wees Tom naar een koffer die in de hoek stond. 'Maak maar open,' zei hij.

Het was een houten koffer, met leren riemen eromheen om de boel bij elkaar te houden. Ren veegde wat stof van de bovenkant, stak de riem door de gesp en maakte de pin los. De koffer viel met een klap open. Hij zat vol kleine flessen, een stuk of twintig, die allemaal waren dichtgestopt met een kurk en hetzelfde handgeschreven etiket droegen: *Dokter Fausts geneeskrachtige zouten voor aangename dromen.*

'Is dat alles wat er nog over is?' Benjamin stond in de deuropening.

'Alles wat ik heb kunnen redden,' zei Tom. 'De rest is eigendom van de staat New Hampshire.'

Benjamin pakte een van de flesjes, ontkurkte het en rook aan de opening. 'Volgens mij hebben we te veel opium gebruikt.'

'Volgens mij is dat niet eens een vraag.' Tom gaf Ren een por met zijn elleboog. 'Hij heeft van de vorige burgemeestersvrouw een drugsverslaafde gemaakt.'

'Niet met opzet,' zei Benjamin.

'Dat maakt niet uit,' zei Tom. 'Volgens mij moeten we er niks meer van verkopen.'

'We zullen het verdunnen.' Benjamin draaide het flesje rond in zijn hand en hield het toen tegen het licht. 'We geven het een andere naam. We moeten nieuwe etiketten schrijven.'

'Ik beroof liever een bank,' zei Tom.

Het was duidelijk dat de mannen elkaar al jarenlang kenden, misschien zelfs langer. Ze spraken ongedwongen en scholden en vloekten tegen elkaar zonder kwaad te worden. Tom kon enorm tekeergaan, maar het was Ren duidelijk dat hij voortdurend weifelde en dat Benjamin maar even hoefde te blazen om te bepalen op welke plek Tom zou vallen.

'We wachten tot het voorjaar,' zei Benjamin. 'Tot we klaar zijn om verder te trekken. Dan beginnen we weer met de verkoop.'

Tom veegde zijn gezicht af. 'Oké.'

'Is er nog geld over?'

Er viel een ongemakkelijke stilte en toen begon Tom te lachen. Benjamin lachte ook, alsof hij dit wel had verwacht. Hij stak zijn hand uit naar een van de pijpen die op tafel lagen, haalde wat tabak uit het zakje in zijn jas en drukte die met zijn duim in de pijpenkop. 'Dan moeten we gaan vissen. Voordat de grond bevriest.'

'We hebben een nieuwe schep nodig.'

'Wat is er met de schep gebeurd die ik heb gekocht?'

Tom hield de fles omhoog en schudde hem heen en weer.

Hoofdschuddend zei Benjamin: 'Jij verkoopt je ziel nog een keer.'

Tom schonk zijn glas weer vol. 'En de jouwe,' zei hij.

'Waarom hebben jullie een schep nodig om te vissen?' vroeg Ren.

De mannen keken even ongemakkelijk. Toen stak Tom een vinger uit naar Benjamin. 'Ik zei het toch? Kleine monsters!'

Benjamin stak de pijp in zijn hand aan met de kaars. Hij zoog aan het mondstuk en er kwam een dun rooksliertje door zijn lippen. 'We hebben een schep nodig voor de wormen.'

Ren leunde tegen de tafel. Hij werd duizelig van de tabaksgeur. Hij had niets meer gegeten sinds hun maaltijd bij de boer. Hij had gehoopt op avondeten, en nu realiseerde hij zich dat dat er die dag waarschijnlijk niet in zat, en misschien de volgende ook niet, als Benjamin geen vis zou vangen. Zijn maag rammelde bij de gedachte aan eten en de mannen stopten met praten.

'Het heeft honger,' zei Tom.

'Er moet hier iets te vinden zijn.' Benjamin zocht in de lege kasten en trok lades open.

Tom wilde opnieuw een glas volschenken, maar de fles was leeg. Hij keek dreigend. 'En je had zo'n grote mond toen je wegging. Ik wist wel dat je met lege handen terug zou komen.'

'Ik heb geen lege handen,' zei Benjamin. 'Ik heb een jongen.'

ACHT

Op het bord buiten voor de winkel stond: MR. JEFFERSON, VOOR
AL UW NIEUWE, GEBRUIKTE EN ZELDZAME BOEKEN. De win-
kelpui was grauw; de verf was gaan bladderen door de zilte lucht.
Ren probeerde door het raam te kijken, maar het zicht werd be-
lemmerd door boeken waarvan de bladzijden verkreukeld waren
en de ruggen verkleurd en beschadigd.

Er rinkelde een belletje toen ze de deur opendeden. Het was zo
donker in de winkel dat er kaarsen brandden, ook al was het midden op de dag. De winkel leek geen schappen te hebben. Overal
lagen stapels boeken van verschillende hoogte; sommige reikten
helemaal tot aan het plafond, andere steunden tegen de muur of
lagen op een tafel of op de grond.

'Komt u kopen of verkopen?' vroeg een stem die ergens rechts
van hen kwam, vanachter een berg anatomische schetsboeken.

'Verkopen,' zei Benjamin.

'Nou,' zei een stevige zwarte man, die nu over een stapel heen
klom. 'Ik hoop dat het iets interessants is.' Hij was van gemiddelde
lengte en was een jaar of zestig. Hij had lange witte bakkebaarden
en droeg een op maat gemaakt, maar versleten donkergrijs pak. Er
zaten verscheidene sierspelden op zijn jasje, hij had een gesteven
halsboord en in zijn vestzak had hij een felgroene zakdoek gestoken.

'Is de heer Jefferson aanwezig?' vroeg Benjamin.

'Dat ben ik,' zei de man.

Benjamin zweeg even. Toen reikte hij in de zak van zijn jas en
overhandigde *De levens der heiligen.*

Jefferson pakte een stapel biografieën en een paar woordenboe-
ken van de tafel en legde die op de grond. Vervolgens zette hij een

paar kaarsen om Rens boek heen. Hij deed dit alles heel zorgvuldig en gedecideerd, en toen hij klaar was haalde hij een bril uit de zak van zijn jas en begon het boek te inspecteren. Hij controleerde de naden in het leer, sloeg de bladzijden om, stak het topje van zijn pink in de bovenkant van de rug en bewoog die heen en weer.

De levens der heiligen was het enige wat ze konden verkopen, maar Ren voelde zich nog steeds bedrogen terwijl hij toekeek hoe meneer Jefferson de prijs bepaalde. Hij slenterde naar een tafel in de buurt waar hoge stapels kleine boeken met leren omslag op lagen. Op een ervan stond een indiaan afgebeeld, met een ketting van berenpoten om en twee veren aan zijn oren. Ren draaide zijn hoofd om de titel te lezen: *De hertendoder*.

Jefferson zette zijn bril af. 'Ik geef jullie er vijf cent voor.'

'Het moet meer waard zijn,' zei Benjamin, terwijl hij het boek teruggriste.

'Het is een goede prijs,' zei Jefferson.

'We bieden het wel ergens anders aan.'

'Ergens anders is er niet. In elk geval niet in deze stad. Jullie zouden ermee naar Rockport kunnen gaan, maar ik betwijfel of zij meer zullen bieden. Er is hier niemand geïnteresseerd in heiligen.'

'Goed dan.' Benjamin liet het boek op de tafel vallen en pakte een groot woordenboek op, dat hij woog in zijn handen. 'Vijf cent. Geef maar.'

Jefferson kroop achter zijn bureau en telde de centen. Heel even, toen de man met zijn rug naar hen toe stond, was Ren ervan overtuigd dat Benjamin hem met het woordenboek op zijn hoofd zou slaan. Maar in plaats daarvan sloeg Benjamin het boek open, bevochtigde zijn vingertop en sloeg een bladzijde om. '*Gierig*,' las hij. '*Blijk gevend van of gekenmerkt worden door gierigheid; buitensporig zuinig, hebzuchtig, krenterig. Zie vrekkig.*'

De levens der heiligen lag op het bureau. Ren dacht aan broeder Joseph die het boek aan hem had gegeven, aan het gewicht ervan in zijn hand. Hij liep naar Jefferson toe en trok hem aan zijn mouw.

'Het is van mij,' zei Ren.

Jefferson hield op met het tellen van de muntjes. 'Pardon?'

'Ik wil het houden.'

Benjamin sloeg het woordenboek dicht. 'Let maar niet op de jongen. Mijn zus heeft hem op zijn hoofd laten vallen toen hij nog een baby was, en het is nooit meer goed met hem gekomen. Hij loopt altijd tegen dingen aan of gaat midden op straat op zijn knieën zitten.' Benjamin boog zich naar meneer Jefferson toe en fluisterde: 'Hij denkt dat hij een *katholiek* is.'

Jefferson trok zijn wenkbrauwen op.

'Echt waar,' zei Benjamin. 'Hij verzamelt allerlei soorten spullen. Als u het boek niet aanneemt, zal ik het moeten verbranden.'

Ren kon zien dat de gedachte om een boek te verbranden, zelfs een katholiek boek, meneer Jefferson tegenstond. De man boog zich weer over zijn portemonnee.

Benjamin wierp Ren een woeste blik toe en wees naar de deur. Ren liet de mouw van Jefferson los. Hij duwde zijn nagels in de palm van zijn hand. Als hij het boek wilde stelen, moest hij voor afleiding zorgen. Ren sloot zijn ogen, en in plaats van naar de deur te lopen, zoals hem was opgedragen, liep hij opzettelijk tegen de dichtstbijzijnde stapel boeken aan. Die viel om. Sommige boeken vielen tegen de volgende stapel aan, en tegen de volgende, en geschiedenisboeken en biografieën en kaartencollecties lagen allemaal door elkaar heen op de grond. Het was één grote bende.

Benjamin kroop onder een berg pamfletten uit. Hij schudde zijn hoofd en ging wankelend overeind staan. Jefferson stond achter in zijn overhoopgehaalde winkel. Met een bars gezicht gaf hij Benjamin het geld. Vervolgens haalde hij zijn groene zakdoek uit zijn zak, boog zich voorover, pakte een dichtbundel van de grond en begon het stoffen omslag af te nemen.

'Jullie kunnen nu beter gaan,' zei Jefferson tegen het boek in zijn handen.

Benjamin knikte. En toen duwde hij Ren de deur uit, sloeg die achter hen dicht en begon de straat uit te lopen.

Ren liep achter hem aan. 'Het was een ongeluk,' zei hij zwakjes.

'Niet waar,' zei Benjamin. Hij draaide zich om om naar de winkel te kijken, en toen duidelijk was dat Jefferson niet achter hen aan kwam, begon hij te lachen. 'Maar hij verdiende het wel. Vijf cent!' Hij stak zijn vuist in zijn zak en liet de muntjes rinkelen, en toen gaf hij de jongen een klap in zijn nek. 'Die krijg je omdat je het niet eerst aan mij had verteld.'

Ren liet bijna *De hertendoder* los, dat nu onder zijn jas zat. Het was kleiner dan *De levens der heiligen* en paste tussen zijn hemd en de plek waar de mouw begon. Ren liet zijn arm onder zijn jas glijden en pakte de leren boekband vast. Het was makkelijker geweest dan hij had gedacht.

Ze kwamen langs kaarsenmakers en hoefsmeden, visboeren en stofverkopers. Al snel viel het Ren op dat ze rondjes liepen. De kade af en weer terug, zijstraten in en uit, en vervolgens terug naar het hoofdplein, waar de mensen aan het afdingen waren en in groepjes stonden te roken en waar zich een menigte verzamelde rondom een klein poppentheater. De hele tijd hield Benjamin de straat in de gaten en keek hij mensen recht aan.

Ze kwamen bij de slager. In de etalage hingen karkassen, witte en rode holle omhulsels. Ren zag een rij kleine konijnenschedels, met het vlees nog aan het bot. Toen Benjamin bleef staan, deed Ren hetzelfde. Ergens in de buurt begon een klok te luiden. Ren draaide zich om en zag een rechthoekige stenen kerk met een ijzeren torenspits een eindje van de weg af liggen, en hij herinnerde zich dat het zondag was. Hij had nooit eerder een mis overgeslagen. En hij realiseerde zich, te midden van alle verwarring en van alle veranderingen van de afgelopen dagen, dat hij ook niet te biecht was gegaan. Hij zag de kerkdeuren opengaan, en bijna verwachtte hij broeder Joseph en vader John te zullen zien verschijnen en naar hem wijzen.

Er kwamen kerkgangers de trappen af. Er waren gezinnen. Een heleboel gezinnen. Moeders en vaders en grootmoeders in hun mooiste kleding, kinderen die waren gekleed in gesteven wit linnen. Ze lachten en praatten en wensten elkaar goedemorgen, en de jongens en meisjes gilden en zaten elkaar over de straat achterna. De pastoor stond bij het hek in zijn gewaad. Hij was een kleine, pezige man met een grote vlek op zijn kin. Hij probeerde waardig te kijken terwijl de mensen langs hem liepen, maar hij leek vooral bang voor hen te zijn.

Ren werd op de vertrouwde manier in zijn rug geduwd. Hij viel vanaf de stoep in een hoop paardenmest, pal voor de kerk. De gezinnen stapten achteruit. De pastoor trok zijn gewaad op. En allemaal keken ze naar de jongen in de goot, die van top tot teen onder de bruine strepen zat.

'Hé!' riep een stem. Mensen gingen opzij terwijl iemand zich duwend een weg door de menigte baande. Ren zag dat het Benjamin was. Hij had zijn bril op en had zijn haren netjes naar achteren gedaan. 'Gaat het?' Hij tilde Ren op uit de goot, schudde de vieze klodders van zijn schouders en keek Ren door de glazen op zijn neus recht in de ogen, alsof hij ook daar naar mest zocht.

'Niks aan de hand,' zei de jongen zachtjes. Hij probeerde niet naar de pastoor te kijken, of naar de vrouwen die om hem heen stonden.

'Wat is dat?' zei Benjamin luid. Hij pakte Rens linkerarm en schoof de mouw omhoog. De pols van de jongen werd aan iedereen getoond: een kille en eenzame stomp. Ren probeerde zich los te rukken; hij dacht dat dit zijn straf was voor wat hij in de winkel van meneer Jefferson had gedaan. Maar Benjamin hield hem stevig vast en wendde zich tot de gezinnen op de stoep, en op zijn gezicht was een mengeling van afgrijzen en medelijden te lezen. 'Hier heb je iets wat je zal helpen in je ellendige leven. Hier, hier,' zei Benjamin, en hij stak zijn hand uit met daarin de vijf cent van meneer Jefferson. 'Het is niet veel, maar ik hoop dat je er troost uit zult putten.' Hij knipperde snel met zijn ogen, alsof hij tegen zijn tranen vocht. Toen pakte hij zijn zakdoek en begon mest van de wangen van de jongen te wrijven.

De kerkgangers staarden naar Rens arm. Sommigen fluisterden tegen elkaar en verdwenen. Een paar van de kinderen keken angstig. Ren probeerde zich los te trekken, maar Benjamin weigerde los te laten, totdat er een oud, gebogen dametje naar voren kwam.

'Arm joch,' zei ze. 'Hier, jongen, kijk eens.' En ze stak haar hand diep in haar gewaad en haalde een grote munt tevoorschijn. Ze tikte er even mee tegen zijn neus – de munt voelde warm aan.

'Dank u wel,' zei Ren. Hij had een blos op zijn wangen. De vrouw liet de munt in zijn jaszak glijden. Benjamin wachtte even en begon toen weer de mest van Rens gezicht te wrijven.

'Ík wil geld aan die invalide jongen geven.' Een klein meisje stampte met haar voet op de stoep. Haar moeder probeerde haar weg te trekken, maar het kind wond zich zo op en schudde haar glanzende donkere krullen net zo lang heen en weer tot de vrouw toegaf en haar een cent uit haar portemonnee gaf. Het meisje kwam naar hem toe lopen, met het muntje zo ver mogelijk van zich af, alsof ze een wild dier ging voeren. Ren staarde haar aan. Hij had nog nooit zulk volmaakt haar gezien. Het had de kleur van kraaienvleugels – een volle, zwarte kleur.

'Toe dan,' zei ze, 'pak aan.' Ze hield het muntje bij zijn gezicht.

Ren kon zijn linkerarm niet gebruiken. Hij had zijn rechterarm in zijn jas gestoken, waar hij het boek vasthield dat hij had gestolen. Dat wilde hij niet loslaten, dus in plaats van het geld aan te nemen deed de jongen zijn mond open en stak zijn tong uit, en het meisje begreep wat hij wilde en legde de cent erop, als een hostie bij de communie. Even bleef Ren zo staan, en hij voelde het gewicht van het metaal en proefde de smaak van het koper. Uit het publiek klonk voorzichtig applaus. Er kwamen meer mensen naar voren, met munten in hun handen geklemd, en ze begonnen Rens zakken ermee vol te stoppen.

'Hank hu,' zei Ren. 'Hank hu, hank hu.' Het muntje viel uit zijn mond, en Benjamin ving het op.

NEGEN

De mannen gingen die avond weg. Ze lieten Ren met een paar kaarsen achter in de vervallen kelder en lieten hem beloven dat hij voor niemand open zou doen, wat er ook werd gezegd en wie er ook aan de deur kwam. Tom nam de lantaarn mee en Benjamin pakte de schep die hij eerder die ochtend had gekocht. Hij had vijf cent gekost, precies het bedrag dat ze hadden gebeurd voor *De levens der heiligen*.

Toen ze weg waren en de sloten dichtzaten, liep Ren over de donkere trap naar beneden en ging aan tafel zitten. Er waren nog een paar stukken brood, wat worstjes en een beetje gepekelde kabeljauw over die ze hadden gekocht met het geld van de kerkgangers. De jongen koos een stuk brood uit en begon eraan te knabbelen, ook al had hij geen honger meer. Het brood was vers, de binnenkant zacht maar stevig.

De mannen hadden één kaars laten branden, en het zwakke licht wierp schaduwen op de muren. Het gaf Ren een vreemd gevoel om alleen te zijn. In Saint Anthony was dat zelden voorgekomen. De laatste keer was twee jaar eerder geweest, toen de tweeling de mazelen had gekregen. Vervolgens waren alle kleine jongens een voor een ziek geworden, behalve Ren. Toen alles weer achter de rug was, waren er drie kinderen overleden. Vanwege de broers had Ren in de schuur moeten slapen, zodat hij niet besmet zou raken. Ren had zich er eenzaam gevoeld, en hij was blij geweest toen het voorbij was.

Op tafel stond de whiskyfles waar de mannen samen uit hadden gedronken voordat ze waren vertrokken. Toms stemming was bij elk slokje verder omgeslagen. Tijdens de maaltijd was hij joviaal en opgewekt geweest, vervolgens was hij passief en zwijgzaam geworden, en ten slotte was hij weer zijn oude geïrriteerde zelf, alsof hij helemaal niet had gedronken. Ren pakte de fles en rook eraan. De geur prikte in zijn neus, maar toen hij een slokje nam verschroeide de whisky zijn keel, en hij spuugde de drank die hij nog in zijn mond had op de grond. Hij had nog nooit zoiets afschuwelijks geproefd, behalve dan misschien de wijn die ze in Saint Anthony maakten. Hij had een keer een fles gestolen en die samen met de tweeling leeggedronken. Terwijl ze zich hadden schuilgehouden in het veld hadden de jongens de fles aan elkaar doorgegeven, net zo lang tot ze duizelig waren geworden. Vervolgens had Brom zijn enkel verzwikt bij het maken van een radslag en had Ichy overgegeven, en Ren had zo erg de hik gekregen dat het twee hele dagen had geduurd voordat hij weer de oude was.

Nu hij daaraan terugdacht, realiseerde Ren zich hoezeer hij zijn vrienden miste. Hij besloot Brom en Ichy meteen een brief te schrijven. Hij doorzocht het kleine vertrek en vond een pen en een inktpot, maar geen papier. Toen hij verder zocht, stuitte hij uiteindelijk op een stapel reclamebiljetten voor *Dokter Fausts geneeskrachtige zouten voor aangename dromen*. Hij draaide een van de biljetten om en begon te schrijven. Hij had nog nooit een brief geschreven, maar hij had wel het idee dat er in brieven goed nieuws moest staan.

Beste Brom en Ichy,

Eerst moet ik jullie vertellen dat ik dronken ben. Ik heb een hele fles whisky leeggedronken. Ik moet vast overgeven voordat ik deze brief af heb.

Benjamin heeft een paard-en-wagen gekocht en we zijn naar een plaats vol schepen en zeelui uit verre plaatsen gereden. Benjamin zei dat we met een schip naar India gaan om de olifanten te zien.

Ik heb een eigen kamer en ik hoef van hem niet naar de kerk. Ik hoop dat jullie allebei snel een gezin krijgen en niet in het leger hoeven.

Jullie vriend,
Ren

De brief moest in een envelop. En daar moest een postzegel op. En die zou wel geld kosten. Hij vouwde de brief dubbel, en toen nog een keer. Bij elke vouw werd hij minder enthousiast over het plan de brief te versturen. Op de een of andere manier had hij het gevoel dat ze zouden weten dat hij loog. Toen realiseerde hij zich dat alle brieven die door de geadopteerde kinderen waren gestuurd waarschijnlijk vol leugens hadden gestaan.

Ren hoorde iets buiten bij de deur. Hij sloop voorzichtig de trap op om te luisteren, en wilde dat hij niet alleen was. Hij controleerde de sloten nog een keer, hield zijn oog tegen een spleet in het hout en keek naar buiten. Hij zag een klein stukje van de binnenplaats, maar daar was niets te zien. Hij wachtte, en wachtte nog wat langer, en ging toen de trap weer af en haalde *De hertendoder* tevoorschijn.

De indiaan staarde hem vanaf het omslag koel en exotisch aan. Ren liet zijn vingers over de afbeelding glijden, ging dichter bij het licht zitten, sloeg het boek open en begon te lezen. Zodra hij het verhaal binnen ging, rezen er dennen en pijnbomen op boven zijn hoofd; voor hem strekte zich een meer uit waarin de lucht werd weerspiegeld, en in zijn oren dreunde het geluid van een geweerschot. Ren baande zich samen met de hertendoder een weg door het dichtbegroeide bos; hij hakte bomen om en maakte er kano's van, hij joeg en viste en redde indianenmeisjes. Toen was er een hinderlaag, en de hertendoder schoot een indiaan dood en kreeg daarvoor van dezelfde man die hij had gedood een nieuwe naam: *Haviksoog.*

Dit was beter dan geschiedenisverhalen of psalmen, en zelfs beter dan *De levens der heiligen.* Zo nu en dan had Ren het gevoel alsof hij fragmenten uit zijn eigen dromen aan het lezen was die waren samengevoegd tot zinnen, die aan zijn hart trokken alsof er ergens in zijn borstkas een touw was vastgemaakt dat doorliep tot in het boek en dat was verbonden met de personages en hem door de bladzijden voerde. De jongen las en las en las en las, totdat zijn ogen brandden en de kaars uitging, en zelfs toen zag hij, in het donker, nog steeds de hertendoder voor zich die zich een weg door het dikke gebladerte baande, zijn doelwit in het vizier kreeg, zijn lange smalle geweer aan zijn schouder zette en schoot.

De mannen kwamen kort voor zonsopgang terug. Ren tilde zijn hoofd op van de tafel toen ze de trap af kwamen, waarbij de gloed van Toms lantaarn hun de weg wees. Ze zagen er smerig uit; hun broek en schoenen zaten onder het slijk. Ren verwachtte vis te zullen ruiken, maar de enige geur die in het vertrek hing, was die van vochtige aarde. Tom zette de lamp neer en Benjamin begon zijn zakken leeg te maken en legde alles op tafel.

Hij haalde een ketting van zaadparels tevoorschijn. En toen een ketting die was gemaakt van koraal, turkoois en gekleurd glas. Hij haalde een zakhorloge uit zijn zak, dat hij even tegen zijn oor hield voordat hij het neerlegde. Toen haalde hij drie paar oorbellen uit zijn zak, en de gesp van een riem, verscheidene dunne gouden kettingen, een armband die was bedekt met familiewapens, een paar kleine broches, twee paar leren handschoenen en een stuk of zes ringen.

Tom maakte de fles open die op tafel stond. 'Het is een goede avond geweest, jongen!' Hij nam een slok en liet de whisky rondgaan in zijn mond voordat hij hem doorslikte. 'We verdienen onze eigen Romeinse zegetocht. *Veni, vidi, vici.*'

De sieraden zaten onder het stof en de modder. Op de plaatsen waar de kralen waren bevestigd en langs de siergroeven van de gesp was aarde vastgekoekt. De broches zaten onder de vlekken, over het zakhorloge liepen zwarte strepen. Alleen de ringen zagen er redelijk schoon uit. Het waren hoofdzakelijk eenvoudige gouden ringen zonder opsmuk. Trouwringen. Een paar hadden een gravering aan de binnenkant. Een inscriptie. Of misschien iets anders. Een dichtregel. Een belofte.

'Het lijkt wel of jullie ze uit de grond hebben opgegraven,' zei Ren.

'Dat hebben we ook,' zei Tom. Hij begon in zijn zakken te rommelen, zette de fles neer, rommelde nog wat verder en haalde uiteindelijk een dichtgeknoopte zakdoek tevoorschijn. Hij schudde hem heen en weer in de lucht totdat hij gerinkel hoorde en gooide hem toen over de tafel heen naar de jongen. 'Hup,' zei Tom ten slotte. 'Maak open!'

De zakdoek zat vol tanden en kiezen. Ren schudde ze naast de kettingen en de ringen uit over tafel. Het moesten er tientallen zijn, allemaal in verschillende stadia van verval, sommige niet groter dan een erwt en andere volledig gevormd en bijna zo groot als een eikel, met verstrengelde wortels. De tanden leken wel kleine porseleinen poppen zonder hoofd, waar aan de zijkant nog stukjes roze aan vastzaten, alsof ze zich te goed hadden gedaan aan mensenvlees. Toen begreep Ren het, en hij trok snel zijn handen terug.

De trouwringen, de slappe handschoenen, de tanden en kiezen die over de tafel lagen uitgespreid: het was allemaal gestolen van de doden. Ren had het gevoel alsof de grond onder hem bewoog, en er schoot een schok van angst door hem heen toen hij zich realiseerde wat voor straf God voor deze zonde naar beneden zou sturen. Hij zag voor zich hoe zijn metgezellen op een kerkhof aan het graven waren en deksels van doodskisten tilden. Hun handen doorzochten de zakken van de lijken, hun gezichten stonden inhalig en afzichtelijk. En toen gaapte Benjamin en krabde Tom in zijn baard en zagen ze er weer precies hetzelfde uit als eerst.

'Het is te veel werk om ze eruit te halen,' zei Benjamin.

'Niet als je ziet voor hoeveel ik ze kan verkopen,' zei Tom. 'Ik ken een man die zei dat een goed exemplaar tien dollar oplevert.' Hij trok de la onder de tafel open, begon erin te rommelen en haalde er een borsteltje uit. 'Ga opzij,' zei hij tegen Ren. Toen ging hij op een stoel zitten en schonk een beetje whisky in een glas. Hij dompelde de borstel erin en begon de zachte gedeelten van een kies schoon te boenen.

'Ik heb Latijn gestudeerd met een man die helemaal geen tanden meer had,' zei Tom. 'Hij rook altijd naar lavendelzeep, maar hij was een slimme oude vent.'

'Hoe heb je dat betaald?' vroeg Benjamin.

'Mijn moeder maakte dit huis schoon,' zei Tom. 'Op die manier heeft ze al mijn lessen bekostigd.'

'Jammer dat ze hier niet is,' zei Benjamin.

Tom hield op met boenen. Zijn mond verstrakte. Toen legde hij de kies neer en pakte de fles.

Benjamin riep Ren bij zich. Hij hield een armband en een horloge omhoog.

'Welke is meer waard, denk je?'

Het horloge was van goud, met in de wijzerplaat een boom gegraveerd. De armband was van zilver en bestond uit kleine amuletten in de vorm van muziekinstrumenten. Ren streek met zijn vinger over een pianootje. Hij dacht aan de levenloze arm waar de armband omheen had gezeten.

'Laat je niet afleiden,' zei Benjamin. Hij trok een mes uit zijn laars, stak de punt in de achterkant van het horloge en wipte het open. Er zaten honderden radertjes in het binnenwerk, die allemaal om elkaar heen draaiden. 'Je moet eerst alle onderdelen bekijken voordat je kiest.' Hij deed de achterkant van het horloge weer op zijn plaats en klikte het dicht. 'En dan moet je altijd het horloge kiezen.'

De ringen en kettingen werden uitgestald op tafel en geïnspecteerd. De broches werden gepoetst. Er stonden prachtige afbeeldingen van elfen op en profielen van beeldschone jonge vrouwen. Een paar oorbellen begon te glanzen toen Benjamin het vuil wegwreef, en de parels glommen in het licht van de lamp als een nieuwe huid.

'Hier kunnen we tot het voorjaar mee toe,' zei Tom.

Benjamin knikte. 'We zullen ze een paar plaatsen verderop moeten verkopen zodat ze niet herkend worden.' Hij was klaar met het schoonmaken van de oorbellen en legde ze opzij. Toen begon hij de overige juwelen te rangschikken en bij elkaar te leggen. Hij schatte van alles de waarde en telde de bedragen op met zijn vingers. Hij schoof een paar handschoenen opzij en zag toen *De hertendoder* liggen.

Tom stopte met boenen. 'Heb je dat vanavond gekocht?'

De indiaan op het omslag tuurde onbewogen in de verte terwijl de rug van het boek werd gelezen en omgedraaid. Benjamin liet zijn vinger langs de ketting van berenpoten glijden en keek toen met samengeknepen ogen naar Ren.

'Ik geloof dat dit boek is geleend van de heer Jefferson.' Benjamin kneep zijn lippen samen, en de moed zonk de jongen in de schoenen. Hij had door de jaren heen veel dingen gestolen in Saint Anthony, maar dit was de allereerste keer dat hij werd betrapt.

Tom keek hen afwisselend aan en wendde zich toen grijnzend tot Ren. 'En dan te bedenken dat ik je terug wilde sturen.'

'Ik kan niet geloven dat ik het niet heb gemerkt.' Benjamin lachte nu. 'Laat me eens zien hoe je het hebt gedaan. Pak iets anders.'

Ren aarzelde even, gespannen en alert; toen haalde hij zijn vuist achter zijn rug vandaan, opende zijn vingers en liet de ring zien die hij al van de tafel had gestolen. De gouden ring had een fijn patroon van bladeren. Er stond een jaartal in gegraveerd, *1831*, en de woorden *Vergeet me niet*. Tom en Benjamin kwamen dichterbij om te kijken. Toen gooiden ze hun hoofd in hun nek en brulden ze van het lachen.

Benjamin trok zijn kraag omhoog en begon ophef te maken over het boek, in een verbluffende imitatie van meneer Jefferson. Vervolgens rende hij om de tafel heen achter Ren aan, terwijl hij uitriep: 'Houd de dief!' De jongen kroop onder de stoelen door en schoot alle kanten op, totdat Tom de tranen van zijn gezicht veegde en Ren zelf ook moest lachen. Het leek wel of er iets in de kelderruimte was bevrijd; hun stemmen vlogen hoog de hoeken in en ze hapten allemaal naar adem.

Benjamin liet zich in een stoel vallen en strekte zijn benen voor zich uit. Hij wreef over zijn neus en hield zijn blauwe ogen op Ren gericht, alsof de jongen de hele wereld aankon.

'Deze hoeven we helemaal niets te leren,' zei Tom.

'Nee,' zei Benjamin. 'Hij is al een van ons.'

TIEN

In de werf werden allerlei soorten schepen uit het water gehesen. Timmermannen waren onder de stutten aan het werk, met wollen sjaals om hun nek gebonden en met handschoenen zonder vingers aan hun handen. De mannen schraapten de aangekoekte troep van een heel seizoen varen van de scheepsrompen, verwijderden het zeewier, vervingen hout dat verrot was en maakten de kieren tussen de planken dicht. Ren zag een boot die werd gebouwd; de kale spanten staken in de lucht en vormden een open mond van minstens twintig meter lang. Op een schoener waren de bouwers druk bezig de mast op te zetten, een reusachtige boomstam die was ingevet en waarvan de takken af waren geschaafd. Langzaam werd het gevaarte met touwen op zijn plek getrokken en gleed het naar beneden, het binnenste van het schip in.

Naast de werf lag een rij met winkels waar takels, netten en touwen werden verkocht, en allerlei koperen onderdelen, en zeilen en ankers, en zout en ijs en roeispanen en olie en emmers en harpoenen. Het rook er naar handel – naar houtkrullen en poetsmiddel. Tom liep voor de anderen uit een hoek om, naar een gammele trap. Aan de zijkant van het gebouw was een verschoten uithangbord vastgespijkerd waarop met rode letters geschilderd stond: MR. BOWERS, TANDHEELKUNDE EN GEBITSVERZORGING. Daaronder was een hand in het hout uitgesneden die naar de wenteltrap wees.

Tom en Benjamin keken elkaar aan en gaven Ren een duwtje. De jongen liep de trap af, met de mannen achter zich aan. De leuning schudde en de treden leken elk moment onder hun voeten te kunnen bezwijken. Voordat Ren boven aan de trap was, verscheen er een mannenhoofd over de rand dat op hen neerkeek.

De man had ingevallen wangen met grijze stoppels, en hij droeg een antieke witte pruik met dichte krullen die zijn kalende hoofd slechts half bedekte. Er was een servet in zijn kraag gestopt. Toen ze verder naar boven klommen, zag Ren dat hij ook een pijnlijk uitziend blauw oog had. Het oog was dik en bijna paars en zat vrijwel dicht.

'Meneer Bowers?' vroeg Tom.

'Wie vraagt dat?'

'Onze jongen heeft kiespijn,' zei Benjamin, gebarend naar Ren.

'Normaal krijg ik nooit zo vroeg klanten,' zei Bowers. Hij leek onzeker, maar toen ze eenmaal boven aan de trap waren gekomen, wilde hij heel graag dat ze zouden blijven. Zijn adem rook naar koffie met te veel suiker. Zijn handen voelden klam aan toen hij die van hen schudde. 'Kom binnen, kom binnen.'

De winkel bestond slechts uit één vertrek, met een verschoten tapijt op een vieze houten vloer en met krantenadvertenties als behang. Midden in de ruimte stond een gestoffeerde kruk met daarnaast een voetenbankje, een tafel en een hoge vitrinekast. Op de tafel stonden een bak vol met roze water en een geopend instrumentenkoffertje – er zaten hamertjes, tangen, boren en vijlen in. Ren keek er vol afgrijzen naar en hoopte dat ze op geen enkele manier in de buurt van zijn mond zouden komen.

Naast het kistje lagen de restanten van het ontbijt dat meneer Bowers had genuttigd: een stuk donker brood met jam en een mok koffie. Bowers haalde het servet uit zijn kraag en legde het over het bord. Toen vroeg hij aan Ren: 'Hou je van jam?'

'Ja,' zei Ren, die hoopte dat de man hem iets zou aanbieden.

Bowers stak zijn onderlip naar voren en keek naar Ren alsof die ver weg stond. Toen stak hij zijn hand in zijn mond en haalde zijn gebit eruit, zowel de boven- als de onderkant. De tanden en kiezen zaten met draden aan elkaar vast – het was een volledig kunstgebit. Bowers legde het nat en glimmend in de palm van zijn hand. Zo zonder gebit was zijn mond samengetrokken en hing zijn huid slap om zijn kin.

'Dit gebeurt er met mensen die jam eten.' Bowers grijnsde, voor zover dat hem tenminste lukte met zijn lege mond. Vervolgens duwde hij zijn kunstgebit er weer in. Toen alles goed zat, trok hij aan de voorkant van zijn jasje, zette zijn pruik recht en zei: 'Ga zitten.'

Ren staarde nog steeds naar Bowers' gebit. Benjamin moest de jongen een por geven voordat hij op de gestoffeerde kruk klom.

'Laten we eens kijken,' zei Bowers. Ren deed zijn mond open en de man boog zich over hem heen en keek in zijn mond. 'Wat is het probleem?'

'Mijn tanden zitten los,' zei Ren.

'Nee toch,' zei Bowers. Hij porde in Rens tandvlees, eerst onder en toen boven in zijn mond, streek met een vinger over Rens tong en voelde hier en daar aan een tand of kies. Hij stopte op de plek waar Ren jaren geleden een kies was verloren en streek langs het gat. Zijn vingers waren zout.

'We hebben deze verzameld,' zei Tom, en hij legde de zakdoek met tanden en kiezen op de tafel, bij de elleboog van de tandarts.

'Aha,' zei Bowers, terwijl hij een blik op de zakdoek wierp. 'Dat verandert de zaak.' Hij haalde zijn handen uit Rens mond, stak ze in de bak roze water en droogde ze af aan zijn jas. Ren klom van de kruk, opgelucht dat zijn aandeel in de voorstelling erop zat, terwijl de smaak van de vingers van de tandarts in zijn mond bleef hangen.

Bowers liep naar het raam, trok de gordijnen dicht en sloot de winkeldeur. Hij legde zijn hand tegen het hout voordat hij het slot omdraaide. Hij maakte de knoop in de zakdoek los en spreidde de tanden en kiezen uit over de tafel. Uit het instrumentenkoffertje haalde hij een tangetje en een vergrootglas. 'Deze zijn vers.' Bowers bestudeerde een kies. 'Van een jonge vrouw. Drieëntwintig of vierentwintig,' zei hij, terwijl hij het vergrootglas boven de kies hield. 'Waarschijnlijk is ze overleden tijdens een bevalling. Hier zie je dat ze met haar tanden heeft geknarst – je kunt de krassen zien.'

'Hoeveel zijn ze waard?' vroeg Tom.

'Dat is moeilijk te zeggen.' Bowers ging met zijn rug naar het groepje staan en hield een snijtand tegen het licht dat door het raam scheen. 'Zien jullie die barst daar? Dat betekent dat hij vanbinnen verrot is.' Hij pakte een andere tand van de tafel. 'Deze ook. Het tandvlees is ziek. De tand rot weg vanaf de wortel.'

Tom pakte een van de afgeschreven tanden en bekeek hem aandachtig, terwijl hij hem heen en weer liet rollen in de palm van zijn hand. 'Je probeert alleen de prijs te drukken.'

'Ik weet waar ik het over heb,' zei Bowers. 'Ik heb een opleiding gevolgd. Ik heb een diploma van de Amerikaanse Vereniging van Tandheelkundigen.'

'Ik geef geen moer om diploma's,' zei Tom.

Bowers legde een van de tanden in zijn hand, koos een hamertje uit zijn kistje en spleet de tand met één tikje open, waardoor de zwarte binnenkant bloot kwam te liggen.

Tom bekeek de tand zorgvuldig, griste toen vloekend de rest van de tanden en kiezen van de tafel en smeet alles in een hoek van het vertrek. 'Al dat werk voor niets.'

'Ik zei het je toch?' zei Benjamin.

'Staan jullie me toe,' zei Bowers, die achter de tanden en kiezen aan ging. Hij kroop over de vloer, stak zijn arm uit onder de vitrinekast en plukte de witte brokjes van het tapijt. Benjamin en Tom liepen al naar buiten, maar de tandarts kroop op zijn knieën achter hen aan. Hij pakte Ren bij een arm en probeerde hem de verrotte tanden en kiezen toe te stoppen. Ze vielen kletterend op de grond, en Bowers keek verbaasd en vervolgens geamuseerd toen hij zag dat Ren geen hand had waar de tanden in konden vallen.

'Mijn god.' Hij pakte Rens mouw vast en keek erin. 'Moet je geen haak hebben?'

Benjamin bleef staan, met zijn hand tegen de deur. Vlak onder de huid van zijn slaap klopte een kleine ader. Even dacht Ren dat hij zijn geduld zou verliezen, maar in plaats daarvan gleed er een koele glimlach over zijn gezicht. 'U bent een komiek.'

'Het is interessant dat u dat zegt,' zei Bowers. 'Ik sta bekend om mijn gevoel voor humor, met name onder de leden van de Amerikaanse Vereniging van Tandheelkundigen.'

'Heb je daardoor dat blauwe oog opgelopen?' vroeg Tom.

Bowers betastte de gezwollen rand van zijn blauwe oog. Het scheen hem te verbazen dat het oog nog steeds blauw en dik was.

'O nee,' zei hij. 'Dat was slechts een misverstand.'

'Wat voor misverstand?'

'Over een eerste en een tweede premolaar,' zei Bowers. Hij wachtte tot de mannen gingen lachen. Benjamin keek Tom snel aan, en ze deden hun best. Ren probeerde ook te lachen, maar het klonk meer alsof hij moest hoesten.

'In dit geval ben ik echter heel serieus,' zei Bowers. 'De zeelui hier bedenken allerlei hulpmiddelen voor hun ontbrekende ledematen. Er zit een winkel op de kade waar ze houten handen maken die heel echt lijken. Ook houten benen. Ik ken de man die ze vervaardigt – hij heeft een paar tanden voor me gemaakt.'

Bowers liep naar de vitrinekast en maakte hem open. In de kast lagen rijen en nog eens rijen met kunstgebitten – sommige van ivoor, andere van porselein, weer andere van dierenbotten of van geschilderd hout. Ze werden allemaal bij elkaar gehouden met ijzerdraad dat was verbonden met een stukje dun metaal, met een paar springveren aan het uiteinde waarmee ze open- en dichtgingen. Bowers haalde er een gebit uit dat eruitzag als een kleine houten val. Ren kon zien waar de verf op de volmaakt rechte en vlak gemaakte tanden was opgedroogd. Ze leken veel te groot te zijn om in iemands mond te passen.

'Mooi werk,' zei Benjamin.

Bowers knikte en haalde toen een ander kunstgebit uit de vitrinekast. Het was meteen duidelijk dat dit van echte tanden was gemaakt. De tanden verschilden onderling van kleur en vorm, maar daardoor maakte het geheel een veel natuurlijker indruk. 'Prachtig, nietwaar? Ik heb een regeling getroffen met iemand van een academisch ziekenhuis in de buurt van North Umbrage.'

'North Umbrage.' Benjamin sprak de naam uit alsof hij een trap tegen zijn borst had gekregen. Ren wist meteen dat er iets mis was. Bowers kletste door, ondanks het feit dat Benjamin opzijstapte, met een gezicht dat zo donker stond dat het leek alsof er binnenin een licht was uitgegaan.

'Hij stuurt me wat er over is wanneer ze klaar zijn met de ontledingen. Natuurlijk zijn deze een stuk duurder.'

Tom wierp Benjamin een snelle blik toe. 'Hoezo?'

'De dokter moet de opgravers betalen. Ik dacht dat het gangbare tarief honderd dollar per lijk was.'

'Honderd dollar!' riep Tom.

'Het is gevaarlijk werk.' Bowers legde de kunstgebitten weer in de vitrinekast en sloot de deur. 'Maar jullie zien eruit als mannen die niet vies zijn van een beetje gevaar.'

'Niet voor de juiste prijs,' zei Tom.

Benjamin schudde zijn hoofd. 'Dat soort werk is de moeilijkheden niet waard.'

'Het is een hoop geld, Benji,' zei Tom.

'Niet genoeg om ervoor terug te gaan.'

Tom leek verbijsterd. 'Waar ben je bang voor?'

Benjamin keek even naar Ren. Hij duwde met zijn vingers tegen de punt van zijn neus, alsof hij een nies tegenhield.

'De dokter heeft iemand nodig die betrouwbaar is,' zei Bowers. 'Iemand die de juiste keuzes maakt en eerst de tanden bekijkt. Je ziet altijd aan het gebit of een lichaam goed is.'

Tom trok Benjamin een stukje opzij en begon druk in zijn oor te fluisteren, maar Benjamin schonk er geen aandacht aan. Hij keerde zich naar het raam en keek naar de lucht daarbuiten. Die was loodgrijs – er dreigde regen. Hij krabde aan de zijkant van zijn gezicht en Ren kon de verborgen emoties zien over iets wat nog niet was verwerkt.

Bowers was druk bezig om de tanden en kiezen weer te verzamelen. Hij deed ze in de zakdoek, knoopte die dicht en hield hem in de lucht. Ren wachtte, en toen niemand anders naar voren stapte, griste hij de zakdoek uit de hand van de tandarts.

'Ik zou jullie in contact kunnen brengen met de dokter,' zei Bowers. 'Als jullie geïnteresseerd zijn.'

Benjamin wendde zich af van het raam. Hij stak zijn handen in zijn zakken en bleef naar Ren kijken, alsof de jongen op de een of andere manier de doorslag zou geven. 'We zullen erover nadenken.'

'Denk niet te lang.' De tandarts nam plaats op de onderzoeksstoel, trok de tafel dichterbij en haalde het servet van de restanten van het ontbijt af. Hij hield het brood omhoog en gebaarde naar Ren dat hij een hap kon nemen.

Glanzend lag de paarse jam op het brood. Hij rook naar bessen en suiker, verrukkelijk en plakkerig, maar Ren schudde zijn hoofd en deinsde achteruit. Dat scheen Bowers te bevallen. Hij keek Ren met zijn blauwe oog gretig aan, alsof hij grootse plannen met hem had. Toen brak hij het stuk brood doormidden, stopte een helft in zijn mond en begon het fijn te kauwen. Zijn kunstgebit maalde, alsof het zelfstandig kon denken.

'Je tanden willen eruit,' zei hij. 'Geef ze geen excuus om bij je weg te gaan.'

ELF

Een paar weken later woei er een straffe noordwester over Granston. De haven bevroor een paar decimeter, en het ijs was zo dik dat je eroverheen kon lopen. De vissers kwamen elke ochtend naar buiten om met pikhouwelen hun boten los te hakken, hesen hun zeilen in de sneeuw, gooiden hun netten uit en haalden hun kreeftenfuiken binnenboord.

Ren bracht zijn tijd hoofdzakelijk in de kelder door, waar hij telkens opnieuw *De hertendoder* las. Tom en Benjamin kaartten samen of gingen naar de plaatselijke kroeg. Half januari kreeg Tom de waterpokken. Ren had die jaren eerder al gehad in Saint Anthony, en Benjamin zei dat hij er als kind aan had geleden, en dus bracht Tom een maand alleen in bed door, waar hij zich kreunend lag te krabben. Ren was hier blij mee, omdat Benjamin nu met hem naar de kroeg ging, waar hij hem pijp leerde roken en *ale* te drinken gaf, waarna ze samen een ontspannen maaltijd gebruikten. En na afloop vertelde Benjamin verhalen.

Benjamin vertelde graag over zijn zogenaamde leven als zeeman, en over alle plaatsen die hij door de jaren heen had bezocht. Hij zei dat hij machtige rivieren en woestijnen, vulkanen en bergen had doorkruist. En op die plaatsen had hij hagedissen en apen gezien, koeien met harige uiers en vissen met drie ogen. Hij vertelde over de keer dat hij in Marokko als slaaf was verkocht, en dat hij in de Zuidzee bijna was opgepeuzeld door kannibalen, en hoe hij een keer de harem van een Turkse prins had bezocht en duizend vrouwen had gezien die allemaal waren gekleed in puur goud.

Ren observeerde de andere mannen in de kroeg, die met open mond hun stoel dichterbij schoven om het goed te kunnen horen. Het waren hoofdzakelijk vissers, en ze hadden zelf ook verhalen, over vreemde schepselen die ze op zee hadden gezien, en over mannen die zich met hun eigen gereedschap doormidden hadden gesneden. Ze lieten littekens zien op plekken waar haken door hun lichaam waren gegaan. Benjamin liet Ren dan altijd naar voren komen om zijn arm te laten zien waaraan de hand ontbrak.

Soms herhaalde Benjamin het verhaal van hun moeder en de indiaan. Andere keren was Rens hand opgevreten door een leeuw, of was de jongen te pakken genomen door een bijtschildpad toen hij zijn vingers in een rivier had laten bungelen. Het leek de vissers niet te kunnen schelen welk verhaal er werd verteld. Ze lachten alleen maar en duwden Ren de kroeg rond, zodat iedereen zijn arm kon zien. Een paar van hen misten zelf een lichaamsdeel – een afgevroren oor, een been dat ten prooi was gevallen aan een haai. Een oude, verweerde kapitein had een houten hand, precies zoals meneer Bowers had beschreven, en hij liet Ren de hand passen en bevestigde de riempjes aan zijn schouder. De hand was Ren veel te groot en hing zwaar en merkwaardig aan zijn schouder, met geopende en gebogen vingers, klaar om geschud te worden.

Als de verhalen waren afgelopen gaf de waard een rondje. Er werd getoost op Rens stomp. Hij hield hem omhoog en de vissers juichten. Aan de andere kant van de kroeg hief Benjamin zijn glas en lachte. Het was een andere lach dan hij had gebruikt bij vader John en de boer. Zijn mond was ontspannen, zijn ogen vrolijk achter de grijns. Als Ren niet beter had geweten, zou hij hebben geloofd dat Benjamin het meende.

Tegen de tijd dat de winter voorbij was en de sneeuw was gesmolten, was Granston klam en vochtig en lagen de straten vol modder. De witte bloemetjes van de sneeuwklokjes schoten op uit de grond en de kersenbomen kwamen in volle glorie tot bloei. Het geld van de gestolen sieraden was op, en Benjamin zei dat het tijd was om verder te gaan.

De volgende dag reden ze langs de rivier Granston uit. Het was een zware inspanning voor de merrie. Ze hadden een stal in de buurt gevonden waar ze tijdens de winter beschut had gestaan, maar ze had weinig lichaamsbeweging gehad. Ren was elke week bij haar langsgegaan om zich ervan te verzekeren dat ze goed te eten kreeg, en wanneer hij er de moed voor had legde hij zijn hoofd tegen haar flank om te luisteren naar haar reusachtige hart. Nu was ze op deze warme lentedag aan het zwoegen en moest ze drie mensen naar boven trekken. Ze reden de hele middag, stopten in een veld om iets te eten en deden toen een dutje in de schaduw van de bomen. Het zou nog een dag duren voordat ze North Umbrage bereikten.

Het had even geduurd voor Benjamin van gedachten was veranderd over het aanbod van meneer Bowers. Ren had de mannen 's nachts horen fluisteren. Tom had erop aangedrongen de klus aan te nemen, maar het enige wat Benjamin zei was dat hij nooit meer terug zou gaan naar North Umbrage. En toen had de schoolmeester, op een avond in de kelder, een kruik met whisky geopend om te vieren dat hij bijna was hersteld van de waterpokken – de laatste korsten kwamen los van zijn huid – en had hij aan Ren gevraagd wat hij wilde worden als hij later groot was.

'Weet ik niet,' zei Ren, terwijl hij opkeek van zijn boek.

'Heb je daar nog nooit over nagedacht? Niet één keer?' vroeg Tom. 'Visser misschien, zoals die kerels die je in de kroeg hebt ontmoet?'

Benjamin zat aan tafel zijn laarzen schoon te maken. Hij smeerde een lik zwart schoensmeer over een van de neuzen en begon te wrijven. 'Laat hem met rust.'

'Vind je niet dat dat kleine monster een vak moet leren?' Tom nam nog een slokje whisky. 'Misschien heeft hij er wel geen zin in om de rest van zijn leven in een kelder te wonen.'

'We zullen niet altijd dit soort klusjes blijven doen.'

'Dat zeg je steeds,' zei Tom, terwijl hij een stukje korst wegknipte. 'Maar wat we nodig hebben is iets waar we een paar jaar mee vooruit kunnen, in plaats van een paar maanden.'

Dit gesprek hadden ze al eerder gevoerd. Maar dit keer staakte Benjamin zijn bezigheden en staarde hij naar zijn halfgepoetste oude laarzen, waarvan de hakken gescheurd waren en die dringend opgelapt moesten worden. Hij keek naar Ren. Hij keek weer naar zijn laarzen. Toen liep hij op zijn sokken de kamer door en dronk hij de rest van de middag whisky met Tom. Zo nu en dan draaide hij zich om naar Ren, die in de hoek zat, en elke keer wanneer de jongen terugkeek zag Benjamin er bezorgder uit.

Toen Ren de volgende dag wakker werd, was Benjamin verdwenen. Hij kwam later die avond terug, geurend naar tabak, en zei dat hij van gedachten was veranderd over North Umbrage. De mannen begonnen plannen te maken en Benjamin ging niet meer naar de kroeg. In plaats daarvan zat hij het grootste deel van de tijd te rekenen of bezocht hij begraafplaatsen, waar hij aantekeningen maakte in een zwart boekje dat hij in zijn zak bewaarde. Hij was soms dagen weg uit de kelder, en als ze hem vroegen waar hij was geweest, antwoordde hij alleen maar: 'Onderzoek.' Eén keer was Ren hem gevolgd; hij was de ene straat na de andere door gelopen, het marktplein over, totdat hij Benjamin een advocatenkantoor binnen zag glippen. Toen Benjamin naar buiten kwam, beet hij op zijn nagels, en vervolgens bleef hij midden op de stoep staan en lachte hij, alsof hij zojuist iets te horen had gekregen wat hij niet kon geloven.

Nu sloeg Ren hem gade en keek hoe hij de teugels strak vasthield en hun wagen om de geulen in de weg heen stuurde. Hij had zijn blik vooruit gericht en hield zijn pijp stevig tussen zijn lippen geklemd; er kwam een spoor van rookwolken achter hem aan.

Al snel kwamen ze bij een vallei tussen twee heuvels; de velden die eromheen lagen stonden vol met schapen. Zo ver het oog reikte, waren in het landschap witte, bruine en zwarte dieren te zien. De wagen passeerde een groepje boeren die hun kuddes aan het wassen waren in de rivier als voorbereiding op het scheren. De mannen wezen hun de weg naar een naburig stadje. Daar vonden ze een herberg, waar ze met hun laatste geld een kamer betaalden. In de herberg lag een dikke laag stof op de vloeren, en de bedden zaten onder de brandplekken van de tabak. Tom installeerde zich aan tafel en Benjamin begon de koffer uit te pakken.

Ren ging stilletjes in een hoekje zitten, waar hij opnieuw de laatste bladzijden van zijn boek las. De hertenjager sloeg het huwelijksaanzoek van Judith Hutter af. Ze had gedaan wat ze kon om hem van haar te laten houden, maar dat was niet genoeg geweest.

Ren had de afloop al vele malen gelezen en hij vond het nog steeds vreselijk. Haviksoog vocht de hele roman door tegen indianen en onrecht, maar nadat hij Judith eenzaam had achtergelaten, leek hij voor altijd minder een held.

'Er zullen morgen veel mensen bij het scheren zijn.' Benjamin deed de leren koffer open en haalde er een van de bruine flesjes met *Dokter Fausts geneeskrachtige zouten voor aangename dromen* uit.

'Misschien herkent iemand ons,' zei Tom.

'Mij, bedoel je.'

'Maakt dat uit?' Tom deed zijn jas uit en gooide die op het bed.

'We hebben geen geld meer. En ik heb een manier bedacht om de jongen te gebruiken.'

'Je zou hem erbuiten moeten laten.'

'Hij wil het doen. Toch, Ren?'

Ren keek op van zijn boek. Hij kon zien dat Benjamin popelde om iets nieuws te doen. De hele winter door had hij Ren verteld over alle misdrijven die hij had gepleegd: hij had zich uitgegeven voor zeekapitein, arts en geestelijke; hij had spullen verkocht uit een catalogus die nooit werden aangeleverd; hij had testamenten en eigendomsakten vervalst. Alles gebeurde volgens hetzelfde patroon: het slachtoffer werd omgepraat, er vond een snelle uitwisseling van eigendom plaats, en vervolgens werd de plaats zo snel mogelijk verlaten. Wanneer ze een tijdje op één plek moesten blijven, gingen Benjamin en Tom naar het kerkhof, waar de slachtoffers meegaander waren en niet de moeite namen om achter hen aan te komen.

Ren deed zijn boek dicht. 'Ik wil het doen.'

Tom keek bezorgd. 'Volgens mij is hij hier niet klaar voor.'

'Onzin,' zei Benjamin.

'Hij is nog maar een kind. Straks worden we door hem nog gepakt.'

Benjamin ging op het matras zitten, leunde achterover en trok de dekens over zich heen. Hij deed zijn ogen dicht en ademde blazend uit. 'Nog niet.'

Die middag ging Benjamin op zoek naar avondeten, terwijl Tom en Ren aan de slag gingen met het veranderen van de etiketten: *Dokter Fausts geneeskrachtige zouten voor aangename dromen* werd *Moeder Jones' elixer voor ongehoorzame kinderen*. Ren zette de oude flessen in de week en schraapte er met een mes het papier af, terwijl Tom zich met pen en inkt aan tafel installeerde en de nieuwe woorden opschreef. Elke keer wanneer hij een etiket af had, nam hij een nieuwe slok whisky.

Voordat ze Granston hadden verlaten, had Tom zijn baard bijgeknipt en een nieuw hemd gekocht. Nu stopte hij een servet in de kraag om ervoor te zorgen dat er geen vlekken op kwamen en schoof hij voorzichtig de mouwen omhoog. Het licht van de kaars bescheen flakkerend zijn gezicht. Hij zag er kalm en bijna nuchter uit.

Ren zag dat hij prachtig kon schrijven. De uiteinden van de letters krulden in elkaar samen tot patronen en zijn pennenstreken en streepjes golfden vloeiend in elkaar over. Toen de etiketten op hun plek waren gelijmd, zagen ze er heel professioneel uit. Tom schonk nog een glas voor zichzelf in en strekte zijn vingers, die onder de inkt zaten.

Ren leunde over de tafel en keek bewonderend naar de woorden. 'Waarom ben je gestopt met lesgeven?'

Tom fronste zijn wenkbrauwen. Hij streek met een hand over zijn gezicht, waardoor hij zwarte inktstrepen op zijn voorhoofd maakte. 'Heb jij maten?'

'Wel gehad,' zei Ren. 'Een tweeling. Brom en Ichy.'

'En mis je ze?'

'Ja,' zei Ren. Terwijl hij dat zei, wist hij dat het waar was. Hij miste alles van de tweeling, van de manier waarop ze hem tijdens de mis aan het lachen maakten tot hun geheimtaal onder het avondeten. Hij miste zelfs de dingen waar hij altijd een hekel aan had gehad, zoals dat Brom hem altijd was blijven slaan, zelfs als hij zich al had overgegeven, en dat Ichy altijd dingen bekende die hij helemaal niet had gedaan.

'Het is verdomd rot om je maten kwijt te raken.' Tom nam weer een slok. Hij had kleine rode littekens op zijn arm, die het gevolg waren van de waterpokken. Hij trok zijn mouw eroverheen en veegde toen zijn neus af aan de manchet. 'Ik heb ooit een maat gehad. We groeiden samen op, en het was precies zoals Aristoteles zei: *één ziel, twee lichamen.* Een ware vriendschap. Daar krijg je er niet veel van in het leven, kan ik je wel vertellen.

We hielden van hetzelfde meisje en vroegen haar om tussen ons te kiezen. Ik was schoolmeester en had weinig geld; Christian had wat grond en een erfenis. Dus verloofde ze zich met hem. Maar ze bleef 's nachts met mij afspreken in het bos. En God sta me bij, ik zou alles hebben gedaan wat ze van me vroeg.'

Tom zette het glas whisky aan zijn lippen en dronk het leeg; even hield hij het op de plek waar het was, terwijl hij zijn tanden om de rand klemde.

'Hij gaf me een hand in de kerk en liep lachend met haar arm door de zijne door het gangpad. En pal onder zijn neus rook ze er nog naar. Ze lustte er wel pap van. Op een avond had ik te veel gedronken en vertelde ik hem alles. Ik zei: "Weet je hoe haar huid smaakt?" Ik zei: "Kun je mij ruiken aan haar vingers?" Hij pakte een pistool uit een la. Hij zei dat ik mijn mond moest houden. Ik zei: "Denk je niet dat we je hebben uitgelachen?" Hij richtte het pistool op zijn eigen hoofd en gilde dat ik moest stoppen, en ik zei: "Haal de trekker over", en dat deed hij.'

Ren greep het lege flesje met *Dokter Fausts geneeskrachtige zouten voor aangename dromen.* Hij staarde naar het etiket, zodat hij niet naar Tom hoefde te kijken. Van broeder Joseph wist hij dat zelfmoordenaars op het kerkhof niet naast de anderen werden gelegd. Ze werden op een kruispunt begraven, op ongewijde grond, net zoals de moeder van Brom en Ichy. Hun ziel ging naar de hel, en hun geest veranderde in een van de witte konijnen die rondwaarden bij de ongemarkeerde graven, waar ze paarden op stang joegen en reizigers het verkeerde pad lieten kiezen.

Tom had zijn ogen stijf dicht. Hij veegde met de palm van zijn hand heen en weer over zijn voorhoofd, waardoor hij de inkt dieper in zijn huid smeerde.

'Daarna ben ik gestopt met lesgeven.'

Even bleven ze zonder iets te zeggen bij elkaar zitten. Ren hield

Tom in de gaten, zoekend naar aanwijzingen voor wat er zou volgen, een vloek of een snik, maar de schoolmeester wreef alleen zijn vingertoppen over elkaar en begon toen sporen over de tafel te maken: een hele rij duimafdrukken, allemaal achter elkaar.

De jongen ging weer verder met het afschrapen van de etiketten, en Tom zuchtte en begon *Moeder Jones' elixer voor ongehoorzame kinderen* te mengen. Met behulp van een trechter vulde hij de flesjes met ahornsiroop, verdunde opium, wonderolie en een beetje zure melk, net zo lang tot de inhoud licht en kleverig was, en een beetje bruinig. Hij schonk een beetje in een glas en overhandigde dat aan Ren.

'Drink leeg.'

De jongen rook aan de vloeistof en stak toen zijn tong in het goedje. Het smaakte zoet en bitter tegelijk.

'Je zult het met meer overtuiging moeten doen.'

Ren hief het glas op. Het geneesmiddel nam de tijd en vloeide traag als stroop over de rand. Er viel niet meer dan één druppel in zijn mond. Die smaakte afschuwelijk, maar Ren slikte hem door. 'En nu?'

'Nu,' zei Tom, 'moet je een zoete jongen zijn.'

Toen Tom en Ren de volgende ochtend bij het scheren arriveerden, was dat al in volle gang, ook al waren de velden nog vochtig van de dauw. Een kleine honderd mannen, vrouwen en kinderen liepen kletsend door elkaar heen en bekeken elkaars dieren. Op het gras stonden tafels vol eten en drinken opgesteld. Aan de bomen en hekken hingen linten in verschillende kleuren.

Ren sloeg de mensenmenigte gade en keek of hij Benjamin zag. Die was voor zonsopgang vertrokken en had de leren koffer meegenomen.

Vlak voordat Benjamin de deur achter zich dicht had gedaan, had hij gezegd: 'Denk eraan: je weet niet wie ik ben.'

Rens laarzen waren doorweekt van de tocht door het veld. Het natte leer schuurde langs zijn blote enkels. Toen ze de menigte bijna hadden bereikt, bleef Tom staan, boog zich voorover en gaf Ren een hand. Het gaf Ren een vreemd gevoel om net te doen alsof ze vader en zoon waren. Ze waren allebei ongeschikt voor hun rol. Rens haar stak alle kanten op en de schoolmeester rook naar whisky. Tom verstevigde zijn grip en Ren keek naar hem op.

'Niet de held uithangen,' zei hij. 'Als er iets verkeerd gaat, wil ik dat je ervandoor gaat.'

Ren knikte, en de man en de jongen stapten de menigte in. Ze liepen langs de tafels vol met scones en muffins, een groot stuk ham, een ton appelwijn en cakejes met een laagje suiker. Naarmate ze dichter bij de plek kwamen waar het scheren plaatsvond, werden de stank van verse mest en de doordringende geur van wol sterker.

De boeren gooiden de schapen een voor een over hun schouder en namen de beesten vervolgens met een schaar onder handen. Ze begonnen bij de kop en werkten daarna de rug en de zijkanten af, totdat de vacht in één groot klitterig stuk loskwam. De wol werd dan opzijgelegd, gewogen en gecontroleerd, waarna de prijs werd vastgesteld.

Er vlogen witte draden door de lucht. De vingers van de scheerders glommen van het wolvet en hun leren schorten zaten onder de vlekken van het spul. Naarmate de dag vorderde en de zon hoger klom, deden een paar scheerders hun hemd uit en werkten met ontbloot bovenlijf verder, met hun bretels om hun middel en een zakdoek om hun nek.

De schapen stonden achter een hek te wachten en keken blatend toe hoe andere dieren uit de kudde werden geschoren. Een voor een werden ze meegenomen, op hun zij gegooid en vakkundig geschoren. Als het voorbij was, zagen ze er naakt en verbijsterd uit. Wanneer ze werden vrijgelaten, schudden de beesten met hun kop en liepen ze struikelend tegen elkaar aan in het gras, wankelend op hun poten, alsof ze opnieuw geboren waren.

Er begon een wedstrijd. Een man die een vest en hoge laarzen droeg, nam het op tegen een man met een litteken over zijn wang. Ze deden een wedstrijd wie het eerst klaar was; hun scharen klikten terwijl de schapen zich kronkelend probeerden te bevrijden en het publiek de mannen aanmoedigde. Toen ze klaar waren, waren ze helemaal bezweet en zaten ze onder de wol. De juryleden beoordeelden de vachten en riepen de man met het litteken uit tot winnaar. Iedereen juichte, en de volgende twee deelnemers stapten naar voren. Een eindje verderop klom een groepje kinderen in een boom om het allemaal beter te kunnen zien.

'Eropaf,' zei Tom.

Ren liep met tegenzin van hem weg. De andere kinderen klommen in de takken of zaten elkaar achterna om de stam. Een paar van hen keken nieuwsgierig naar Ren toen hij aan kwam lopen en een stukje verderop bij een andere boom ging staan. Aan de overkant van het veld wees Tom naar hem en maakte slaande bewegingen in de lucht. Ren bevochtigde zijn lippen. Hij balde zijn vuist. Toen hield hij zijn adem in, liep op een vlasblonde jongen af en sloeg hem zo hard hij kon in zijn nek.

De jongen viel happend naar adem en piepend op de grond. De andere kinderen lieten zich uit de boom vallen en gingen in een kring om hem heen staan. Rens hand klopte. Het verbaasde hem hoe goed hij zich voelde.

Een jongen in een overall stapte naar voren. 'Waarom deed je dat?'

'Weet ik veel,' zei Ren. 'Omdat ik het leuk vond.'

Ze keken toe hoe de jongen naar adem hapte. Een paar kinderen deinsden achteruit en een paar kwamen dichterbij.

'Gaat hij dood?' vroeg een van de meisjes.

'Nee,' zei een ander meisje. 'Maar als hij wel doodgaat, weten we wie het gedaan heeft.'

De jongen in de overall duwde Ren op de grond. 'Vind je dit ook leuk?' zei hij, en toen begon hij te schoppen. Ren probeerde terug te vechten, maar de andere kinderen deden mee, zodat hij uiteindelijk maar weerloos en stil bleef liggen, hopend dat het snel voorbij zou zijn, terwijl hij het gevoel had dat het onrechtvaardig was wat er gebeurde. Hij zag een paar meter verderop de jongen die hij had geslagen op het gras liggen. De jongen had zich hersteld en kroop nu naar hem toe om Ren te bespugen.

'Ga van hem af,' zei een van de boeren. 'Ik meen het, Charlie.'

'Hij begon,' zei de jongen in de overall.

'Het kan me geen donder schelen wie er begon.' De kinderen

gingen achteruit en de man pakte Ren bij zijn jas en trok hem overeind. Hij veegde wat stof van hem af en verstijfde toen. 'Jezus Christus.'

Ren trok zijn pols met het litteken in zijn mouw. De andere kinderen werden stil. Hij keek ze allemaal dreigend en met een rood gezicht aan.

'Hij heeft zijn hand verloren in een dorsmachine,' zei Tom, die naar voren stapte. 'Sindsdien begint hij steeds maar vechtpartijen.'

'Nou, deze is anders afgelopen voor hem,' zei de boer.

'Mijn excuses voor de moeilijkheden.' Tom pakte Ren ruw bij zijn arm. 'Het lukt me gewoon niet om te zorgen dat hij zich beter gedraagt.'

'Wat die jongen nodig heeft, is een tonicum.' Benjamin dook op uit de menigte, zwaaiend met de leren koffer en met een lach op zijn gezicht. Hij zette de koffer neer, maakte de riemen los en haalde een flesje tevoorschijn. 'En laat ik vandaag nou net wat bij me hebben. Moeder Jones' elixer voor ongehoorzame kinderen.'

'Als het ervoor zorgt dat mijn jongen niet meer in de problemen komt, betaal ik je er vijf dollar voor,' zei Tom.

'Dat is heel aardig van je, vriend,' zei Benjamin. 'Maar het kost slechts een dollar per fles.'

'Eén dollar,' zei Tom. 'Dat is een koopje.'

'Inderdaad,' zei Benjamin.

Tom overhandigde hem een verkreukeld briefje van een dollar en het flesje wisselde van eigenaar.

Er zat een scheur in Rens lip en zijn ribben deden pijn. 'Dat ga ik niet drinken.'

'Als je het niet opdrinkt, krijg je een pak rammel.'

Het flesje werd geopend en in zijn mond gestopt, en Ren dronk het helemaal leeg; de dikke vloeistof, die tegelijk zoet en zuur smaakte, gleed naar beneden en deed hem bijna kokhalzen. Toen hij het niet meer kon verdragen, veegde hij zijn mond af met de achterkant van zijn mouw, liep naar de jongen toe die hij een klap in zijn nek had gegeven, viel op zijn knieën en vroeg om vergeving.

'Dat is een wonder!' zei Tom.

De boeren waren niet overtuigd. Pas toen Ren begon te bidden met een uitdrukking van oprechte dankbaarheid op zijn gezicht, omdat de opium ervoor had gezorgd dat zijn ribben geen pijn meer deden, kwamen er een paar boerinnen naar voren.

'Tevredenheid gegarandeerd,' zei Benjamin. Dat leken de magische woorden te zijn, want hij had ze nog niet uitgesproken of hij verkocht de eerste fles, aan de moeder van de jongen met het vlasblonde haar.

Zodra het geneesmiddel was toegediend, stopten de kinderen met vechten en achter elkaar aan zitten en in bomen klimmen. Ze stopten met ravotten en spugen en eten van de tafel pikken. Eigenlijk stopten ze zo ongeveer met alles. Ze gingen in het gras zitten en staarden zwijgend voor zich uit.

'Niet te geloven,' zei een van de moeders. Ze rook aan de fles.

'Allemaal natuurlijke ingrediënten,' zei Benjamin. Hij had bijna alle flesjes verkocht. Het publiek was weggelopen bij de scheerders en verdrong zich nu om hem heen.

Ren voelde zijn ogen tegen zijn wil open- en dichtgaan. Zijn mond zat vol speeksel, dat langs zijn mondhoeken naar buiten sijpelde. Een stukje verderop, bij de rand van het veld, stond een man. Even dacht Ren dat het vader John was, en toen was hij er zelfs zeker van, en toen dacht hij dat het een droom moest zijn, omdat de man rookte, en vader John rookte nooit. De man keek aandachtig naar Benjamin, en voordat hij zijn sigaar had opgerookt drukte hij hem uit met zijn laars en baande hij zich resoluut een weg door de menigte.

'Hoe noemen ze je?'

'Johnson,' zei Benjamin. Hij stak zijn hand uit, maar de man schudde die niet.

'Ik heb je eerder gezien, maar toen heette je niet zo.'

'Het moet iemand anders zijn geweest.'

De man spuugde op de grond. 'Wil je beweren dat ik lieg?'

'Helemaal niet.' Benjamin wendde zich tot het verzamelde publiek om zijn goede bedoelingen kenbaar te maken, maar het was duidelijk dat ze deze kerel kenden en Benjamin niet.

'Waar heb je hem gezien, Jasper?' vroeg iemand.

'Op een aanhangbiljet in Galesburg,' zei de man. 'Hij wordt gezocht voor een gewapende overval. Ik weet het zeker.'

Een van de moeders begon te gillen. De vrouwen drongen met hun ellebogen naar voren en renden naar hun kinderen; ze schudden de jongens en meisjes heen en weer, sloegen ze in het gezicht en riepen hun naam. Verscheidene mannen stormden naar voren. Benjamin gooide de leren koffer naar hen toe, waardoor ze tegen de grond vielen, sprong over het hek, kwam op handen en voeten terecht en verdween tussen de kudde schapen door. De boeren riepen de mannen die aan het scheren waren erbij en renden met hun geweren verschillende kanten op. De schapen blaatten angstig toen ze voorbijholden.

Tom pakte Ren bij de hand en voerde hem met stevige pas weg, terug naar de wagen. 'Niet stil blijven staan,' zei hij. 'Door blijven lopen.'

Ren legde zijn handen tegen zijn buik. Hij deed net of hij misselijk was van het tonicum. Maar eigenlijk voelde hij zich fantastisch. Beter dan hij zich ooit had gevoeld. Het gras onder zijn voeten was zo groen dat het leek alsof hij altijd zou blijven vallen als hij erin zou vallen.

'Ik heb het hem gezegd,' zei Tom. 'Heb ik het hem niet gezegd?'

Ren knikte, al had hij geen idee waar Tom het over had. De wagen stond nog precies op de plek waar ze hem hadden achtergelaten, tussen twee bomen. Toen de grazende merrie haar hoofd ophief, was Ren ervan overtuigd dat hij teleurstelling in haar ogen zag.

Hij had er spijt van dat hij haar had weggehaald bij de boer, die zo van haar gehouden had en haar op haar neus had gekust. En opeens dacht de jongen: *ik zal haar een kus op haar neus geven*, en hij probeerde het hoofdstel vast te pakken. Tom begon tegen hem te foeteren en zei dat hij in de wagen moest gaan zitten. Maar Ren had zich vast voorgenomen het paard een kus te geven, net zo vast als zij van plan was om zich niet door hem te laten kussen. De merrie schudde haar hoofd heen en weer en hield haar neus buiten zijn bereik. Ren pakte het tuig stevig vast en trok er hard aan; hij ging er met zijn hele gewicht aan hangen om te proberen het hoofd van het dier omlaag te trekken. Tom was van de wagen gekomen en sloeg de jongen nu met de zweep tegen zijn benen, maar nog steeds liet Ren niet los, en het paard stribbelde tegen en trapte met de hoeven tegen het hout, totdat er in de wagen een schaduw oprees.

'Wil je ons dood hebben?' fluisterde Benjamin. Hij had weggekropen gezeten achter de bok en had een schapenvacht over zijn hoofd en schouders. Hij zag er zo raar uit dat Ren het paard losliet. Tom sleepte de jongen over het gras en gooide hem achter in de wagen.

'Ik móet haar een zoen geven,' legde Ren uit.

'Maak je geen zorgen,' zei Benjamin. 'Je kunt mij wel een zoen geven.'

Tom reed de wagen de weg op. Hij liet het paard draven, maar niet te snel. Langzaam stierven de stemmen van de moeders achter hen weg. Zo nu en dan klonk er een schot over de velden. Toen ze een kleine kilometer hadden gereden, liet Tom het paard sneller lopen. Ren keek toe hoe de wolken boven hun hoofd voorbijkwamen, in steeds wisselende vormen. Zodra hij dacht dat hij een vorm herkende, veranderde die weer.

'Volgens mij zijn we veilig,' zei Tom.

Benjamin kroop onder de deken vandaan. 'Goddank, dat hebben we achter de rug.'

'Goddank hebben ze ons niet te pakken gekregen,' zei Tom.

Benjamin haalde de schapenvacht van zijn schouders en gooide hem aan de kant. Hij keek even bezorgd naar Ren, die plat op zijn rug lag en allerlei dingen in de lucht zag.

Tom schudde zijn hoofd. 'Die is zo stoned als een konijn.' Benjamin stak zijn handen in de zakken van zijn koetsiersjas. Hij haalde het geld eruit en zwaaide ermee heen en weer onder Toms neus. Toen haalde hij drie sinaasappels tevoorschijn. De vruchten waren een beetje gekneusd, en de schil was dik en zwaar, maar de kleur was volmaakt: vrolijk en helder als de zon. Benjamin gaf er een aan Tom. 'Je had gelijk. Maar het was het waard.'

'Ik heb altijd gelijk,' zei Tom.

'Hier.' Benjamin gooide een sinaasappel naar de achterkant van de wagen. Hij kwam tegen het hoofd van de jongen terecht.

'Au,' zei Ren, maar hij verroerde zich niet.

'Kom op,' zei Benjamin. 'Doe je ogen open.'

Ren dacht dat ze open wáren. Hij streek met zijn vingers over zijn oogleden.

'Doe je mond open.'

Hij deed het, en Benjamin voerde hem een partje sinaasappel. Hij rook de citrusgeur, die als een bloem opbloeide onder zijn neus. Zijn tong zwol op toen hij zijn tanden op elkaar liet klappen en het sap in zijn keel gleed. Hij voelde iets hards en beet erop. *Een pit*, dacht Ren. *Het moet een pit zijn geweest.* Benjamin bleef hem voeren, partje na partje, net zo lang tot de lucht dezelfde prachtige kleur had als het fruit en Rens kaken pijn deden van geluk.

DEEL 2

TWAALF

Tegen de tijd dat ze de brug naar North Umbrage overstaken, was het al donker. De huizen rezen op vanachter een heuvel terwijl de weg die ertussendoor liep smaller werd. Hier was niets te zien van de chaos van de haven. De straten waren bijna uitgestorven, en de mensen die wel buiten waren stonden in groepjes te roken op de straathoeken en keken naar de voorbijrijdende wagen. Ren zag een groep vechtende honden, en een man en een vrouw die in een steegje tegen elkaar aan duwden. De goten roken naar rottend afval. Tom haalde een revolver tevoorschijn en legde die naast zich neer.

Het was hetzelfde wapen dat Benjamin op weg naar Granston aan Ren had laten zien. Benjamin had er in die dagen gelukkig en ontspannen uitgezien, maar nu zat hij op het randje van de bok. Hij trok aan de knopen van zijn jas en wendde voortdurend zijn hoofd af als ze langs een raam reden, alsof hij verwachtte iemand achter de gordijnen te zullen aantreffen die hij kende.

De wagen reed hotsend over de kasseien. Een eindje verderop viel er een enorme schaduw over de weg. Hij bedekte de hele straat en wierp een donkere muur over de daken en huizen van North Umbrage. Toen het paard de schaduw binnen ging, werd het koud om hen heen, en Ren keek op, omdat hij een reus verwachtte te zien die boven hen uittorende. Maar in plaats daarvan zag hij een fabriek, die was gebouwd als een fort en loodrecht de lucht in stak.

Het gebouw had vier verdiepingen en een grote, brede schoorsteenpijp die zwarte rook uitbraakte. In de bakstenen muren zaten op de eerste verdieping reusachtige ramen met tralies ervoor. Boven de hoofdingang bevond zich een boog waarin stond gehouwen: MCGINTY MUIZENVALLENFABRIEK EN DISTRIBUTIEBEDRIJF.

'Vrolijke bedoening hier,' zei Tom.

'Het was vroeger een mijnstad,' zei Benjamin.

'Ik had er nog nooit van gehoord.'

'Dat is ook niet de bedoeling,' zei Benjamin. 'Er is een ongeluk gebeurd, waardoor ze de tent bijna hebben moeten sluiten. Bij de ingang is een container met springstof ontploft, en alle mannen raakten bedolven. De lichamen zijn nooit gevonden, en de eigenaar heeft de tunnels laten afgrendelen en is vertrokken. Toen ik hier een tijdje geleden langs kwam, zaten er nog steeds vrouwen op hun knieën midden op het marktplein, met hun oren tegen de grond, om te luisteren of ze hun man hoorden.'

De wagen botste tegen de stoeprand en Ren dacht aan de mannen die vastzaten onder de grond, samen met alle dingen die mensen door de jaren heen hadden weggegooid: roestige potten en pannen, oude laarzen en hoefijzers, en stukken servies. Toen de wagen langs een oeroude kastanjeboom reed, stelde Ren zich voor dat de wortels doorliepen tot onder de grond en daar alles doorzochten, net als de vingers van de weduwen, die met scheppen en pikhouwelen de grond aanvielen die hun mannen vasthield, samen met de echtgenotes en kinderen van anderen en met de boeren uit de heuvels. Het schouwspel ontwikkelde zich in zijn gedachten steeds verder; hij bedacht het ene detail na het andere en zag voor zich hoe de hele stad aan het graven was, bang om tijd te verliezen – en toen klonk de fluit en hield iedereen op met graven om te luisteren. En na een paar minuten riep een van de vrouwen: *Waar wachten jullie op?* En een andere zei: *Nee! Hier, net – daar – hoorden jullie dat? Daar – daar!*

Tom stuurde de wagen een straat door met dichtgetimmerde, verlaten huizen. Maar in de volgende straat was alles fel verlicht, en er klonk het geluid van brekend glas en er stroomde muziek door de openstaande ramen. De wagen ging opnieuw een hoek om, een straat in waar alles stil en donker was, en toen nog een, en nog een en nog een. In geen van de huizen hier brandde licht. Toen zag Ren een huis waarin wel licht brandde. Er hing een klein houten uithangbord aan de voordeur, waar met de hand op stond geschilderd: KAMERS TE HUUR.

'Hier is het,' zei Benjamin. 'Stop maar.'

'Weet je het zeker?' vroeg Tom.

'Blijf bij het paard.' Benjamin klom via de achterkant uit de wagen en Ren volgde hem.

Ze moesten een tijdje kloppen voordat er een vrouw open kwam doen. Ze was minstens een kop groter dan Benjamin en had brede schouders, dikke armen en een bijzonder lange, dunne nek. Ze had het gezicht van een vrouw van middelbare leeftijd en heldere, alerte ogen, en een neus waarvan het ene neusgat groter was dan het andere. Ze had haar haar opgestoken in een kapje en droeg een grof voorschort over een bruine jurk. Aan een dikke leren riem die om haar middel zat, hing een sleutelring.

'WAAROM KLOPPEN JULLIE?' schreeuwde ze.

'We zijn op zoek naar een kamer,' zei Benjamin.

'IK LAAT GEEN ONBEKENDEN BINNEN.'

'Mijn naam is Benjamin Nab.' Benjamin stak zijn hand uit, terwijl hij zijn glimlach in de strijd wierp. 'Nou, ziet u wel? Nu ben ik geen onbekende meer.'

'MENEER NAB, IK BEN EEN HARDWERKENDE VROUW MET EEN ZWAAR LEVEN, EN IK HEB ER GEEN BEHOEFTE AAN OM HET NOG ZWAARDER TE MAKEN.' Ze hield het geweer aan haar zij omhoog. 'EN NU WEGWEZEN.'

Ren wist dat hij nu zielig moest kijken, en dat deed hij dan ook, zo goed hij kon. Hij dook een beetje in elkaar om kleiner te lijken en knipperde snel met zijn ogen.

'Dat zou ik ook heus doen,' zei Benjamin, 'als mijn arme, verminkte neefje er niet was geweest. Hij heeft net zijn ouders verloren en heeft kilometers gereisd om hier te komen.'

Ren stak zijn arm omhoog en zwaaide de stomp voor het gezicht van de pensionhoudster heen en weer, alsof hij haar groette.

'Zijn moeder zorgde voor een zieke buurvrouw,' zei Benjamin. 'En toen werd ze zelf ziek. Haar man waakte dag en nacht over haar. Hij liet zijn velden verrotten. Hij verkocht alles wat ze bezaten om de dokters te kunnen betalen. De mensen zeiden dat de huid van mijn zus geel werd – en haar tanden groen. Toen werd ook de vader van de jongen ziek; hij raasde en tierde en likte aan de muren. Ik kreeg te horen wat er aan de hand was en huurde mijn vriend Tom hier in om me naar hun dorp te brengen, maar toen ik arriveerde waren ze al ter aarde besteld, met achterlating van deze arme wees.' Benjamin nam zijn hoed af terwijl hij dat zei en hield die tegen zijn hart.

Opeens werd het gebit van de pensionhoudster zichtbaar. 'ah,' zei ze, en ze beet op haar onderlip terwijl ze nadacht over wat ze had gehoord. Toen zette ze het geweer opzij, nam Ren in haar armen en schudde hem zo hard heen en weer dat het leek of ze probeerde een einde aan zijn leven te maken. Ze was een harde, maar met een paar zachte plekken, en daar duwde ze nu Rens gezicht in. Ze rook naar de gist van rijzend brood – warm en zuur – en Ren was zo verward dat zijn lichaam helemaal slap werd. Hij gaf zich over, totdat hij het gevoel kreeg dat hij stikte en de pensionhoudster hem weer op zijn voeten zette.

Benjamin gaf een teken aan Tom, die van de wagen kwam en het paard naar een kleine stal achter het huis voerde. 'We zijn u erg dankbaar. Ik weet niet hoe ver we nog over deze weg hadden kunnen reizen. En ik ben maar een alleenstaande jongeman, en ik weet niet veel van de verzorging van kinderen.'

'natuurlijk niet!' zei de pensionhoudster. En ze liet hen het huis binnen. 'de kamer kost drie dollar per nacht. plus een dollar per persoon voor het eten.'

'Dat is heel redelijk,' zei Benjamin. Maar hij maakte geen aanstalten om te betalen.

De vrouw nam zijn jas aan en hing die in de kast. Benjamin bedankte haar en vroeg haar naar haar naam, en de pensionhoudster vertelde dat ze mevrouw Sands heette.

'En is uw man de baas van dit etablissement?'

'mijn man is dood en ligt begraven in de mijn.'

'Lieve, lieve mevrouw Sands.' Benjamin ging op één knie zitten en pakte haar hand tussen zijn beide handen. Mevrouw Sands bleef roerloos staan terwijl hij dit deed en had een smachtende uitdrukking op haar gezicht. Toen kwam Tom de deur binnen lopen, met zijn klitterige baard. Terwijl hij de deur op de klink deed liet hij de revolver vallen. Hij pakte het wapen snel weer op en stopte het in de voorkant van zijn broek. De vrouw maakte een snuivend geluid en trok zich los.

'FIJNE VRIENDEN HEBT U, MENEER NAB.'

Al snel begrepen ze dat mevrouw Sands altijd schreeuwde. Er was een ongeluk met een geweer gebeurd toen ze nog een meisje was, en sindsdien kon ze door te liplezen zien wat mensen zeiden, maar ze kon zichzelf niet horen terugpraten. Ze stuurde Benjamin en Tom naar de wasbak boven in het huis. 'ER IS DAAR EEN KA-MER DIE JULLIE VANNACHT KUNNEN GEBRUIKEN. KIJK MAAR IN DE KAST, DAAR LIGGEN KLEREN DIE DE JONGEN GOED ZULLEN PASSEN. IK HEB EEN VRIENDIN DIE EEN ZOON HAD VAN DIE LEEFTIJD. ZE DACHT DAT IK MISSCHIEN OOK OOIT KINDEREN ZOU KRIJGEN, DUS STUURDE ZE ME AL ZIJN SPUL-LEN OP NADAT HIJ IN DE RIVIER WAS VERDRONKEN. EEN VERDRONKEN JONGEN! EN DEZE ZIET ER OOK VERDRONKEN UIT.' Ze hield de onderkant van Rens jas vast en trok die op en neer, en toen liep ze naar het aangrenzende vertrek, terwijl ze de jongen achter zich aan trok.

Toen Ren de keuken binnen liep, rook hij iets heerlijks: gebra-den vlees, gesmoord in jus. Het vlees moest kortgeleden zijn klaar-gemaakt, al was er geen spoor van te bekennen op de tafel of het aanrecht, die helemaal schoon waren geboend; de pannen glom-men, en de borden waren allemaal weggeborgen in de glazen kast die in de hoek stond.

Het vertrek bestond voor een belangrijk deel uit een open haard – de grootste die Ren ooit had gezien. Hij bestreek een hele muur en liep ook nog de hoek om, langs een stuk van de volgende muur, met erboven bakstenen en planken. Boven de haard hing een in-gelijst borduurwerk met het onzevader, en daaronder bevond zich een uitgebreid netwerk van haardstellen en potten en pannen dat elk moment zijn poten leek te kunnen uitstrekken om uit het met-selwerk los te komen en aan de wandel te gaan. In het midden brandde een laaiend vuur dat was gemaakt van een handjevol ge-lijkmatig doormidden gehakte houtblokken.

Uit de massa ijzerwerk sleepte mevrouw Sands een ketel tevoor-schijn met de omvang en vorm van een vetgemest varken. 'IK WAS

Ren had nog nooit zo'n grote ketel gezien, en voordat hij wist wat er gebeurde zat hij erin, nadat mevrouw Sands hem had uitgekleed en hem een klap op zijn billen had gegeven toen hij aarzelde om erin te stappen. Nu trok ze er een bankje bij, installeerde zich daarop en begon met een mes een reusachtige mand vol aardappelen te bewerken. Ren kon nog steeds het braadstuk ruiken, en zijn maag rammelde.

Ze zei: 'WE MOETEN JE VETMESTEN.'

Ren klemde zijn stomp onder zijn oksel en had zijn benen over elkaar geslagen, met zijn knieën hoog opgetrokken tegen zijn lichaam. Hij stootte zijn elleboog en de ketel maakte een galmend geluid. De binnenkant was ruw, en het water was maar een beetje warm.

Mevrouw Sands bekeek hem van opzij, stak toen haar hand in de ketel en bestudeerde opnieuw aandachtig het litteken. 'HOE HEETTE JE MOEDER?'

Ren keek naar beneden en deed net of hij haar niet hoorde.

'WIE IS JE VADER?'

Ren haalde zijn schouders op.

'STEEK JE ELLEBOGEN NIET NAAR ME UIT.' Mevrouw Sands gaf een klap op het water. 'EN DOE NIET NET OF JE DINGEN NIET WEET DIE JE WEL WEET.'

Ren liet zich half wegzakken in de ketel.

'VERTEL ME EENS,' zei ze, terwijl ze haar glibberige, halfgeschilde aardappel omlaaghield en zich zo ver vooroverboog dat Ren haar adem tegen zijn wang kon voelen. 'IS DIE MENEER NAB ECHT JE OOM?'

Ren duwde zijn nagels in zijn stomp en knikte.

'EN ZIJN JE OUDERS ECHT DOOD?'

Ren knikte nog krachtiger.

Mevrouw Sands kneep in de aardappel op haar schoot. De jongen kon voelen dat hij verloren was. Maar op dat moment kwamen Benjamin en Tom terug, met een paar kleren van de verdronken jongen.

Mevrouw Sands wierp de mannen een argwanende blik toe, rukte toen de broek uit Toms hand, keek of er mottengaten in zaten en zei: 'DEZE BROEK IS VOOR DIT MOMENT GOED GE- NOEG.' Ze gebaarde naar het vuur, en Ren zag dat zijn eigen kleren op de houtblokken lagen. Er kwam rook af en ze vielen uit elkaar in de vlammen – oranje draden die oplichtten in het donker. De jongen keek toe hoe de kleren vergingen en dacht terug aan de keer dat hij ze voor het eerst had aangetrokken – dat moest minstens twee jaar geleden zijn geweest. Hij had ze gekregen van een van de grootmoeders die twee keer per maand de wezen kwamen schoonboenen. Ren was trots op de kleren ge- weest; op sommige plekken hadden nieuwe lapjes gezeten en de broekspijpen waren mooi lang. Hij had zich niet gerealiseerd dat ze er zo slecht aan toe waren dat ze verbrand moesten worden. Maar daar lagen ze, rokend op de houtblokken, en hier zat hij, in een ketel voor het vuur, poedelnaakt toe te kijken hoe ze in vlam- men opgingen.

Benjamin ging naast mevrouw Sands op het bankje zitten. Hij vroeg of hij zijn laarzen uit mocht doen, en toen ze knikte zette hij ze naast het vuur op de grond. Hij had dikke wollen sokken aan met gaten in de hielen en de tenen, en ze roken sterk naar zweet. De jongen kon ze vanuit de ketel ruiken. Tom bleef op een afstand- je ongemakkelijk staan, tot mevrouw Sands naar hem schreeuwde dat hij in godsnaam moest gaan zitten en dat ze iets te eten voor hen zou regelen.

Uit de keuken haalde ze een bruin brood, een paar plakken ham, een kan melk en koffie. Ze zette alles op tafel, gaf een stuk brood met ham aan de jongen in de ketel en ging verder met aardappelen schillen. Ze hadden bijna een hele dag niet gegeten en stortten zich op het eten.

'WAAR WOONT U, MENEER NAB?'

'Ik ben het grootste deel van mijn leven zeeman geweest. Eerst op een koopvaardijschip dat naar Oost-Indië voer, en later heb ik een tijdje op een walvisvaarder gezeten. Ik zou nog steeds varen als ik niet te horen had gekregen dat mijn zus ziek was.'

'DAT IS GEVAARLIJK WERK.'

Benjamin dronk slurpend van zijn koffie. 'En eenzaam.'

Tom draaide met zijn ogen.

'EN UW VRIEND?'

'Ik ben werkloos,' zei Tom.

'Hij is schoolmeester,' zei Benjamin.

'LEKKERE SCHOOLMEESTER.'

Tom kwam overeind. 'Wat bedoelt u daarmee?'

Maar mevrouw Sands zat met haar rug naar hem toe, en aangezien ze hem niet hoorde, vervolgde ze: 'EEN SCHOOLMEESTER ZOU MOETEN WETEN DAT HET VOOR EEN KIND TE LAAT IS OM NOG BUITEN TE ZIJN. EEN SCHOOLMEESTER ZOU MOETEN WETEN DAT HIJ EEN JONGEN NIET IN VODDEN MOET LATEN RONDLOPEN.'

'Ik zal u eens wat zeggen,' zei Tom, maar hij ging niet verder. Hij staarde alleen maar naar de pensionhoudster, en toen naar zijn halfverorberde maaltijd, en ten slotte zei hij: 'Ik ga naar bed.' Hij pakte zijn bord, legde er nog twee plakken ham en twee stukken brood op en liep stampend de keuken uit, de trap op.

'U moet het hem vergeven,' zei Benjamin. 'Hij was verliefd op mijn zus.'

'SLIM VAN HAAR OM NIET MET HEM TE TROUWEN.'

'Ik denk dat u gelijk hebt,' zei Benjamin, terwijl hij peinzend en een beetje verdrietig keek. Hij viste zijn pijp uit zijn zak en haalde een stok uit het vuur om hem aan te steken. Toen pakte hij een aardappel en haalde hij zijn mes tevoorschijn. Zonder iets te zeggen ging hij samen met mevrouw Sands aan het werk en begon hij te schillen.

Ren had het koud en zou nog wel een stuk brood lusten, maar hij durfde de stilte niet te verbreken en durfde ook niet zonder toestemming van mevrouw Sands uit de ketel te komen. Zijn tenen waren helemaal gerimpeld van het water. De ene kant van de ketel, die bij het vuur, was warmer dan de andere, en hij leunde er met zijn lichaam tegenaan.

Mevrouw Sands keek naar Benjamins gezicht. In het licht van het vuur zag hij er met de losgeknoopte kraag van zijn hemd en zijn naar achteren gekamde haar jonger uit dan hij was. Toen hij klaar was met zijn aardappel, leunde hij achterover en nam een lange haal van zijn pijp. De tabak rook naar suiker. Ren inhaleerde diep. Toen keek hij toe hoe Benjamin een plooi van de bruine jurk van mevrouw Sands omhoogtilde en zijn vingers over haar knie liet glijden. Met zijn andere hand rookte Benjamin verder, en mevrouw Sands concentreerde zich weer op het schillen van haar aardappel. Er verspreidde zich een lichtrode blos over haar wangen.

Ren legde zijn kin op de rand van de ketel. Het vuur begon te doven. De houtblokken waren in het midden uitgehold, zwart van de as. Van de kleren van de jongen was niets over. Er lagen alleen nog een paar kleine flarden onder het rooster te smeulen. Hij keek ernaar tot hij het niet meer uithield, hield vervolgens zijn adem in en dook onder. Hij was nog maar net onder water toen hij een harde tik tegen de zijkant van de ketel hoorde. Hij stak zijn hoofd weer omhoog, knipperend om het badwater uit zijn ogen te krijgen. Benjamin had nog steeds een hand onder de rok van mevrouw Sands, maar hij gaf Ren een knipoog en gebaarde met zijn hoofd naar de deur.

'Ik moet eruit,' zei Ren. Mevrouw Sands keek hem vreemd aan. Ze deed haar ogen dicht, en toen had Benjamin opeens weer twee handen, die hij gebruikte om zijn laarzen te pakken.

Mevrouw Sands legde haar aardappelen opzij en stond op. In één vloeiende beweging tilde ze Ren op en zette hem voor de haard, en ze begon zo hard met een kleine handdoek over zijn nek te wrijven dat het leek of ze kwaad was. De koude lucht overviel hem. Hij kreeg overal kippenvel en klappertandde, totdat mevrouw Sands zei: '·STA STIL!'

'U kunt beter aardig voor hem zijn,' zei Benjamin, 'anders komt mijn zus hier rondspoken.'

Mevrouw Sands gaf Ren een klap met de handdoek, om duidelijk te maken dat ze niet bang was voor spoken. Toen trok ze een wollen hemd over zijn schouders en wurmde ze zijn lichaam in de kleren die de mannen naar beneden hadden gebracht.

Hij was kleiner dan de verdronken jongen. De broek kwam tot over zijn voeten en de mouwen slobberden over zijn armen. Mevrouw Sands rolde de mouwen op, mat de kraag af met haar vinger en rukte toen de kleren weer van zijn lijf. Ze trok een nachthemd over zijn hoofd dat meer weg had van een deken – de stof prikte, en er zaten knopen in de hals en de zoom sleepte achter Ren aan. Mevrouw Sands pakte de jongen als een baby in haar armen en droeg hem de trap op.

'Kijk eens,' zei mevrouw Sands, terwijl ze een deur opentrapte. Het was een klein kamertje, met twee bedden in de hoeken. In een ervan lag Tom te snurken, en mevrouw Sands liet Ren in het andere vallen. In Saint Anthony had Ren zich vaak voorgesteld dat een moeder hem 's avonds naar bed bracht. Maar nu ging het heel anders. In zijn fantasie was de moeder lief en rustig, en prachtig om te zien. Ze gaf hem teder een kus op zijn wang. Mevrouw Sands beukte op de kussens alsof ze haar iets hadden aangedaan en stopte Ren zo stevig in dat hij bijna geen adem meer kon halen.

'NOU, KEN JE JE GEBEDEN OF HOE ZIT DAT?' schreeuwde mevrouw Sands tegen hem.

Die kende hij wel. Ren werkte snel een tientje van de rozenkrans af, en een zegening voor mevrouw Sands omdat ze hun onderdak had geboden, en als extraatje ook nog een voor zijn ouders, die zogenaamd aan de koorts waren bezweken, en voor zijn kersverse 'oom' Benjamin. Dit scheen mevrouw Sands te bevallen, al viel het Ren op dat ze niet met hem meebad.

'Hebt u kinderen?' vroeg Ren.

'GOEIE GOD, NEE. WAAR HEB IK EEN KIND VOOR NODIG?'

'Maar uw vriendin heeft u de kleren van die verdronken jongen gestuurd.'

'INDERDAAD.' Mevrouw Sands staarde uit het raam, en plotseling zag haar gezicht er uitgeput uit.

Ren kroop onder de dekens. Hij had het gevoel dat hij iets verkeerds had gezegd. 'U was vast een goede moeder geweest,' waagde hij te zeggen.

'DAAR BEN IK NIET ZO ZEKER VAN.' Haar handen zweefden naar haar haren. Ze streek een paar verdwaalde krullen terug onder haar mutsje en kneep hem toen in zijn arm. 'MAAR VOOR DIE

'Ik denk het wel,' zei Ren, terwijl hij over de plek wreef waar ze hem had geknepen.

'Ik hoop dat je mijn gebeden ook hebt opgezegd,' zei Benjamin. Hij stond in de deuropening, met zijn laarzen in zijn handen. Hij zette ze in de kast en begon toen zijn hemd uit te trekken.

Opeens leek mevrouw Sands haast te krijgen. Ze legde de sleutel op het dressoir en liep de kamer uit. Even later kwam ze weer naar binnen stormen, met een stapel handdoeken die ze op het bureau legde. Daarna kwam ze terug met drie extra kussens, die ze op de schommelstoel in de hoek gooide. Toen kwam ze nóg een keer terug, nu met een berg dekens – gehaakte en gebreide en lappendekens, die ze op Rens hoofd liet vallen.

'WELTERUSTEN,' schreeuwde ze.

'Welterusten,' zei Benjamin, en hij draaide de deur op slot toen ze weg was.

'Hoe lang moeten we hier blijven?' vroeg Ren, terwijl hij de dekens opzijschoof.

Benjamin maakte zijn bretels los. 'Voorlopig.'

'Ik vind haar niet aardig.'

'O nee?' zei Benjamin. 'Ik dacht dat je verliefd op haar was.'

'Ik dacht dat jíj dat was.'

'Ik maakte haar alleen maar een beetje blij.'

Ren stelde zich voor dat hij avond na avond in bad zou moeten. Hij schopte tegen het voeteneinde van het bed en er viel iets zwaars op de grond. Benjamin boog zich voorover en pakte het op. Het was een heetwaterkruik, die was gemaakt van dik bruin aardewerk en was afgesloten met een kurk.

Ren had er altijd al van gedroomd om er een te hebben.

'Mag ik hem vullen?'

'Tuurlijk,' zei Benjamin. 'Als je er maar voor zorgt dat je mevrouw Sands niet wakker maakt.'

Ren glipte het bed uit, en nadat hij de deur van het slot had gedraaid liep hij voorzichtig de trap af, met de kruik onder zijn arm en met de lange zoom van het nachthemd tussen zijn vingers geklemd. Het vuur in de keuken was uit; er gloeiden alleen nog wat kleine sintels in het donker. Snel vulde Ren de heetwaterkruik met water uit de ketel, en vervolgens duwde hij hem tussen de sintels. De stenen van de haard waren nog warm, en de jongen wreef er met zijn voeten tegenaan. Hij liet zijn ogen langs de keurig opgeruimde keuken gaan; de glanzende koperen potten aan de muur, de geschilderde ananassen langs de rand van het lijstwerk, de houtblokken die netjes in een mand lagen opgestapeld. Het was lang geleden dat hij op zo'n fijne plek was geweest.

Op een tafel naast de open haard stond een dienblad waar een servet overheen lag. Ren tilde een van de punten omhoog en zag dat er een complete maaltijd onder lag – niet het eenvoudige brood en de ham die eerder op tafel hadden gestaan, maar gesneden rundvlees met aardappelen en wortels en jus. Hetzelfde braadvlees dat Ren had geroken toen hij voor het eerst de keuken binnen was gekomen. Er lagen een mes en een vork naast, en ook zag hij een kroes met bier. En een appel. En ook een plakje cake.

Het water liep de jongen in de mond. Het volmaakte plakje lag er gewoon op te wachten tot hij het oppakte en in zijn mond stopte. Hij kon zijn kaken niet snel genoeg laten malen om de cake weg te werken; de smaken van citroen, suiker en maanzaad smolten samen op zijn tong. Hij veegde de kruimels van het bord en bedekte het dienblad weer met het servet.

Zodra hij dat had gedaan, begon Ren zich zorgen te maken. Mevrouw Sands zou ongetwijfeld weten dat hij de cake had opgegeten. Hij hield zijn adem in, omdat hij verwachtte dat de pensionhoudster de hoek om zou komen. Maar er verstreek een moment, en toen nog een, en mevrouw Sands kwam niet opdagen.

Uit de schoorsteen viel een beetje roet in de haard. Ren hoorde een schrapend geluid. Er zat iets vast in de schoorsteenpijp: een vogel, of misschien wel een eekhoorn. Als het koud was, vielen er in Saint Anthony weleens vogels door de schoorsteen, die werden aangetrokken door de warmte. Ze schoten de keuken rond en vlogen meestal de rest van de dag tegen de ramen aan. Wat voor schepsel het ook was dat nu door de schoorsteen van mevrouw Sands bewoog, het nam er alle tijd voor, en na een paar minuten realiseerde Ren zich dat het naar beneden klom. Zijn hart begon sneller te kloppen, en het krassende geluid hield op, alsof het schepsel in de schoorsteen het had gehoord.

Ren ging op zijn hurken zitten en keek. Ongeveer halverwege de schoorsteen hing een man, die zich met zijn benen en schouders vastzette. Hij gleed met zijn hakken langs de baksteen, eerst met de ene en vervolgens met de andere, en die beweging maakte dat er een wolk zwart stof op Rens gezicht neerkwam. De jongen stapte achteruit en probeerde niet te niezen. Hij drukte de zoom van zijn nachthemd stevig tegen zijn neus. Hij keek wanhopig om zich heen, zoekend naar een plek waar hij zich kon verstoppen, en liet zich in de aardappelmand glijden. Er lagen nog een paar uitlopers op de bodem, en de jongen voelde ze in zijn knieholten drukken.

Er bungelde een been uit de schoorsteen. En toen nog een. De voeten schopten de houtblokken en de sintels en de laatste restanten van Rens kleding opzij. De man maakte een touw los dat aan zijn riem was vastgemaakt, boog zich voorover en kroop op handen en voeten uit de haard. Toen ging hij rechtop staan, veegde zijn jas schoon en schudde met zijn benen. Hij was niet langer dan een meter twintig.

Het leek wel of hij was samengesteld uit andere mensen die geen van allen dezelfde lengte hadden gehad. Zijn hoofd was te groot voor zijn lichaam. Zijn voeten waren te klein. Zijn armen waren lang en sterk, maar hij had korte beentjes. Zijn ogen waren donker en liepen bij de hoeken omlaag, terwijl zijn wenkbrauwen de andere kant op liepen, waardoor hij er intelligent uitzag. Zijn haar was zwart en glanzend, net als zijn baard, die rondom netjes was bijgeknipt.

De kleine man liep naar de tafel, tilde het servet van het dienblad en begon te eten van wat er over was van de maaltijd. Toen hij klaar was, haalde hij een knipmes uit zijn mouw waarmee hij de appel in stukken sneed. Hij smakte met zijn lippen en knarste met zijn tanden, en hij spande zijn tong en kaken tot het uiterste in. Ren kon zich voorstellen dat hij op dezelfde manier een mens zou opeten, als hij daartoe de kans kreeg.

De dwerg zette het klokhuis behoedzaam naast de haard. Toen trok hij zijn laarzen en sokken uit. De sokken waren gemaakt van zachte geruite wol en zaten vol as. Toen hij ze heen en weer schudde, zag Ren er donkere wolkjes uit komen – kleine explosies van roet. De sokken werden naast het klokhuis gelegd. Toen deed hij zijn jas uit. Toen zijn hemd. Toen zijn broek. Eén kort ogenblik zag Ren zijn gebochelde, misvormde lichaam voordat hij in de ketel klom. Het geluid van het spetterende water weergalmde door de lege keuken terwijl de man zich waste, zich afspoelde en uit de ketel stapte. Ren kon hem nu heel goed zien: krachtige armen langs een kromme ruggengraat en een kleine, bungelende penis die niet groter was dan die van hemzelf. De dwerg gebruikte dezelfde handdoek als waarmee mevrouw Sands Ren had afgedroogd en wreef hem met snelle bewegingen over zijn rug en beide benen voordat hij weer in zijn kleren schoot.

Op een tafel naast de open haard lag een paar schone, gestopte sokken. Ren ving een glimp van de knobbelige voeten van de dwerg op voordat ze in de nieuwe sokken en vervolgens in de laarzen verdwenen. Toen de kleine man de veters van zijn laarzen had vastgemaakt, kroop hij weer de haard in, wikkelde het touw om zijn middel en begon te klimmen. Het rommelende geluid galmde door de schoorsteen terwijl hij omhoogging en stierf langzaam weg toen hij halverwege was. Ren gluurde over de rand van de mand. De dwerg had zijn vieze sokken achtergelaten. Hij had zijn klokhuis achtergelaten. Hij had ook een klein houten paard achtergelaten.

De jongen duwde de aardappelen opzij en klom uit de mand. Het paardje paste in de palm van zijn hand. Het was uit een houten knoest gesneden – Ren kon zien waar de tak was begonnen te groeien. In de poten zaten subtiele inkervingen die fungeerden als hoeven. De neusgaten bestonden uit twee piepkleine gaatjes, en er waren een paar gedetailleerde lijnen gesneden om de bewegingen van de staart aan te geven.

Ren pakte de heetwaterkruik, veegde er met zijn nachthemd de as af en legde hem in de holte van zijn elleboog. De kruik was warm en zwaar, en intuïtief krulde de jongen zijn lichaam eromheen. Boven zijn hoofd klonk het gedempte schurende geluid in de schoorsteen. Er klonk een geluid alsof iemand ergens een trap tegen gaf. Ren ging op zijn knieën in de haard zitten en tuurde omhoog in het duister. Hij kon niets zien. En toen zag hij de nacht en de sterren.

DERTIEN

De zon was nog maar net op en het was buiten nog donker. Ren had jeuk aan zijn schouder. Hij voelde dat het nachthemd om zijn benen zat gedraaid. Hij was nog half in slaap, en het begon net tot hem door te dringen dat hij in een echt bed lag en niet in een deken gewikkeld op de keldervloer, toen er voor het raam een harde klap klonk. Ren sprong uit bed en snelde naar het raam om te kijken. Beneden op de stoep stond mevrouw Sands, met een vuilnisbak en een kleine staalborstel in haar handen. Ze schudde as uit de open haard op straat. Ze sloeg nog een keer met een harde klap op de achterkant van de vuilnisbak, en er kwam een laatste wolk grijze rook uit de vuilnisbak, die om haar heen dwarrelde.

Ze droeg een schort en een donkerpaarse hemdjurk waarvan de mouwen tot aan de ellebogen waren opgerold. Op haar hoofd droeg ze hetzelfde kapje als de avond ervoor. Het was duidelijk dat mevrouw Sands al uren op was om haar huis te boenen. Ren keek naar haar terwijl zij met de vuilnisbak en de bezem onder haar arm geklemd kwaad naar de wolken keek. Ze had een harde uitdrukking op haar gezicht, alsof ze verwachtte dat iemand dingen naar haar zou gaan gooien.

Aan de andere kant van de kamer begon Tom te snurken. Benjamin rolde naar de zijkant van het bed en trok de deken over zijn hoofd. Ren leunde met zijn rug tegen het raam. De vorige avond was de kamer hem kil en onvriendelijk voorgekomen, maar nu, in het ontluikende ochtendlicht, kon hij zien dat het vertrek goed onderhouden was. De vloer was in de boenwas gezet; op sommige plaatsen was het vloerkleed verschoten door de zon, maar het was wel schoon. Op de commodes lagen gehaakte onderleggertjes, en de spiegels waren gepoetst en stofvrij. Aan een van de muren hing een patchworkkleed, en aan een andere een wandversiering die bestond uit een boeket gedroogde wilde bloemen dat was ingelijst.

Ren hoorde voetstappen langs de deur komen. Hij rende ernaartoe en drukte zijn oog tegen het sleutelgat, maar hij kon niets onderscheiden en hoorde het gedreun van laarzen op de trap. Er stroomde lucht naar binnen, die hem met zijn ogen deed knipperen, en terwijl hij zijn oog wegtrok van het sleutelgat, rook hij de vettige geur van spek.

Ren probeerde het slot open te krijgen. Er klonk een klik, en toen stond hij op de gang. Daar zag hij de kleren van de verdronken jongen, die netjes opgevouwen in een mand lagen. Ze waren versteld. De broek was binnenstebuiten gekeerd en opnieuw gezoomd, de band was ingenomen, de mouwen waren ingekort. Ren trok het nachthemd uit en de kleren aan. Ze zaten hem nu als gegoten. Het jasje had een gestreepte voering, en de knopen glommen mooi. De manchetten van het hemd waren afgewerkt, en in de broek zaten zakken zonder één enkel gat. Ren liet zijn hand in een van de zakken glijden en haalde er een zakdoek uit, die tot een volmaakt vierkant was gestreken.

Dit waren niet de te korte broek en de gerafelde jas van een wees. Dit waren de kleren van een man. Ren spreidde zijn armen; zijn vingers staken uit de ene mouw en zijn stomp uit de andere. De stof viel mooi en soepel in een rechte lijn vanaf zijn schouders naar beneden. Mevrouw Sands moest het grootste deel van de nacht op zijn gebleven om de kleren passend te maken. Ren draaide de manchet om en keek naar de steken – ze waren allemaal precies even groot en liepen in een kaarsrechte lijn. Een gevoel van verrukking en dankbaarheid overspoelde hem. Nooit eerder had iemand zoiets voor hem gedaan.

Er kwamen stemmen uit de keuken. Ren liep met zijn hand tegen de muur de trap af. Op de onderste tree bleef hij staan om te luisteren.

'BLIJF DAAR MET JE TENGELS VAN AF.'

Er barstte een hoog gegiechel los in de keuken, wat duidelijk maakte dat het geschreeuw van mevrouw Sands geen enkele indruk maakte op de giechelaars. Ren liep de hoek om, en toen zag hij ze: vier meisjes die naast elkaar op de bank zaten – lelijk, lelijk, lelijk, lelijk. Ze droegen alle vier zware laarzen en dezelfde grove blauwe jurken. Een van de meisjes had een hazenlip.

'Ik heb nergens aangezeten,' zei het meisje met de hazenlip. Ze hield een plakje spek achter haar rug. Het vet maakte een vlek in haar jurk: een kleine, donkere cirkel die zich steeds verder uitspreidde.

'JIJ BENT DE ERGSTE VAN ALLEMAAL,' zei mevrouw Sands, en ze gaf het meisje een tik tegen haar oor. Het meisje viel en stak haar handen uit om de val te breken. Toen ze op de vloer terechtkwam, brak het spek doormidden, en mevrouw Sands griste de stukken als een vogel van de grond. De pensionhoudster trok een grimas, waarbij haar scheve tanden zichtbaar werden, en veegde het vlees schoon met haar schort.

Het meisje betastte haar hoofd op de plek waar het tegen de rand van de bank terecht was gekomen. Haar mondhoeken krulden zich om haar hazenlip. Ze stak haar vingertoppen in de lucht. 'Geen bloed vanmorgen,' zei het meisje. 'U gaat achteruit, mevrouw Sands.'

Even daalde er een stilte over de keuken neer. Toen begon mevrouw Sands te hoesten – *heng heng heng* – en barstten de andere meisjes op de bank in lachen uit, alsof ze zich jarenlang hadden ingehouden. De meisjes stampten met hun hakken op de grond en gierden het uit, terwijl het meisje met de hazenlip overeind kwam. Mevrouw Sands draaide zich om en legde het spek voorzichtig op een bord. Pas toen ze haar ogen afveegde realiseerde Ren zich dat zij ook lachte.

'STILTE!' zei ze. 'STRAKS WORDT IEDEREEN WAKKER!'

'Ze zouden toch al wakker moeten zijn,' zei de Hazenlip. 'Eerlijke mensen slapen 's morgens niet.'

Een van de meisjes, met lang bruin haar en een spleet tussen haar tanden, zag dat Ren zich schuilhield bij de deur. 'Wie is dat?'

'DAT IS ONZE NIEUWE VERDRONKEN JONGEN!' zei mevrouw Sands. Ze liep naar Ren toe, pakte hem bij zijn kraag en trok hem de keuken binnen.

'Waarom hebt u ons niets over hem verteld?' vroeg de Hazenlip.

'IK HOEF NIEMAND IETS TE VERTELLEN!' zei mevrouw Sands, en opeens pakte ze Ren op zoals ze eerder had gedaan en kneep hem bijna fijn. Toen liet ze hem op de vloer zakken, draaide zijn oor om tussen haar vingers en liet hem plaatsnemen op een stoel.

'HEB JE GOED GESLAPEN IN DAT OUDE BED?' vroeg ze.

'Ja,' zei Ren. 'Maar er zat iets in de schoorsteen.'

Mevrouw Sands zweeg even, alsof ze deze mededeling voldoende tijd wilde geven om de keuken te verlaten. Toen schreeuwde ze: 'HEB JE HONGER, JONGEN?' Ren antwoordde bevestigend, en binnen de kortste keren had mevrouw Sands een bord voor zijn neus geschoven, vol eieren, boter, spek en brood.

Ren vergat de dwerg volledig. Hij stak het servet onder de boord van zijn hemd en verorberde alles wat er op zijn bord lag. Hij at al het spek op en mevrouw Sands gaf hem nog wat extra. Hij verslond al het brood en vervolgens gaf mevrouw Sands hem een paar muffins. Hij likte het laatste beetje geel van zijn lepel en zij tikte nog een zachtgekookt ei open; de schaal kwam los van het glibberige eiwit en had de verse geur van azijn en zout.

De meisjes sloegen dit alles zwijgend gade vanaf de bank, terwijl ze hun laarzen heen en weer zwaaiden. Het meisje met de spleet tussen haar tanden draaide met haar ogen, en toen de Hazenlip Ren zag kijken, stak ze haar tong uit. Die was roodachtig roze, en de gedraaide huid erboven werd erin weerspiegeld. Toen het Ren niet lukte om de andere kant op te kijken, blies ze hem een kus toe.

'Kan ik ergens water krijgen?' Benjamin stond half aangekleed in de deuropening. Zijn haren hingen los en hij had rooddoorlopen ogen.

Mevrouw Sands kreeg een blos op haar wangen. Snel haalde ze een kom vanonder het aanrecht tevoorschijn en begon die te vullen met water uit een emmer. Benjamin liep naar de tafel en stak zijn gezicht niet in de kom maar in de emmer. Even bleef hij onder water, er kwamen belletjes naast zijn oren omhoog, en toen trok hij zijn hoofd weer terug en schudde het als een hond heen en weer. Mevrouw Sands begon te hoesten.

Het meisje met de spleet tussen haar tanden gaf het meisje met de hazenlip een por met haar elleboog, omdat die laatste naar Benjamin zat te staren terwijl het water zijn hemd doorweekte en over zijn borst en schouders stroomde.

'Wie denk je wel niet dat je bent?' vroeg de Hazenlip.

Benjamin liep naar de bank en ging voor de meisjes staan. Hij knoopte zijn hemd dicht en schoof zijn bretels eroverheen. 'Ik geloof,' zei hij, 'dat ik jullie buurman ben.'

Mevrouw Sands begon deeg op het aanrecht uit te rollen; ze strooide er bloem overheen en duwde met ritmische bewegingen haar lichaam tegen de houten roller. Ren leunde met zijn hoofd tegen de achterkant van zijn stoel en keek naar haar, alsof hij dit elke ochtend deed. Aan de andere kant van de keuken lieten de meisjes een nieuwe stortvloed aan gegiechel ontsnappen toen Benjamin zich voorstelde. Mevrouw Sands sloeg het deeg nog harder tegen het aanrecht.

Ergens klonk het luide geluid van een bel – gevolgd door een andere bel met een hogere toon. De meisjes sprongen op van de bank. Ze pakten hun hoofddoek en hielden die eerst als een zeil boven hun hoofd, waarna ze de hoeken om hun nek bonden.

'Tot bij het avondeten,' zei de Hazenlip, terwijl ze over haar schouder naar Benjamin keek. Even later werd de keukendeur met een klap dichtgeslagen en waren ze allemaal weg.

'Wie zijn dat?' vroeg Ren.

'muizenvalmeisjes,' zei mevrouw Sands, terwijl ze een nieuwe berg deeg boven op de eerste gooide. Ze gebaarde met haar hand naar de hoek van de keuken. Op de grond stond een houten kistje. Toen Ren er op zijn hurken bij ging zitten, kon hij het vers gesneden hout ruiken. In het kistje zat een ronde opening die was afgedekt met een stuk blik. Dat kon maar naar één kant open, net als het deurtje in de poort van Saint Anthony. Ren stak zijn vinger uit en duwde. Plotseling kwam het kistje tot leven en begon het te trillen, en de jongen trok snel zijn vinger terug. Hij kon de muis aan de andere kant tegen het deurtje horen krabben.

'ZE WERKEN VOOR MCGINTY,' zei mevrouw Sands. 'HIJ HEEFT HET LAND GEKOCHT TOEN DE MIJN WERD GESLOTEN EN DAAROP DE MUIZENVALLENFABRIEK GEBOUWD.'

Benjamins kaken verstrakten. 'Ik heb van hem gehoord.'

'DAN WEET JE WAT HIJ HIER HEEFT AANGERICHT.' Mevrouw Sands wreef de bloem van haar handen. 'EERST WAREN WE BLIJ. WE HADDEN HET WERK EN HET GELD HARD NODIG. MAAR HIJ BRACHT DIE MEISJES MEE. LELIJKE MEISJES ZONDER MAN EN ZONDER VERBLIJFPLAATS. HIJ BETAALT ZE SLECHT EN LAAT ZE DAG EN NACHT IN DE FABRIEK WERKEN. BIJNA ALLE FAT-SOENLIJKE INWONERS ZIJN HIER WEGGEGAAN. MAAR IK BEN HIER GEBOREN, EN MIJN MAN LIGT HIER BEGRAVEN, EN IK HEB GEEN ANDERE PLEK OM NAARTOE TE GAAN.'

Mevrouw Sands hoestte in haar schort. Toen perste ze haar lippen op elkaar en richtte ze zich weer op haar pasteien. Ze tilde een plak deeg op en spreidde die behoedzaam uit over de bodem van een schaal. Het deeg rook naar bloem, water en zout. Ren keek toe hoe de pensionhoudster het met haar handen op zijn plek duwde, het met een mes op maat sneed en met een vork gaatjes in de bodem prikte. Ze vulde het deeg met een bepaald soort vlees en dekte het geheel af met nog meer deeg. Toen maakte ze de twee deeglaagjes aan elkaar vast; ze plooide het deeg aan de rand op zo'n manier dat er een patroon ontstond. Al deze handelingen voerde ze zonder enige aarzeling uit.

Ren stond op uit zijn stoel en liep naar het aanrecht, waaraan ze stond te werken. Hij stak zijn hand uit en raakte haar met bloem bedekte hand aan. 'Bedankt dat u die kleren voor me hebt gemaakt,' zei hij.

Mevrouw Sands keek naar de plek waar Ren haar aanraakte. Ze klemde haar lippen op elkaar en bracht haar hoofd omhoog. Haar gezicht leek elk moment te kunnen breken, en toen, even abrupt, klaarde het op. 'HEEL GRAAG GEDAAN.' Ze trok het jasje recht over zijn schouders en keek goedkeurend naar haar werk. Toen zuchtte ze en pakte ze een doekje om de bloem weg te vegen die nog op tafel lag.

'SOMMIGE MENSEN ZULLEN WEL ZIJN VOORBESTEMD OM TE VERDRINKEN.'

'Misschien had die jongen het verdiend,' opperde Ren.

'WAT BEDOEL JE?'

'Dat God hem heeft gestraft.'

'GOD HEEFT HET VEEL TE DRUK OM KLEINE JONGETJES TE STRAFFEN.' Ze tikte Ren op zijn schouder, alsof hij dit zelf had kunnen weten, en ging toen verder met pasteien bakken.

Ondertussen zat Benjamin aan de keukentafel naar hen te kijken, terwijl hij met zijn tong een tandenstoker heen en weer rolde. Hij beet op het stukje hout en zei: 'Heeft die McGinty ergens familie?'

Mevrouw Sands tilde een nieuw stuk deeg op en liet het op het aanrecht vallen. 'NIET DAT IK WEET. HIJ HEEFT EEN ZUS GEHAD.'

Ren zag Benjamins belangstelling toenemen. Hij kreeg het idee dat de man meer wist dan hij liet merken. 'Wat is er met haar gebeurd?'

'HIJ HEEFT HAAR ERGENS NAARTOE GESTUURD. ZE ZEIDEN DAT ZE GEK WAS GEWORDEN. ZOU IK OOK ZIJN GEWORDEN, MET ZO'N BROER.'

Benjamin streek met zijn vingers door zijn haar en staarde peinzend naar zijn koffiemok. Er klonken voetstappen op de trap en Tom verscheen, met loshangend hemd. Mevrouw Sands keek even in zijn richting en wees toen naar de emmer op tafel. Tom spoelde zijn gezicht af, waarbij het meeste water op de grond terechtkwam. Mevrouw Sands pakte een dweil uit de kast waar ze naast stond en overhandigde die aan hem.

'IK BEN PENSIONHOUDSTER, GEEN WERKSTER.'

Toen ze zich omdraaide, uitte Tom een aantal verwensingen, maar hij veegde de vloer droog tot het ontbijt werd opgediend. Mevrouw Sands zette een bord met eieren en spek voor de mannen neer. Ze roosterde brood op het fornuis en legde dat in een mandje. Zodra Benjamin en Tom van eten waren voorzien, liep mevrouw Sands met haar pasteien naar de oven en schoof ze op een rooster. Toen ze de deur dichtdeed, kon Ren even het witte, glanzende deeg zien.

Op dat moment realiseerde hij zich dat mevrouw Sands al van de dwerg in de schoorsteen af had geweten. Zij had de maaltijd voor hem neergezet. Zij had zijn sokken gestopt. Ren wist niet waarom ze dat had gedaan, maar hij begreep wel dat het paardje voor haar was achtergelaten. Hij stak zijn hand in zijn zak en raakte het even met zijn vingertoppen aan. Het hout was gevernist en glad.

Het enige speelgoed dat hij ooit had bezeten was een kapot tinnen soldaatje geweest, dat hij van een van de liefdadige grootmoeders had gegapt toen hij niet ouder was dan een jaar of vijf, zes. Hij had het speelgoed bijna een jaar lang gedeeld met Brom en Ichy. Het gezicht was afgekloven en het soldaatje miste een been en zijn geweer, maar de jongens hadden talloze uren doorgebracht met veldslagen naspelen en nieuwe ledematen en attributen maken. Toen had Ichy het in de put laten vallen. De jongens hadden maandenlang om het soldaatje gerouwd, en ze hadden zelfs de jaartallen die ze ermee hadden doorgebracht onder in de putwand gekrast als aandenken. Ren voelde zich schuldig omdat hij van mevrouw Sands had gestolen, maar hij wilde geen afstand doen van het paard.

'Ben je klaar?' Benjamin trok zijn jas aan.

Ren wist niet waar hij klaar voor moest zijn, maar hij knikte en stond op uit zijn stoel, terwijl Tom een extra stuk brood van de tafel griste.

'IK KRIJG ZES DOLLAR VAN JULLIE.'

'En we zullen u zeker betalen,' zei Benjamin. Hij legde een hand op haar schouder en liet die vervolgens tot haar middel zakken.

Ze stapte achteruit. 'HET MOET VANDAAG BETAALD WORDEN.' Mevrouw Sands hield de kom vast die Benjamin niet had gebruikt, alsof ze op het punt stond hem ermee buiten westen te slaan. Tom liep naar de deur, terwijl hij in zijn ene hand het brood vasthield en met de andere de revolver in zijn riem schoof.

'MOET IK OP JULLIE REKENEN MET HET AVONDETEN?'

'Ja,' zei Benjamin. 'We eten allemaal mee.' Hij pakte Ren bij zijn mouw, en voordat ze nog iets anders kon zeggen, waren ze al vertrokken.

VEERTIEN

North Umbrage zag er bij daglicht anders uit. De lege gebouwen waar ze de vorige avond langs waren gereden, waren in winkels veranderd. Smeden en pottenbakkers, fruitstalletjes en kraampjes met zakdoeken. Ze werden allemaal gerund door vrouwen. Er was een vrouwelijke bakker die een heleboel broden op de planken had liggen; de geur van rijzend deeg kwam door de ramen naar buiten drijven. Er was een vrouwelijke smid die de hoef van een paard tussen haar knieën klemde terwijl de blaasbalgen achter haar door kinderen werden bediend. Er was een vrouwelijke slager die haar mouwen had opgerold tot boven haar ellebogen en een schort droeg dat onder het bloed zat. Er was zelfs een vrouwelijke vuilnisophaler met haar ezelskar vol rottende groente, vodden en gebroken aardewerk, gevolgd door een kleine troep varkens.

Benjamin reed met de wagen langs de muizenvallenfabriek. Nu het ochtend was, kon Ren het enorme bakstenen complex zien, en de rook die zwart afstak tegen de lucht. De fabriek gaf Ren een vreemd gevoel, hij werd er een beetje misselijk van, en hij was blij toen Benjamin het paard in de richting van de brug stuurde, North Umbrage uit.

Er werd druk gebruikgemaakt van de brug. Aan beide kanten stonden groepjes oude mannen. Sommigen hadden hengels bij zich en waren op weg om te gaan vissen. Anderen rookten. Weer anderen leunden achterover en schatten de waarde van het paard.

Na een kleine twee kilometer reden ze de bossen in. Aan weerszijden werd de begroeiing van gras en struiken langzaam dichter. In de verte kon Ren een hoek van het ziekenhuis onderscheiden. Het gebouw zag er precies zo uit als de tandarts het had beschreven, met dikke stenen muren en één enkel torentje. Terwijl ze dichterbij kwamen, waren de mannen goedgeluimd. Benjamin neuriede een liedje terwijl de wagen schokkend over de weg reed, en Tom pruimde wat tabak. Ren probeerde zich ook goed te voelen, maar hoe dichter ze bij de ingang kwamen, hoe nerveuzer hij werd. 'Wat moet ik doen als we er zijn?'

'Je hoeft alleen maar naar dokter Milton te vragen,' zei Benjamin. 'Je bent zogenaamd zijn patiënt.'

'Waarom moet ík gaan?'

'Hij denkt dat het met jou minder riskant is. Hij heeft eerder moeilijkheden gehad.' Benjamin pakte de jongen bij de schouder. 'Dit zou weleens ons lot uit de loterij kunnen zijn. Stel me niet teleur.'

Ren dwong zichzelf de wagen uit te klimmen. Hij wilde Benjamin niet teleurstellen, maar hij had nooit eerder helemaal zelf een klus geklaard. Hij bleef staan bij het voorwiel en hield een van de spaken vast, hopend dat de mannen van gedachten zouden veranderen en zijn plaats zouden innemen.

'We zullen een eindje verderop op je wachten,' zei Tom, terwijl de wielen begonnen te draaien en de spaak uit Rens hand werd gerukt. Hij keek toe hoe de wagen onder de bomen door reed en uit het zicht verdween. Toen draaide hij zich om en keek hij naar het ziekenhuis.

Het gebouw had een granieten onderbouw. Er waren drie toegangspoorten – één voerde naar het ziekenhuisterrein, één naar de binnenplaats en één naar het ziekenhuis zelf. De jongen wist niet waar hij moest beginnen. Hij legde zijn hand op de muur van het gebouw. Die was koud. Hij moest twee keer om het gebouw heen lopen voordat hij de bel had gevonden. Toen hij aanbelde, klonk er een geluid dat zo zwaar en galmend was dat het leek alsof het niet was bedoeld om gasten aan te kondigen, maar om de beller af te schrikken. Al snel verscheen er een non. Ren zag haar achter een van de poorten met een ondersteek langs het hekwerk lopen, terwijl ze met een barse blik haar werk deed.

'Zuster!' riep Ren.

De non sloeg haar ondersteek tegen de binnenste muur leeg. 'Wie is daar?' vroeg ze met ongeduld in haar stem, en toen kwam ze dichter naar het hek toe en bleef staan. Ze was van middelbare leeftijd en had een spitse neus en kin, en haar felle ogen waren zo donker dat haar irissen en pupillen één geheel leken te vormen.

Ren trok zijn mouw omhoog en stak zijn stomp in de lucht. 'Dokter Milton zei dat hij me kon helpen.'

De non staarde naar Rens arm, toen naar zijn gezicht, en vervolgens weer naar zijn arm. 'God zij geprezen,' zei ze zachtjes. Even veranderden haar gelaatstrekken, en toen kreeg ze weer dezelfde weinig uitnodigende blik op haar gezicht. Ze stak de ondersteek onder haar arm en draaide het hek van het slot.

'Je bent erg vroeg,' zei ze. 'Hij is nog aan het opereren.'

Ze ging hem voor het gebouw binnen, waar ze langs een aantal grote, in segmenten opgedeelde kamers liepen. De bedden stonden tegen elkaar aan en hier en daar lagen matrassen op de grond, die half doorliepen tot in de gang. Ren probeerde zijn adem in te houden. Het gebouw rook naar verschaalde rook en gekookt vlees. In de hoeken stonden tot de rand toe gevulde ondersteken.

De patiënten droegen nachthemden: dikke, zware wollen kledingstukken die wel iets weg hadden van wat mevrouw Sands Ren had aangetrokken nadat hij in bad was geweest. Een paar van de patiënten keken op toen hij langsliep, maar de meeste sliepen, met hun armen of benen dik in het verband. Eén man strekte zijn hand naar de jongen uit en greep zijn broek vast.

'Ik moet water hebben,' zei de man. Zijn hoofd was kaalgeschoren en er zaten korsten op zijn armen.

'Ik zal ervoor zorgen,' zei de non. 'Nu moet u hem loslaten.'

De man gehoorzaamde en liet zich weer op zijn matras zakken. De non pakte Ren bij zijn schouder en voerde hem mee in de richting van de trap.

Ze was een liefdezuster. Dat kon Ren zien aan de grijze kleur van haar habijt. Een nicht van broeder Joseph, ook een liefdezuster, had een keer een bezoek gebracht aan Saint Anthony. Ze heette zuster Sarah, en ze was maar vijf dagen bij hen geweest, maar in die tijd had ze het klaargespeeld de visachtige geur uit de kleinejongenskamer te verdrijven. Al het beddengoed van de kinderen was naar buiten gebracht en in het zonlicht met een mattenklopper onder handen genomen. De vloeren waren geboend met fenol. Ze liet de jongens voor elk kind een nieuw stel ondergoed naaien en zorgde zelf voor het linnen en de naalden. Toen ze vertrok, moesten veel kinderen huilen. Het had een volle week geduurd voordat de vettige geur was teruggekeerd, en Ren wist nog dat hij in de nachten daarvóór bij het naar bed gaan diep de geur van zijn kussen had ingeademd.

'Hoe ben je je hand kwijtgeraakt?' vroeg zuster Agnes.

'Weet ik niet meer.'

De non fronste haar wenkbrauwen, alsof ze niet tevreden was met dat antwoord, en gebaarde naar een bank die in een hoek stond. Ren ging zitten en keek toe hoe ze wegsnelde en aan het einde van de gang een deur door glipte. Bij elke stap die ze nam ging de zoom van haar habijt op en neer.

Ren liet zijn voeten bungelen en keek om zich heen. Aan de muren van de gang hingen portretten van aristocraten. Mannen en vrouwen poseerden met hun jachthonden of stonden naast een venster met uitzicht over hun landerijen. Slechts één portret was uitgesproken anders. Er stond een man op afgebeeld die was gekleed in een mooi, maar ietwat gekreukeld jasje. Hij zat achter een bureau dat vol lag met boeken. Op een plank achter hem stonden een glazen pot met een kikker erin, een of andere opgezette vogel en iets wat onmiskenbaar de vorm had van een menselijke schedel. De man op het portret hield zijn kin in zijn hand en het was duidelijk dat hij een verhelderende gedachte had.

Ren probeerde zich voor te stellen wat die gedachte zou kunnen zijn. Het was vast iets wetenschappelijks, maar hoe aandachtiger Ren het portret bestudeerde, des te meer het tot hem doordrong dat de man er helemaal niet intelligent uitzag. Hij zag er hongerig uit. Hij zat waarschijnlijk aan worstjes te denken, en Ren was bijna tot de conclusie gekomen dat dit inderdaad het geval moest zijn, toen er van achter uit de gang een gil klonk. De jongen sprong op van de bank. Er klonk nog een gil. En toen nog een.

Eerst waren de gillen smekend. Ren kon woorden herkennen. *'Stop! Niet eraf halen! Alstublieft!'* smeekte de stem. Hij noemde iemand een moordenaar en gaf het toen op en gilde alleen nog maar, net zo lang tot Ren het niet meer uithield – hij legde zijn hand over zijn ene oor, duwde zijn stomp tegen het andere en neuriede tot zijn lippen gevoelloos werden. De stem in de kamer begon schor te worden, en toen kreunde hij alleen nog maar, om ten slotte helemaal stil te vallen.

Ren liet zijn armen zakken. Hij overwoog op zoek te gaan naar een uitgang, maar voordat hij een besluit kon nemen ging de deur open en kwam er een grote mand door de gang. Hij werd gedragen door vier mannen; ze hadden allemaal hun jas uitgetrokken en hun mouwen opgerold. In de mand zat een bleke man, wiens onderlichaam in het verband zat. Het bloed sijpelde erdoorheen en liep de mand in, waardoor het riet helemaal besmeurd werd. Ren boog zich een beetje voorover om het gezicht van de patiënt te kunnen zien. Het was ingevallen, alsof al het gegil het vlees van zijn botten had getrokken.

De non liep achter de mand aan en droeg het been van de man. Het was in een laken gewikkeld en ze hield het als een baby in haar armen. Er druppelde bloed uit het laken, en toen ze voorbijliep zag Ren dat er smalle rode strepen op haar schort zaten.

Ren liet zich weer op de bank zakken. Hij had een droge keel. Zijn litteken jeukte.

'Ik heb tegen hem gezegd dat je hier bent.' De non zei het zonder haar pas in te houden of haar hoofd te draaien of haar grip op het been te laten verslappen. Toen liep ze achter de mand aan de trap af.

Nu kwam er een groepje jonge artsen aangestormd die boeken en papieren bij zich hadden. Ze droegen allemaal een driedelig pak, manchetknopen, een zakhorloge en glimmende schoenen. Een van de artsen opende een zilveren kistje en nam een beetje snuifpoeder. Een andere zette zijn bril met gouden montuur af en wreef hem schoon met een zeemlapje. Een paar artsen keken bij het langslopen even naar Ren, en plotseling voelde die zich opgelaten in de kleren van de verdronken jongen. Sommige mannen verdwenen door de gang, andere gingen naar beneden, naar de ziekenzaal. Toen was de gang weer leeg en stil.

'Knul!' riep een stem uit de kamer.

Ren stond op. Hij legde zijn hand op de leuning. Hij zou het liefst de trap af rennen, maar het vooruitzicht om te worden geconfronteerd met Benjamins teleurstelling weerhield hem daarvan. Ren deed een paar stappen in de richting van de stem, en volgde toen het smalle bloedspoor naar het vertrek dat iedereen had verlaten.

Toen hij de hoek om ging, verbaasde hij zich over de hoeveelheid licht. Er zaten ramen in het plafond – het hele dak was vervangen door dikke glazen panelen. Het vertrek was ontworpen voor samenkomsten. Om een podium midden in de ruimte stonden banken, en op het podium zag Ren de man van het portret in de hal, die met een doek een botzaag stond schoon te vegen.

Hij zag er iets anders uit dan op het schilderij. Ren kon zien dat hij ouder was. Hij had borstelige wenkbrauwen. Zijn haar was dik en grijs. Maar het voorhoofd was onmiskenbaar dat van dokter Milton, bol en merkwaardig gevormd, en uit zijn gelaatsuitdrukking sprak hetzelfde verlangen naar worstjes als bij de man op het schilderij, zelfs al spuugde hij nu in de doek en begon hij over een opgedroogde bloedvlek te wrijven.

'Van nu af aan kom je om tien uur. Eén keer per week. Een vaste afspraak.' Het pak van de dokter zag er onberispelijk uit. Er zat maar één vlek op, in de vorm van een vlinder, op een van de mouwen. Dokter Milton was klaar met het schoonmaken van de zaag en legde het gereedschap voorzichtig op de tafel. 'Kom eens hier.'

Ren liep langs de rij banken en klom op het podium. Dokter Milton bekeek Ren van top tot teen en tilde hem toen op de operatietafel. Dat gaf Ren een merkwaardig draaierig gevoel – alsof hij op de rand van een klif balanceerde. Hij greep een van de hoeken vast. Daar zat zaagsel, dat aan zijn vingers bleef plakken.

De arts boog zich over hem heen. Zijn baard rook naar tabak. 'Jouw taak is om te doen wat je wordt gezegd. Om precies te doen wat je wordt gezegd. Denk je dat je dat kunt?'

Ren knikte.

'Brave jongen.' Dokter Milton pakte een mes. 'Zie je dat er een haak aan het uiteinde zit? Dat is gedaan om makkelijker door de aderen te kunnen snijden.' Hij veegde het lemmet af met de doek en gaf het mes toen aan Ren. 'Nou,' zei hij. 'Leg het maar weer op zijn plek.'

Het mes was niet zwaar. Aan de andere kant van de tafel stond een open houten kistje, waar een heleboel glimmende werktuigen in lagen. Twee laatjes waren eruit gehaald en links van het kistje neergezet. Alle instrumenten hadden hun eigen plek. Er zaten inkepingen in het groene fluweel, tientallen lege plekken. De jongen voelde dat zijn handpalm begon te zweten; het gevest gleed langs zijn vingers. Uiteindelijk zag hij waar het mes moest liggen – in een van de laatjes, onder de botzaag. Op de plek waar de haak moest komen, was het fluweel versleten.

Hij legde het mes in het koffertje en dokter Milton keek vergenoegd. Hij liet zijn ogen langs de jongen glijden, en toen zijn blik op de stomp bleef rusten gromde hij van verbazing. Dokter Milton bekeek de arm aandachtig en draaide hem heen en weer. 'De snijwond is slecht afgewerkt, maar de slagaders zijn al snel afgeklemd. Degene die dit gedaan heeft, wist waar hij mee bezig was. Je hebt geluk, knul. Zeg het me na.'

'Ik heb geluk.'

Dokter Milton kneep in een stuk huid. 'Ik heb mijn eerste ervaringen in het vak opgedaan met het uitvoeren van amputaties. Ik ben altijd benieuwd om te zien hoe de huid zich in die omstandigheden weer herstelt.' Hij haalde een klein scalpel uit het kistje. 'Vind je het goed als ik een monster neem?'

Voordat Ren kon antwoorden dompelde de arts een hoekje van een doek onder in water en maakte hij het uiteinde van de arm van de jongen schoon. 'Het doet maar heel eventjes pijn.' Terwijl hij dat zei, sneed hij al. Het mes ging dwars door het litteken en sneed een dun laagje weefsel van de bovenkant. Het ging zo snel dat de jongen pas doorhad wat er gebeurde toen het stukje huid al aan de kant was gelegd.

Ren sloeg zijn hand over de wond. Die was niet diep, maar het deed wel pijn. Dokter Milton klemde het stukje huid tussen een pincet, legde het in een kleine glazen schaal en liep er vervolgens mee naar een microscoop, alsof hij zojuist een stukje schors van een boom had gehaald. Hij keek in de microscoop en begon aan de knoppen te draaien.

'Normale huid ziet eruit als schilfers,' zei dokter Milton. 'Precies even grote, in elkaar grijpende schilfers. Maar littekenweefsel is anders, omdat het geen haarzakjes of zweetklieren heeft.' Hij gebaarde naar Ren dat hij dichterbij moest komen en stapte opzij zodat de jongen kon kijken.

Ren boog zich voorover, terwijl hij nog steeds zijn arm vasthield. Eerst zag hij alleen maar licht. De vergroting maakte hem duizelig. Toen werd het beeld scherp. Het stukje litteken was aan de ene kant glad en gelijkmatig, maar Ren kon zien dat het aan de onderkant uitwaaierde tot een patroon van dunne lijnen, als rijp op een bevroren ruit.

'Ik heb hetzelfde fenomeen op inwendige organen gezien. Diep in harten en levers en verweven in het spierstelsel. Een litteken kan het overnemen, als de omstandigheden gunstig zijn.' Dokter Milton pakte Rens arm weer vast en bette de wond met een beetje vloeistof uit een bruin flesje. 'Heb je weleens een lichaam vanbinnen gezien?'

'Nee.'

'Dat ziet er prachtig uit.' Dokter Milton drukte met twee vingers boven de elleboog van de jongen. 'Vooral de spieren die het dichtst bij het bot zitten. *Musculus flexor pollicis longus,'* – hij kneep in de rechterkant – *'musculus flexor digitorum profundus'* – hij streek met zijn vingers langs de bovenarm – 'en *pronator quadratus*, die normaal gesproken ergens hier zit' – hij tikte op de linkerkant van Rens stomp. 'Nooit geweten dat je zoveel in je had, hè jongen?' Dokter Milton haalde het littekenweefsel onder de microscoop vandaan en liet het in een glazen pot vallen. Hij draaide het deksel dicht. Hij vroeg Ren wat zijn naam was en schreef die op een etiket dat op de achterkant van de pot zat geplakt.

'Waar vond je dit op lijken, onder de microscoop?'

Ren dacht even na. 'Op oude spinnenwebben.'

De arts zette de pot neer. Hij bekeek Ren met hernieuwde belangstelling. Dokter Milton haalde een aantekenboekje tevoorschijn en schreef op wat de jongen had gezegd. Toen stopte hij het boekje behoedzaam weer in zijn zak. 'Mijn vriend meneer Bowers zegt dat jij en je vrienden te vertrouwen zijn. Denk je dat ik hem moet geloven?'

Meneer Bowers had betaald gekregen om dat te zeggen. Toch deed Ren zijn best om overtuigend te klinken. 'Ja.'

Dokter Milton gromde weer, en zijn blik leek zich te verleggen van worstjes naar kerstgans en puddingtaart. Uit een zijvakje van zijn instrumentenkist haalde hij een paar sleutels, die hij Ren in de hand duwde. 'Kun je rekenen?'

De jongen knikte.

'Zeg tegen je maat dat ik er vier nodig heb. Ze moeten vers zijn en mogen niet langer dan twee dagen dood zijn. Hij moet ze 's nachts brengen, bij de deur naar de kelder. Niemand mag hem zien. Onthoud je dat?'

'Ja.'

'Hoeveel?'

'Vier.'

'Ik heb ze volgende week donderdag nodig.' Hij wees naar de sleutels en Ren begreep dat ze van de hekken buiten waren. 'Die moet je goed bewaren. En ik krijg ze van je terug.' De dokter tikte op de plek waar hij in de huid van de jongen had gesneden. 'Goed onthouden: je bent mijn patiënt en dit is geïnfecteerd, en ik probeer te voorkomen dat je je arm tot hier kwijtraakt.' Dokter Milton deed twee vingers als een schaar van elkaar en maakte een knippende beweging in Rens arm. 'Dat is de reden waarom je me bezoekt. Zeg dat ook maar tegen zuster Agnes wanneer je weggaat.'

'Dat zal ik doen,' zei Ren, en hij deed het ook. Zuster Agnes zat op de bank in de gang op hem te wachten, en hij legde zijn situatie uit terwijl zij hem voorging door de ziekenhuisdeuren. Ren bleef zijn arm vasthouden en wiegde hem heen en weer. Hij besloot de volgende keer een mitella te dragen.

Het was een opluchting om weer buiten te zijn. Ren haalde diep adem, in een poging de ziekenhuislucht uit zijn longen te krijgen. De sleutels in zijn zak voelden gewichtig aan. Hij had zijn werk gedaan. En hij had het goed gedaan.

Zuster Agnes deed het hek open en liet hem naar buiten. 'Waar woon je?' vroeg ze.

'In North Umbrage.'

'Dat is een heel eind lopen.'

'Iemand komt me halen.'

De non keek de weg af. Die lag in de schaduw van de bomen; boven de weg raakten de bladeren elkaar. Benjamin en Tom kwamen onder deze overkapping aanrijden, met het paard voor hen uit, en hun gezichten vol verwachting maar vermoeid. Zuster Agnes fronste haar wenkbrauwen, alsof de mannen een hele berg ondersteken bij zich hadden.

'Ben je christen?' vroeg ze snel.

'Ja.'

'God zij geprezen.' Ze zei het alsof er een ramp was afgewend, en sloeg toen twee keer een kruisje. 'Zou je het fijn vinden als ik voor je bad?'

Intuïtief gingen Rens vingers naar zijn voorhoofd. De jongen kon nog steeds voelen waar broeder Joseph met zijn duim het kruis had getrokken voordat hij hem *De levens der heiligen* had overhandigd. Ren liet zijn hand zakken en legde hem over zijn litteken. Hij zei tegen zuster Agnes dat hij dat inderdaad fijn zou vinden.

De non legde haar hand op zijn hoofd. Die was warm en zacht, maar ook krachtig, en Ren kon zich alle goede werken voorstellen die hij had uitgevoerd. Benjamin bracht de wagen naast hen op de weg tot stilstand. Hij tikte met zijn vingers tegen de zijkant van de wagen, alsof hij op een deur klopte. Ren kon het paard horen tandenknarsen, en hij hoorde Tom kuchen om zijn aandacht te trekken, maar hij wachtte tot het gebed was afgelopen. Zuster Agnes stond over hem heen gebogen, en hij wilde zich niet bewegen voordat ze haar hand had weggehaald.

VIJFTIEN

Het hek dat om het kerkhof heen stond was minstens vier meter hoog, en de zwarte spijlen stonden te dicht tegen elkaar aan om erdoorheen te kunnen. Op de hoeken stonden granieten pilaren. Aan de bovenkant van het hek zaten omgebogen spijkers, als de knoppen van bloemen die zich vooroverbogen naar de grond. IJzeren ornamenten in de vorm van klimop en bladeren sierden het hek ter hoogte van de hoofdingang, evenals een kruis, dat zich middenin bevond en waaraan een groot hangslot bevestigd was.

Toen ze voor de ingang tot stilstand kwamen, zeiden Benjamin en Tom niets. Ze stapten van de wagen en liepen om het hek heen. Hier en daar controleerden ze de spijlen, en ze gingen kijken in een schuurtje dat in de buurt stond om zich ervan te vergewissen dat het leeg was. Ren hield zijn blik op de kerk gericht en verwachtte dat er licht zou gaan branden, maar achter de gebrandschilderde ramen bleef het stil en donker.

Toen Benjamin Ren eerder die avond uit bed had gesleurd en had gezegd dat hij zich moest aankleden, had de jongen zijn kleren zo van de grond aangetrokken. Hij was nog niet wakker genoeg geweest om bang te zijn. Nu zat zijn lijf vol misselijkheid en angst. In de verte hoorde hij muziek die afkomstig was van een van de bordelen. De begraafplaats lag aan de rand van de bebouwing, in de buurt van een meent, maar er bestond nog steeds een kans dat ze betrapt zouden worden.

'Iets gezien?' vroeg Benjamin toen hij terugkwam.

'Nee,' zei Ren. 'Er is hier niemand.'

Benjamin sloeg de jongen op zijn schouder, alsof hij iets geweldigs had gepresteerd. Toen haalde hij een naald uit zijn laars. Hij boog zich over het slot van het toegangshek en peuterde erin, zijn gezicht een en al concentratie, luisterend of hij de klik hoorde. Tom stond vlak achter hem en beet op zijn lip toen het hek openzwaaide.

De mannen droegen samen de scheppen het kerkhof op. Ren bleef achter bij het paard. Hij had de teugels vast en hield bezorgd de ingang in de gaten. Het was te licht. De maan was bijna vol en leek de hele lucht te vullen. Ren bracht zijn hand omhoog tegen het licht en liet een schaduw over de weg vallen. Aan de andere kant van het ijzeren hek kon hij scheppen in de aarde horen graven, en het geluid van een laars die een schep aanduwde. Elk geluid leek in het donker luider te klinken. De jongen ging in elkaar gedoken op de bok zitten, terwijl zijn hart tegen zijn borstkas sloeg en zijn ademhaling wolkjes de koude avondlucht in stuurde.

Hij had nog nooit een kerkhof gezien waar een apart hek omheen stond. Bij Saint Anthony had je alleen een klein veldje bij de kapel waar een paar van de monniken en wat kinderen lagen begraven. Het was een eenvoudige plek, en de graven hadden er houten kruizen. De jongens hadden het vaak met elkaar over de spoken die 's nachts zigzaggend over de begraafplaats zweefden, en Ichy bezwoer dat hij de geest van de kleine Michael, die de zomer daarvoor aan de koorts was bezweken, buiten bij de latrine had gezien. Ren keek naar het zwarte ijzerwerk dat om deze begraafplaats heen stond, en hij hoopte dat het hek hoog genoeg was om de spoken tegen te houden.

Het leek een eeuwigheid te duren voordat Tom en Benjamin weer van de begraafplaats terugkwamen. Ze sleepten een jutezak met zich mee, die zo groot was dat ze er steeds aan de ene kant aan moesten trekken, om de zak heen moesten lopen en vervolgens aan de andere kant moesten trekken om verder te komen. Tom bleef even staan om te rusten. Benjamin moest niezen en veegde zijn neus af. Toen gingen ze weer verder en rolden de zak over het gras. Samen waren ze amper in staat het lichaam op de wagen te tillen. Het kwam met een harde plof neer, waardoor er een stofwolkje tussen de houten planken omhoogschoot.

'Dat is er in elk geval één,' zei Benjamin.

'Ze zouden ons voor deze dubbel moeten betalen,' zei Tom. Met een schep schoof hij de zak naar de achterkant van de wagen. Het paard werd een beetje onrustig; het liep achteruit en toen weer naar voren. 'Hé!' Tom sloeg met zijn vuist tegen de zijkant van de wagen, en het hout schudde helemaal tot aan de bok heen en weer. 'Kijk uit,' zei hij.

Ren trok aan de rem tot het paard weer stilstond. De merrie beet hoorbaar op het bit in haar mond. Er verzamelde zich groen speeksel om haar lippen. Ze draaide haar hoofd, in een poging langs de oogkleppen te kunnen kijken. Benjamin en Tom gingen terug naar de begraafplaats, en het enige waar Ren aan kon denken was de zak in de wagen.

De zak rook naar dorre bladeren en gistende hars en oude dennennaalden: alles wat in het bos onder de bomen lag te vergaan. Ren draaide de teugels in zijn hand heen en weer, waardoor het leer in zijn vingers sneed. Om hem heen was het helemaal stil, met uitzondering van het gezoem van insecten, en de jongen beeldde zich in dat hij kon horen hoe ze zich een weg door de zak vraten om bij de inhoud te komen, waar die dan ook uit mocht bestaan.

Ren blies op zijn vingers. Hij gluurde even naar de achterkant van de wagen. Hij kon het niet opbrengen om lang naar de zak te kijken. Elke keer wanneer hij keek, leek de zak menselijker en kreeg hij meer last van zijn geweten. Hij voelde Gods oog op hem rusten, als een stok met een punt in zijn nek. Ren probeerde te fluiten, maar zijn lippen waren te droog.

Benjamin en Tom droegen de overige lichamen als brandhout in hun armen. De mannen kwamen vlot vooruit, maar hadden hun gezicht afgewend. Nadat ze het grasveld waren overgestoken, lieten ze de zakken achter de wagen op de grond vallen. Elke zak stonk nog erger dan de vorige.

'Dit kan het maar beter waard zijn,' zei Tom, terwijl hij de laatste zak van zijn rug liet glijden.

De mannen tilden de lichamen een voor een in de wagen. Toen ze klaar waren, rustte Tom eventjes uit om een slok uit zijn kruik te nemen, en vervolgens ging hij de graven opvullen. Benjamin haalde diep adem, schraapte zijn keel en spuugde. Zijn jas zat onder het vuil. Zijn vingernagels waren met korsten bedekt. Hij veegde wat modder uit zijn haar, draaide zich om en herschikte de dekens achter in de wagen. Daarbij hield hij zijn hand over zijn neus.

'Ze stinken vreselijk,' zei Ren.

Benjamin lachte, terwijl hij nog steeds zijn gezicht bedekte. 'Ze blijven niet lang bij ons.'

'En als hun familie ze nou komt zoeken?'

'Dat gebeurt niet.'

'Maar als ze het wél doen?'

'Tegen de tijd dat ze achter ons aan komen, is er niets meer van over.'

Ren dacht aan de kist met instrumenten van dokter Milton. De tangen. De naalden. De messenverzameling. De kromme lemmeten. De botzaag.

'Ben je geen sterke kleine man?'

'Ik ben wel sterk,' zei Ren.

'Bewijs het dan.' Benjamin pakte het uiteinde van een zak die open was gegaan. Hij knoopte de zak weer dicht en liep toen het hek door.

Het paard snoof toen hij wegliep. De spieren in haar lichaam trilden, alsof de merrie iets van zich probeerde af te schudden. Ren liet zich van de bok op de weg zakken en probeerde de merrie te kalmeren door met zijn hand zachtjes iets boven haar been te kloppen. Het was een lange reis geweest van de schuur naar deze begraafplaats. De merrie was doodop, maar ze had nog dezelfde dikke vacht en pientere ogen. Ren vroeg zich af of de boer al een ander paard had gevonden. Of hij het tweede paard ook kuste.

Terwijl hij zag hoe de merrie haar neusgaten opensperde en weer dichtdeed, hoorde Ren achter zich iets bewegen. Hij bleef roerloos staan en legde zijn hand tegen het paard. Het duurde even voordat hij de moed wist op te brengen om te kijken. Toen hij dat deed, zag hij niets dan de lege weg. Rechts van hem stond het hek van het kerkhof open. Links van hem lag de meent, waarvan het gras boog in de wind. *Ik ben niet bang*, dacht Ren. Toen keek hij snel achter in de wagen. Een van de zakken zat recht overeind.

Het was de grootste zak, de zak die Tom en Benjamin als eerste naar buiten hadden gebracht. De jutezak zat dicht en Ren kon de contouren van een hoofd en schouders zien. De jongen liet de teugels vallen en de zak keerde zich naar hem toe, met de nek iets gedraaid, alsof hij ergens naar luisterde, alsof hij wachtte tot Ren iets zou zeggen.

Ren probeerde Benjamin te roepen, maar hij was zijn stem kwijt. Hij opende zijn mond, maar zijn keel zat dicht. Hij zette een paar langzame stappen in de richting van het hek. Het hoofd van de zak draaide en keek naar hem. De jongen versteende. Hij schuifelde de andere kant op, en het hoofd van de zak volgde ook deze beweging.

Benjamin kwam met kwieke pas het kerkhof af gelopen. Toen zag hij het allemaal. De schep op zijn schouder kletterde op de weg. De zak draaide zich met een felle beweging in de richting van het geluid en boog zich toen voorover in Benjamins richting. Ren wilde het allerliefst wegrennen, maar Benjamin gebaarde met zijn hand dat hij moest blijven waar hij was. Met de andere hand trok hij langzaam zijn mes uit zijn laars, alsof hij de zak in de wagen niet wilde laten schrikken. Alsof zijn leven en dat van Ren en alles wat zich om hen heen bevond – de maan en het paard en de wagen en de doden, alsof dat alles afhing van hoe voorzichtig hij dit deed. Toen was hij in een oogwenk bij het lichaam.

Het paard begon te schuifelen. De merrie schopte met haar benen tegen het hout, wat een harde klap veroorzaakte, en plotseling had Ren zijn stem terug. Tom sloeg zijn hand over de mond van de jongen, maar Ren gilde dwars door Toms vingers heen.

'Alles is in orde,' zei Benjamin. 'Beweeg je niet.'

In de wagen zat een dode man, recht overeind en met open ogen. De jutezak hing als een capuchon over zijn schouders. Zijn hoofd was rechthoekig, kort en vies. Hij was kaal.

'Ik heb honger,' zei de dode man. Er zat modder aan zijn lippen.

'Ja,' zei Benjamin. Hij zag er nerveus uit, maar hij bleef met zijn mes de zak van het lichaam snijden. Hij maakte kleine inkepingen en scheurde de rest los met zijn handen, waardoor er een paarsfluwelen pak zichtbaar was.

'Tjezus,' zei Tom.

Het zand op zijn vingers verspreidde zich over Rens gebit. Ren was opgehouden met gillen, maar hij voelde Toms trillende handen nog steeds aan weerskanten van zijn keel.

De man in het paarse pak zat rechtop in de wagen en knipperde met zijn ogen tegen het maanlicht. Er zaten dikke wallen onder zijn ogen, alsof hij wekenlang geslapen had. Hij had brede, grove gelaatstrekken, een kaak die onder zijn oren uitstak, een neus die eruitzag alsof hij meer dan eens was gebroken. Nu hij rechtop zat, leek hij de hele achterkant van de wagen te vullen. Zijn schouders strekten zich als een muur aan beide kanten van zijn nek uit. Ren zag dat hij zelfs zittend langer was dan Benjamin.

De man sloot zijn ogen en zakte tegen de zijkant van de wagen in elkaar.

'Is hij nu dood?' vroeg Tom.

Benjamin voelde hoopvol aan de nek van de man. 'Nee.'

'Laten we hier wegwezen.'

'We kunnen hem niet achterlaten,' zei Benjamin. 'Dan wordt hij ontdekt.'

'Dan begraven we hem weer. Hij merkt het verschil toch niet.'

Even bleef Benjamin over deze mogelijkheid staan nadenken. Hij wiegde heen en weer; zijn schaduw viel over de man die aan zijn voeten lag. 'We hebben geen tijd,' besloot hij. Hij sprong naar beneden en duwde Ren naar het paard toe. 'Haal een touw voor me. Hij gaat met ons mee.'

Ren vond touw onder de bok en Benjamin begon de dode man vast te binden. Het gereedschap werd afgedekt met dekens. Tom zocht in zijn zak naar de kruik, maar toen hij hem had gevonden en eruit probeerde te drinken, was hij leeg. Hij schoof naast Ren op de bok en nam de teugels over.

'Ga achterin zitten,' snauwde hij.

Ren klom over de plank van de bok. Hij hield zich vast aan de zijkant van de wagen terwijl ze hortend en stotend de straat door reden. De lichamen onder de dekens waren stijf maar gaven toch mee, als stukken hout die net waren gaan rotten. Ren vond het moeilijk om vast te stellen waar het ene lichaam ophield en het volgende begon. Hij klauterde zo snel hij kon over de zakken heen en probeerde zich hun gezichten niet voor te stellen terwijl hij naar de achterkant van de wagen liep.

De dode man droeg geen hemd. Er zaten gaten in zijn paarse pak – kleine gaten waardoorheen stukjes huid en haar zichtbaar waren. Zijn voeten waren bloot, en op de een of andere manier maakte dit dat ook zijn handen er naakt uitzagen. Die lagen geopend op zijn schoot, de vingers dik en droog. Zijn nek stulpte over de kraag van zijn pak heen. De huid zat onder de donkere blauwe plekken.

Ren bleef zo dicht mogelijk bij Benjamin in de buurt. Hij ging op zijn hurken zitten en hield zich vast aan de zijkant van de wagen. Hij telde alles wat zich in de wagen bevond. Er waren drie lichamen, twee dieven, een dode man en hijzelf. Het paard trok hen allemaal vooruit; het geluid van de hoeven weerkaatste tegen de straatstenen.

Benjamin zat op de rand van de wagen, met zijn vingers in zijn haar. Zo nu en dan boog hij zich naar achteren en sloeg hij de dode man hard in zijn gezicht.

'Hé,' zei hij. 'Ben je d'r nog?' Als antwoord kwam er een zwaar, mompelend geluid uit het pak. 'Ik geloof het wel,' zei Benjamin. 'Ik geloof dat je niet meer weg zult gaan.'

ZESTIEN

Met grote moeite droegen Tom en Benjamin de man de trap op. Ren ging vooruit met de lamp, deed deuren open, draaide sleutels om en zei dat ze stil moesten zijn tot hij zich ervan had overtuigd dat mevrouw Sands niet in de keuken was. Het liep tegen vieren – de laatste kille ademtochten van de nacht voordat de ochtend aanbrak. De dode man snurkte nog zachtjes toen ze hem op het bed rolden.

'Wat doen we met hem?' vroeg Tom. 'We kunnen hem hier niet houden.'

'Voorlopig wel,' zei Benjamin. 'We hebben geen keus.' Hij pakte de revolver uit de achterkant van zijn broek en overhandigde hem aan Ren.

'Hou hem in de gaten,' zei hij. Toen blies hij de kaars uit.

Het duurde een poosje voordat Rens ogen aan het donker gewend waren. Hij hoorde de mannen de trap af gaan en duwde het gordijn opzij om ze te zien vertrekken. Hij kon Tom achter in de wagen onderscheiden. Benjamin zat nu aan de teugels, en aan de manier waarop hij zich naar voren boog kon Ren zien dat hij zich zorgen maakte. Als ze de lichamen niet voor zonsopgang bij het ziekenhuis kregen, zouden ze opgescheept zitten met een wagen vol lijken.

Alleen in het donker stond Ren na te denken over de rouwenden die zouden komen bidden bij de lege doodskisten die ze hadden achtergelaten. Achter hem lag het paarse pak te snurken. Het geluid was zwaar en vochtig en werd bij elke uitademing luider, totdat de dode man niet alleen het bed leek te vullen, maar de halve kamer, helemaal tot aan het plafond toe. Ren klom op Toms matras en liet de revolver op zijn knie rusten. Hij liet zijn vinger langs de haan glijden. Het metaal voelde koud aan. Als hij de trekker overhaalde, zou de kogel dwars door het hart van de man gaan. Dat zou hem heus wel tegenhouden. Maar Ren hoopte dat het niet zover zou komen. Wat zou hij tegen mevrouw Sands moeten zeggen als zij zag dat hij iemand had gedood? Ze dacht dat hij een brave jongen was, en hij wilde niet dat ze achter de waarheid zou komen.

Ren liep naar de deur om te luisteren. Het was stil in huis. Mevrouw Sands sliep nog, zich niet bewust van de vreemdeling onder haar dak. Ren ging opgelucht terug naar zijn plek. Een geel spinnetje kroop over de buik van de dode man en bleef even stilstaan voordat het zich verder repte. Ren kwam tot de conclusie dat hier waarschijnlijk een heleboel insecten waren, en dat die nu allemaal in zijn bed zaten.

De mond van de man hing open, en zijn tanden glinsterden in het maanlicht. Ren vroeg zich af hoe het kon dat hij levend was begraven – of een dokter zijn hartslag niet had gehoord, of dat hij een manier had gevonden om zijn geest terug te halen uit de hemel. Dit was iets anders dan toen de heilige Antonius in *De levens der heiligen* een kind uit de dood had opgewekt om de naam van zijn vader te zuiveren. Het voelde in de verste verte niet heilig. Ren reikte over de deken en knipte het spinnetje met zijn duim en wijsvinger weg. Het kwam op de houten vloer terecht en Ren trapte het snel plat. Toen zag hij dat de dode man wakker was.

Ren hief de revolver. Het was zwaar als je die zo in de lucht hield, en zijn hand trilde een beetje.

De man knipperde met zijn ogen. Zijn buik hing over de rand van het bed. Zijn handen lagen onder de zijkant van zijn gezicht, alsof hij het gewend was om geen kussen te hebben. Hij leek nu zelfs nog langer en zag eruit alsof hij net zo makkelijk met zijn voet op een jongen kon gaan staan als op een spin. Rens arm was nu al moe. Hij gebruikte zijn linkerarm om de rechter te ondersteunen – de stomp bevond zich net onder zijn middel.

'Het lijkt wel of je danst,' zei de man. Hij veegde iets uit zijn gezicht. Ren zag een klein insect op de grond terechtkomen. Het had een heleboel poten, waarmee het nu in de richting van de voeten van de jongen rende. Ren tilde zijn schoen op, liet hem weer neerkomen en draaide zijn voet vanaf de enkel heen en weer.

'Kijk, daar ga je weer,' zei de man. 'Waar is de muziek?' Hij had een diepe, rauwe stem, alsof hij in geen jaren iets had gezegd. Er kroop een rilling vanaf de achterkant van Rens benen omhoog, alsof de man naar wie hij keek niet slechts een dag begraven was geweest, maar een eeuw. Het was donker in de kamer, maar rondom de dode man leek het duister rechtstreeks uit hem te sijpelen, als een dikke, kwaadaardige mist. De man deed even zijn ogen dicht. 'Ik heb het koud.'

Ren stopte de revolver onder zijn arm en gooide met een trillende hand een van de dekens van mevrouw Sands over het bed.

'Nou, dat is een traktatie,' zei de man. Toen zweeg hij even, en Ren dacht dat hij misschien weer in slaap was gevallen. Ren liet de revolver zakken en bleef speuren naar insecten. Toen drong het tot hem door dat de man huilde.

Ren had altijd gedacht dat je niet meer huilde als je ouder werd. Nu hij de man zag snikken, besefte hij dat huilen iets was wat nooit ophield. Het bed trilde. Het paarse pak wiegde heen en weer. Er kwam een diep geluid uit de borst van de man – een zware kreun van het soort dat maakt dat mensen zich vooroverbuigen. Ren had deze manier van huilen al eerder gehoord, in de kleinejongenskamer. Zo huilden kinderen als ze een slechte avond hadden, als ze aan hun moeder dachten.

Ren ging op de rand van het bed zitten. Hij kon de damp nu ruiken, zo intens en zo walgelijk dat hij hem bijna kon proeven. Hij raakte door de deken heen de enkel van de man aan en voelde die trekken onder zijn hand. Ren aaide over de voet. Hij bleef rustig zo zitten en streelde de voet, en uiteindelijk hield de man op met huilen.

De stilte die volgde maakte Ren zenuwachtig. De man veegde zijn ogen en zijn neus niet af. Hij liet alles stromen, tot het opdroogde tot kleine riviertjes op zijn gezicht. Het was net of hij nooit eerder in zijn leven had gehuild. De man haalde diep adem, en toen hij uitademde ontsnapte er een zacht piepend geluid uit zijn neus. Hij hoestte.

147

'Ik heb dorst.'

In de gang vond Ren een kom, die hij vulde bij de wastafel, en vervolgens stopte hij de revolver in zijn zak en droeg de kom naar de kamer. Toen hij de deur opendeed, zat de man recht overeind. Hij had zijn jasje uitgedaan. Hij had brede schouders en een breed lichaam, en zijn buik puilde uit onder zijn dikke, harige borst. Zijn voorhoofd was gerimpeld, alsof hij zich inspande om zich iets te herinneren.

'Wat is er met de anderen gebeurd?'

'Die komen zo terug,' zei Ren. Hij stak de kom met water uit en de man pakte hem aan.

Hij had reusachtige handen – drie keer zo groot als die van Ren. De palmen waren hard en gespierd, en zijn dikke vingers stonden ver uit elkaar. Hij dronk met grote teugen, waarbij een ader in zijn gekneusde nek zachtjes klopte. Toen hij klaar was, zette hij de kom op de grond. 'Hoe heet jij?' vroeg hij.

'Ren.'

'Ik heet Dolly.' Hij keek even naar de revolver, en Ren kon zien dat hij aan het afwegen was of hij het wel of niet van hem zou af-pakken. 'Ga je me neerschieten?'

'Ik denk het niet,' zei Ren.

'Mooi,' zei Dolly. 'Want ik geloof dat ik niet meer rechtop kan zitten.'

Ren hielp hem te gaan liggen. Toen hij de deken optilde, zag hij een stuk of tien kruipende dingen op het matras.

Dolly zuchtte. 'Dank je,' zei hij. Hij keek naar het plafond en krabde aan zijn borsthaar. Hij leek zich niet druk te maken over zijn omstandigheden, en ook niet over het feit dat hij begraven was geweest. Zijn borstbeen was bedekt met tatoeages: een anker, en een ketting die twee keer om zijn dikke middel heen liep. De schakels hadden een zwarte rand en waren ongeveer net zo lang als Rens vingers. Toen Dolly ademhaalde, verwachtte Ren half dat ze zouden gaan rammelen, maar ze werden alleen maar uitgerekt en krompen en zwollen zonder geluid.

'Waar heb je die laten doen?'

'In New York.' Dolly liet een enorme hand over zijn borst glijden en ging toen met zijn vinger langs alle schakels van de ketting. 'Philadelphia. Boston.' Hij keek op naar Ren en zijn gezicht verhardde zich. 'Zo houd ik alles bij.'

De manier waarop hij dat zei, had iets wat maakte dat Ren de revolver steviger vastgreep. De damp verspreidde zich nu door de hele kamer, en de jongen begon wanhopig te worden. Hij wilde dat Benjamin terugkwam. Toch kon hij het niet laten om het te vragen. 'Wat doe je hier?'

'Ik ben hiernaartoe gekomen om iemand te vermoorden.'

Ren had het zien aankomen, en nu kon hij amper fluisteren. 'Heb je het gedaan?'

'Nee. Ik kreeg de kans niet.' Dolly klopte op zijn buik op de plek waar de ketting eindigde, alsof hij hem van zijn huid kon trekken. 'Het barst in New England van de haat en rancune, en er zijn een hele hoop mensen die vermoord moeten worden en een hele hoop mensen die iemand zoeken óm ze te vermoorden. Ik doe het al jaren. Ik ben ervoor gemaakt.' Dolly wees naar de rij schakels. 'Er is er eentje voor elke man die ik heb gedood.'

Hij was aan het opscheppen. Zelfs nu de stank van het graf om hem heen hing, zelfs nu hij de insecten van zijn gezicht veegde. Het was Ren duidelijk dat hij geen medelijden met zijn slachtoffers had en dat hij geen spijt had van wat hij in zijn leven had gedaan. De man had iets merkwaardigs – alsof hij niet helemaal uit deze wereld kwam, of uit welke wereld dan ook. Het was angstaanjagend om zo dicht naast een moordenaar te staan, maar Ren probeerde zich ook even voor te stellen hoe het zou zijn: om niets te voelen, om geen schuldgevoel te hebben. Om nooit meer te biechten. 'Heb je zo je nek bezeerd?' vroeg hij.

'Nee,' zei Dolly. 'Ik ben gewurgd.'

Ren keek weer naar Dolly's keel, naar de paarse plekken die op een patroon van vingerafdrukken leken. 'Waarom?'

'Dat weet ik niet precies.'

'Mensen worden niet zomaar gewurgd.'

'Nou,' zei Dolly, 'het zal ook wel érgens om zijn geweest.'

'Deed het pijn?'

Dolly keek peinzend. 'Ze kwamen achter me aan met een touw,' zei hij. 'Twee mannen met oude hoeden. Ze overvielen me in het trappenhuis van een herberg. Ze sloegen het touw om mijn nek en begonnen te trekken. Ik heb een stuk van de reling afgebroken, en daarmee heb ik een van die kerels net zo lang op zijn neus geslagen tot hij losliet. Ik sloeg die ander de trap af, maar hij heeft me eerst gebeten.' Hij tilde zijn arm op en liet een halvemaanvormig patroon zien. Zijn huid zat onder de littekens van beten.

'En toen?'

'Ik heb hun gezichten tot moes getrapt. Die twee komen niet meer terug.'

'Maar jij bent wel teruggekomen.'

'Ja,' zei Dolly. En hij deed iets met zijn gezicht wat een glimlach zou kunnen zijn. 'Toen ik wakker werd, was het ochtend en lag ik onder aan de trap. Ik vroeg me de hele tijd maar af waarom er niemand was gekomen. En toen kwam de herbergierster binnenlopen en zij gilde en ze huilde een beetje en sloot mijn ogen met haar vingers. Ze dacht dat ik een beroving had voorkomen en haar had gered. Ze liet de begrafenisondernemer komen om de andere lichamen weg te halen en betaalde een kist voor me.

De begrafenislui legden een laken over mijn gezicht. Ze stalen mijn schoenen en mijn hemd maar lieten mijn pak zitten. Ze zeiden dat het te versleten was om het te kunnen verkopen. Ik hoorde ze erover klagen hoe zwaar ik was. Ik probeerde ze tegen te houden, maar kon mijn armen niet optillen. En toen lag ik in de kist. En toen ging het deksel erop. En toen kwamen de spijkers. Eentje ging zó door mijn oor.' Dolly hief zijn hand op en wees. Op de oorlel zat een aangekoekte rode korst. Achter het oor was het bovenste deel van de keel doorboord, vlak boven de rij paarse plekken.

'Alles scheurde uit elkaar toen ik die spijker in mijn hoofd kreeg. Ik werd opgetild en toen lieten ze me weer zakken. Ik kon het gewicht van de aarde voelen toen ze die in het gat schepten. Het was net alsof er een deken over mijn hoofd werd getrokken.' Dolly zei: 'Tenminste, ik neem aan dat het zo is gegaan.' Terwijl Dolly aan het woord was, kwijlde hij; er vormden zich twee kleine speekselplekken op het kussen, en er zat wit schuim in zijn mondhoeken.

Ren veegde met een punt van de deken het schuim weg. Toen vouwde hij het natte gedeelte om en stopte het in onder het matras. Ren besloot dat Dolly niet lang onder de grond kon hebben gelegen. Misschien een paar uur, misschien een dag, maar het was een wonder dat hij nog leefde.

'Ben ik wakker?' vroeg Dolly kreunend.

'Volgens mij wel,' zei Ren.

Ergens in het huis klonk een zacht gedreun, en Ren wist dat het mevrouw Sands was die de as uit de haard in de keuken haalde. Dolly begon weer te huilen, en Ren aaide weer over zijn voet. Het gesnik van de man was nu zachter. Hij legde zijn reusachtige handen over zijn mond, alsof hij de woorden die hij uitsprak probeerde te vangen.

'Het spijt me.'

Ren wist niet waar Dolly spijt van had, maar hij wist wel hoe het voelde als je iets wilde terugnemen.

'Ik weet het,' zei hij.

Dolly begon in zijn ogen te wrijven. Er zaten strepen op zijn wangen en kin van de tranen, waardoor hij er meelijwekkend uitzag, alsof iemand zojuist aarde in zijn gezicht had gegooid. Hij klemde zijn kaken op elkaar, en plotseling grepen zijn omvangrijke armen de jongen vast. Ren raakte in paniek en bedacht dat hij de revolver moest pakken, maar Dolly greep Rens stomp vast en kneep er hard in, alsof het een hand was.

Ren wist zeker dat hij Benjamin op de trap hoorde. Hij probeerde zijn arm los te wringen, maar Dolly hield stevig vast.

'We zijn nu vrienden.'

Het was geen vraag. Toch gaf Ren er antwoord op. 'Ja.'

ZEVENTIEN

Benjamin kwam na zonsopgang hun kamer binnen glippen. Zijn kleren roken raar, doordringend en zoet, alsof ze doordrenkt waren met sterkedrank.

'Waar is het paarse pak?'

'Onder het bed. Ik geloof dat zijn ogen pijn doen.'

Benjamin tilde een van de dekens op. Toen hij zich ervan had vergewist dat Dolly sliep, deed hij zijn jas open. 'Moet je zien.' In zijn zakken zaten een heleboel geldbiljetten en munten. Het was meer geld dan ze bij de kerk hadden verdiend, of met de gestolen juwelen, of met *Moeder Jones' elixer voor ongehoorzame kinderen.* Het was meer geld dan Ren ooit had gezien.

'Je had ons moeten zien toen we bij het ziekenhuis aankwamen,' zei Benjamin. 'Tom had de bibbers, en ik dacht dat we nooit binnen zouden komen. Maar de dokter wachtte ons al op, precies zoals je had gezegd. Hij had het geld al klaarliggen.' Benjamin pakte een handvol muntgeld. 'Je brengt me geluk, wist je dat?'

De jongen schudde zijn hoofd. Hij voelde een klein vleugje trots.

'Ik had je eerder moeten ophalen.'

De bankbiljetten werden uitgespreid over het bed, en samen begonnen ze ze te tellen. Ren wist hoe hij moest optellen door gebruik te maken van zijn vingers; zijn duim ging snel heen en weer over de hoekjes. *Vijftien. Zesendertig. Tweeënveertig. Zevenenzestig. Vijfenzeventig.* Hij telde de aantallen bij elkaar op, en Benjamin leek onder de indruk toen hij de biljetten voor de tweede keer telde en op hetzelfde bedrag uitkwam. Toen ze klaar waren, gaf hij een paar dollar aan Ren. Vervolgens maakte hij een knop los van een van de beddenpoten, rolde de rest van het geld op, stopte dat erin en plaatste de knop weer terug.

'Ik ga een paar nieuwe laarzen kopen.' Benjamin ging op het bed zitten. 'En jij? Nog een sinaasappel?'

Ren hield de biljetten bij zijn neus en snoof. Het geld rook naar geldkistjes, vieze vingers en muskus. Het duizelde hem van alle spullen die ermee waren gekocht en verkocht: nieuwe kleren en perziken en hoefijzers en timmerhout en boeken en linten en koekenpannen. Hij sloot zijn ogen. Hij was te moe om iets te bedenken.

Benjamin haalde zijn mes uit zijn laars. Hij deed het open en maakte het lemmet schoon met de zoom van zijn hemd. 'Hier,' zei hij, 'neem dit maar tot je iets weet te bedenken.'

Ren had het mes eerder gezien, maar nooit van dichtbij. Er was een beer in het gevest gegraveerd; zijn poten reikten eromheen alsof hij in een boom klom. De kop van het dier rustte met een slaperige uitdrukking op het uiteinde; de ogen waren twee keer zo groot als de snuit. Ren streek met zijn vinger over de punt van het mes. Die was scherp en glom, en wierp een klein lichtvlekje op zijn gezicht.

'Dat is de eerste keer dat ik je zie lachen,' zei Benjamin.

Ren láchte ook. Hij kon niet ophouden. Hij voelde de koele ochtendlucht tegen zijn tanden, en zijn kaken verstrakten tot het pijn deed. Het was meer dan een geschenk – hij had het verdiend. Benjamin had erop vertrouwd dat hij de nacht door zou komen, en hij had het gered.

Er klonk een fabrieksfluit, gevolgd door een andere. Ren hoorde de laarzen van de muizenvalmeisjes die naar hun werk gingen. Eén paar laarzen bleef even staan voor hun deur en liep toen de trap af. Ren wierp een blik uit het raam en zag tientallen meisjes gekleed in het blauw door de straat rennen, met hun omslagdoeken om hun hoofd. Het regende.

Er klonk een kreun van Dolly vanonder het matras. Plotseling kwam het bed omhoog en zweefde het even door de lucht voordat het weer op de grond terechtkwam. Benjamin en Ren gingen tegen de muur staan en wachtten tot ze de man weer hoorden snurken.

'Wat doen we met hem?' fluisterde Ren.

'Tom heeft zijn aandeel linea recta naar de kroeg gebracht. Die gaat het de komende paar weken op een zuipen zetten.' Benjamin ging op het andere bed zitten en knoopte zijn jas open. 'We zullen een extra paar handen nodig hebben.'

'Dus we houden hem?'

'Als het kan.'

'Ik geloof dat hij een moordenaar is.'

'Dat zou handig kunnen zijn.' Benjamin leunde achterover in de kussens. 'Zolang hij óns maar niet vermoordt.'

Toen Ren weer wakker werd, scheen de zon fel door de gordijnen. Hij wist niet of er dagen of uren waren verstreken. Naast hem op het bed voelde hij de warmte van Benjamins lichaam. Hij hield de revolver in zijn hand. Benjamin had gezegd dat hij Dolly in de gaten moest houden, maar Ren was in slaap gevallen. Nu had hij een stijve nek doordat hij tegen het hoofdeinde had gelegen, en zijn vingers tintelden.

De jongen draaide zich om. Het matras aan de andere kant van de kamer was nog steeds leeg, en zat waarschijnlijk vol beestjes. Eronder, op de vloer, lag een stapel dekens. De deur stond open en Dolly was weg.

Ren gooide de dekens van zich af. Hij keek in de kast en uit het raam, schoof dat in paniek omhoog en boog zich voorover om op straat te kijken. Hij trok de deur open en rende de trap af. Hij bleef staan toen hij een zacht schrapend geluid uit de keuken hoorde komen. Er klonk ook gestommel. En gedempt gebons.

De jongen deed langzaam de keukendeur open. Dolly zat op een kist naast de open haard, met zijn jasje aan. Dat was aan de bovenkant dichtgeknoopt, terwijl aan de onderkant zijn buik eruit stulpte. Hij zat een kom havermoutpap te eten, met een lepel die in zijn hand piepklein leek.

'Zoek je die vrouw?'

Ren knikte.

Dolly bonsde op de zijkant van de kist.

'Laat haar eruit!' riep Ren. Hij griste de kom weg en gaf Dolly een duw om hem van de kist te krijgen. 'Mevrouw Sands!' Hij hield zijn mond tegen het sleutelgat.

Dolly ging staan en Ren tilde het deksel omhoog. Mevrouw Sands zat in de kist, zonder schoenen en met gebogen knieën. Er was een sok in haar mond gestopt. Haar huid was bleek, maar haar ogen schoten vuur en ze knipperden tegen het onverwachte licht terwijl Ren de vochtige wol uit haar mond trok.

'WIE IS DAT?' schreeuwde ze, met een keel die onder de rode vlekken zat. Ren had haar niet eerder zo hard horen schreeuwen. Mevrouw Sands werkte zich omhoog uit de kist en kroop de vloer op. Toen begon ze te hoesten – een diepe, trillende hoest die iets vochtigs en zwaars in haar borstkas losmaakte. Op handen en voeten stak ze een arm uit naar de pook en begon Dolly tegen zijn been te slaan.

De dode man keek met knipperende ogen naar haar, maar verroerde zich niet.

'Sla hem niet zo!' Ren probeerde de pook uit haar handen te trekken, maar mevrouw Sands hield hoestend stand en bleef doorslaan. Dolly pakte zonder enige moeite haar armen vast en legde een hand over haar mond; zijn hand reikte van oor tot oor over haar gezicht.

'Daarom heb ik haar in die kist gestopt.'

Mevrouw Sands zwaaide met haar voeten.

'Laat haar los!'

De jongen probeerde Dolly's vingers los te wrikken van haar mond, maar net toen hij een duim had weten los te krijgen, kwam Benjamin de keuken binnen gerend, met een bijbel in zijn hand. Hij smeet het boek naar Dolly, die mevrouw Sands verrast liet vallen.

'Dat is onze pensionhoudster,' zei Benjamin. 'De pensionhoudster raak je niet aan.' Toen begon hij tegen de dode man uit te varen alsof hij een kind was.

Dolly ging tegen de haard aan staan. 'Ik wilde alleen wat eten,' zei hij.

Ren hielp mevrouw Sands op de bank. Haar lichaam voelde iel aan in zijn armen. Toen ze eindelijk weer op adem was gekomen, kreeg ze een nieuwe hoestaanval. Benjamin ging water voor haar halen en kwam met een bezorgde blik naast haar staan.

'DIE MOORDENAAR HEEFT ME IN DE KIST GESTOPT!'

'Mijn lieve mevrouw Sands,' zei Benjamin. 'Er is een heel goede reden waarom hij u daarin heeft gestopt.'

Ze draaiden zich allemaal naar hem toe om zijn verklaring te horen. Dolly greep het boek vast. Ren beet op zijn lip, en de pensionhoudster staarde naar Benjamin alsof hij zijn verstand had verloren.

'Deze man is onze neef en een rondreizende predikant,' zei Benjamin. 'Hij hoorde van de dood van mijn zus en is ons komen zoeken.'

Mevrouw Sands snoof een keer naar het paarse pak en wapperde toen met haar hand voor haar gezicht. 'HIJ STINKT NAAR STRONT.'

'Het is interessant dat u dat zegt,' zei Benjamin. 'Hij is namelijk door alle mogelijke vormen van ontlasting, van mens en dier, hiernaartoe gekomen; hij is met zijn bijbel door het hele land gereisd terwijl hij de heidenen van het bos bekeerde. En in datzelfde bos ontmoette hij een indiaanse prinses, die Gelukkige Veder heette en zijn christelijke echtgenote werd. Maar Gelukkige Veder bleef niet trouw aan Jezus, en terwijl onze neef Gods Woord verkondigde, ging zij ervandoor met een medicijnman uit een andere stam.'

Dolly bekeek aandachtig de bijbel die Benjamin hem had gegeven en draaide hem rond in zijn handen. Ren keek naar mevrouw Sands en vroeg zich af wanneer het tot haar zou doordringen dat Dolly het boek ondersteboven hield. De pensionhoudster rommelde rond op de vloer om haar schoenen te zoeken, maar ze had haar hoofd in de richting van Benjamin gedraaid om te zien welke woorden hij uitsprak, en op haar gezicht was een mengeling van kwaadheid en ongeduld te zien.

'Sindsdien is onze neef half krankzinnig naar haar op zoek, levend van de hand in de tand. En toen zag hij u vanmorgen, en u zag er zo prachtig uit, net als Gelukkige Veder, en toen raakte hij even buiten zinnen. Hij was bang dat zijn vrouw opnieuw op de loop zou gaan. Daarom heeft hij u opgesloten in de kist. Hij deed het uit liefde.' Met zijn ene hand trok Benjamin Dolly's jas recht, terwijl hij met de andere een beetje havermoutpap van zijn borst veegde. 'Heb een beetje medelijden, mevrouw Sands.'

'GEEF HIER,' zei de pensionhoudster. Ze griste de bijbel uit Dolly's handen. Ze bekeek de bladzijden, die goudomrand waren en versleten in de hoeken. De letters waren heel klein en ze keek er fronsend naar, en toen weer naar Dolly. Ze legde de bijbel neer. Toen pakte ze haar bezem en begon hun er allemaal van langs te geven. Ze sloeg Benjamin een keer in zijn gezicht en Dolly op zijn schouders. Ren dook in elkaar en ze raakte hem tegen zijn benen met de steel. 'JULLIE ZIJN ALLEMAAL VAN HET ERGSTE SOORT!'

De groep trok zich snel terug; Ren rende voorop terwijl een verwarde Dolly hen in de achterhoede probeerde bij te houden. Ze stormden naar de voordeur en struikelden de straat op, terwijl mevrouw Sands met de bezem in haar hand achter ze aan stormde. 'IK LAAT ME NIET IN EEN KIST STOPPEN!' schreeuwde ze. Met die woorden smeet ze de deur zo hard dicht dat de klopper uit zichzelf begon te kloppen.

Buiten in de goot bleven ze met z'n drieën staan. Ren wreef over zijn benen. Dolly strekte zijn gigantische vingers. Benjamin plukte wat stro uit zijn haar.

'Nou,' zei hij, 'dat was me het begin wel.' Hij stak zijn hand uit en stelde zich aan Dolly voor. 'Welkom terug in de wereld.'

Zijn hand verdween tot aan de pols. Toen Dolly Benjamin eindelijk weer losliet, boog Benjamin zijn vingers in een poging de bloedstroom weer op gang te brengen. De latemiddagzon scheen helder en fel, en Dolly kneep zijn ogen dicht. Hij leek gedesoriënteerd door de mensen die voorbijkwamen, door de bedrijvigheid van de rijtuigen in de straat. Hij liet zijn schouders hangen en schuifelde dichter naar Ren toe.

'Hij schijnt je te mogen,' zei Benjamin, terwijl hij een wenkbrauw optrok.

Ren voelde zich opgelaten. 'Misschien wel.'

Benjamin veegde over zijn jas alsof het hem niets uitmaakte. Hij haalde een laatste strootje van de kraag. 'Het wordt tijd om Tom uit de kroeg te halen.'

De markt stond op het punt om te sluiten – de groenteventers herschikten hun fruit en groenten om de verrotte stukken te verbergen. De bakker maakte toast van uitgedroogd brood. De slager op de hoek kookte overgebleven botten.

'Ik heb honger,' zei Dolly.

'Je hebt net gegeten,' zei Ren.

'Ja,' zei Benjamin. 'En wij hebben niks gehad.'

Dolly ging op de stoep zitten, met zijn hoofd in zijn handen. Mensen begonnen te staren, en opeens zag Ren dat hij hier absoluut niet op zijn plaats was. Een oude vrouw in lompen kneep haar neus dicht toen ze voorbijliep. Een jongen boog zich voorover uit een voorbijrijdende koets en wees naar het paarse pak. Op de straathoek een eindje verderop stond een groepje soldaten te roken. Een van hen wilde een sigaar opsteken, maar stopte toen. Hij wees naar hen met zijn kin. Toen liet hij de lucifer vallen.

'Wegwezen hier,' zei Benjamin.

'Ik ga nergens heen,' zei Dolly.

'Het moet,' zei Benjamin. Hij hield zijn gezicht afgewend van de soldaten. Ren zag dat hij langzaam in beweging kwam; eerst schoof zijn ene voet een stukje over de stoep en vervolgens de andere. Het zou niet lang duren voordat hij hen allebei zou achterlaten.

'Alsjeblieft,' huilde Ren. 'Alsjeblieft, Dolly.' Hij pakte het paarse pak vast en sloeg toen zijn armen om de schouders van de man. Ren begroef zijn gezicht in het doorweekte fluweel en voelde toen een klopje op zijn rug.

'Goed, goed,' zei Dolly. 'Maak je niet dik.'

Ze maakten Dolly schoon achter een verlaten kerk, wasten hem met water uit regenbakken en dumpten zijn pak bij het vuilnis. Dolly protesteerde niet. Hij wierp een laatste treurige blik op het paarse fluweel en boog toen zijn gezicht naar voren zodat het geschoren kon worden. Benjamin pakte het beernmes van Ren en ging aan het werk. Hij sneed bijna niet in de huid. Zo zonder snor, en met zijn lange pantalon, zag Dolly er een stuk beter uit dan eerst – zijn wangen bloosden en zijn kale hoofd glom. Het was alsof hij nooit dood was geweest.

Ze besloten dat Dolly een vermomming nodig had, in elk geval zolang hij in North Umbrage was. Benjamin tilde Ren door een kapot raam van een verlaten kerk om nieuwe kleren te zoeken. In de kerk waren de kerkbanken verwijderd, en het glas in lood was weggehaald, maar de katheder was er nog, evenals een stapel gebedsboeken. De jongen begon een kast achter het altaar te doorzoeken. In een koffer vond hij kostuums van een indianentoneelstuk: de stoffige kop van een ezel, een babypop met een halo van ijzerdraad om het hoofd, en een grof, bruin herdersgewaad dat over de grond viel.

'Een priesterboord was beter geweest,' zei Benjamin toen ze Dolly eenmaal hadden aangekleed.

'Hij is geen priester,' zei Ren, 'hij is een monnik.' En op de een of andere manier leek dat te kloppen. De jongen herinnerde zich een groep kapucijnermonniken die een keer Saint Anthony had bezocht en tot de volgende ochtend was gebleven. Het waren merkwaardige, ruige mannen. Ze aten niet. En ze sliepen buiten op de stenen binnenplaats, zonder dekens. Ren had ze bekeken vanuit het raam van de kleinejongenskamer. Ze lagen opgerold op hun uitgespreide gewaad. In het maanlicht hadden ze eruitgezien als gevallen engelen.

Ren probeerde zo goed als hij kon het verschil uit te leggen tussen God en de Heilige Geest, het onzevader en het eer aan de vader. Ze hadden geen rozenkrans die ze konden gebruiken, maar Benjamin haalde een halssnoer van nepdiamanten tevoorschijn, en daarmee liet Ren Dolly zien hoe hij een weesgegroetje moest opzeggen, hoe hij een tientje van de rozenkrans moest bidden en hoe hij de geheimen moest naleven – de blijde, de droevige en de glorievolle.

Dolly hield een kraal tussen zijn vingers. Hij keek Ren met een uitdrukkingsloze blik aan. 'Dat onthoud ik nooit.'

'Geeft niet,' zei Benjamin. 'Je hoeft alleen maar dit te doen.' Hij tekende met zijn vingers een onzichtbaar kruis in de lucht. 'Dan hoef je niks te zeggen.'

Dolly maakte een kruisteken.

'Prima,' zei Benjamin.

Hij deed het opnieuw.

'Goed zo!' riep Ren uit.

Door deze aanmoediging bleef Dolly kruisjes maken, eerst voorzichtig, toen enthousiast, telkens opnieuw, net zo lang tot Ren er zeker van was dat hij met zijn vingers uitdrukking had gegeven aan alle mogelijke emoties.

'Het is maar goed dat wij langs zijn gekomen,' zei Benjamin, terwijl hij met de punt van zijn jas het berenmes schoonmaakte. 'Anders had je nog steeds onder de grond gelegen.'

Dolly bleef roerloos staan, met zijn vinger in de lucht, en nam Benjamin met een koele blik op. Zijn handen vielen langs zijn lichaam en ze gingen open en dicht, open en dicht. 'Moet je er iets voor hebben?'

'O, nee hoor,' zei Benjamin, terwijl hij behoedzaam buiten Dolly's bereik stapte. 'Maar ik vind wel dat je ons op een of andere manier iets schuldig bent. Niet dat ik het type ben dat schulden int.' Hij schraapte zijn keel. 'Evengoed denk ik dat het tijd is om ter zake te komen.'

'Moet er iemand vermoord worden?' vroeg Dolly.

Benjamin leek overdonderd door die vraag. 'Geen sprake van.'

'Dan kan ik je niet helpen.'

Door het kapotte kerkraam viel er een veelkleurige regenboog door de steeg. Benjamin knarsetandde en wreef in zijn handen, op de manier waarop hij dat altijd deed wanneer hij iemand probeerde over te halen om tegen zijn intuïtie in te gaan. 'We hebben nog een extra man nodig,' zei hij. 'Iemand die een handje helpt bij het graven.'

'Ik werk alleen.'

'Er is veel geld mee te verdienen. Waarschijnlijk meer dan jij in een heel jaar krijgt.'

Dolly dacht hier even over na, terwijl hij met de mouw van zijn gewaad onder zijn kin wreef.

Benjamin gaf het mes terug aan Ren. 'Ik zal een drankje voor je betalen,' zei hij, en daar was zijn glimlach, stralend en prachtig. Ren keek toe hoe Dolly er langzaam door ontwapend werd en voegde er zelf een scheve grijns aan toe. Benjamin stak zijn hand uit en schudde Dolly's dikke vingers. 'Ik weet een ideale plek.'

Hij leidde ze over de meent; met zijn ene arm duwde hij Ren vooruit en de andere had hij om Dolly's reusachtige schouders geslagen. Ze kwamen langs een vervallen muziektent en langs een vijver die helemaal onder het kroos zat. Benjamin wees naar de overkant van de weg. In de straat die op de meent uitkwam zat een drukke kroeg. Maar toen ze ernaartoe liepen, hield Dolly in.

'Die mensen,' zei hij. 'Die ken ik.'

Buiten voor de kroeg stonden twee jongemannen een pijp te roken. De een droeg een gleufhoed, en de ander had een onaangename gelaatsuitdrukking en droeg een paar hoge laarzen die waren dichtgeknoopt tot aan zijn knieën.

'Wie zijn dat?' vroeg Benjamin.

'Hoedenjongens,' zei Dolly.

'Zijn ze gevaarlijk?'

'Als ze me zien, komen er problemen.'

Benjamin zoog lucht tussen zijn tanden door. 'Dan krijgen ze je niet te zien.' Hij trok de kap van het gewaad over Dolly's gezicht en voerde hem naar een reusachtige eik. 'Blijf hier,' zei hij. 'En zorg dat je uit het zicht blijft.' Toen pakte hij Ren vast en liep langs de hoedenjongens, regelrecht bar O'Sullivan in.

ACHTTIEN

De kroeg had geen uithangbord van enige betekenis; op een uitstekende granieten rand boven de ingang stonden alleen de naam – Dennis O'Sullivan – en het jaar van de opening. Achter de voordeur hingen lantaarns aan haken langs de muren en aan twee lange kettingen boven de bar. Een oranje gloed viel over de gezichten van de mannen en creëerde schaduwen, met name in de hoeken, waar de lampen lang geleden al waren uitgegaan en niet meer waren bijgevuld. De tafels waren van ruw esdoornhout dat zacht was geworden van het bier en doordat er een eeuw lang op was gekaart. Een hoofd dat op het hout rustte kon het allemaal ruiken: duizenden vieze, vettige handen en de doordringende geur van bier in de houtnerven. Onder de tafels droeg de oneffen vloer de wankele poten van de stoelen. De zware banken zaten vol meskerven. De zittingen vormden zich onophoudelijk naar versleten mannelijke zitvlakken.

De kroeg zat vol. De klanten keken amper op toen Benjamin en Ren zich een weg door de menigte baanden. Er werd weinig gesproken. Dit waren zwijgzame mannen, mannen die al sinds de vorige dag in O'Sullivan waren, en misschien al wel sinds de dag daarvóór.

Benjamin en Ren troffen Tom achter in de kroeg aan, omringd door lege glazen, terwijl hij probeerde zichzelf nog iets te drinken in te schenken. Hij leek jaren ouder geworden. Hij had donkere wallen onder zijn ogen en groeven in zijn gezicht. Ren schoof op de bank tegenover hem en Benjamin pakte de stoel naast het tafeltje.

'We hebben er een nieuwe bij.'

Tom ging geschrokken rechtop zitten. 'Je kunt hem niet houden.'

Benjamin zette zijn voet op de bank. 'Je zei zelf dat we hulp nodig hebben.'

'Iemand heeft hem vermoord,' zei Tom. 'Dacht je dat ze niet in de gaten zullen krijgen dat hij weer rondloopt?'

'Hij heeft de mannen die hem hebben gedood al uit de weg geruimd.'

Tom wendde zich tot de jongen. 'Is dat zo?'

Ren voelde zich er op de een of andere manier schuldig over dat hij antwoord gaf. 'Hij heeft me verteld dat hij hun gezichten tot moes heeft getrapt.'

Tom staarde in zijn lege glas. 'Ik wil niks met een moordenaar te maken hebben.'

'Met zijn hulp kunnen we er twee keer zoveel ruimen.' Benjamin gaf Ren een geldstuk. 'Ga eens een *ale* en een *bitter* voor me halen.'

Ren wilde blijven, maar toen Benjamin hem een tweede blik toewierp, liet hij zich van de bank glijden en liep de kroeg door. Hij wist dat het slechts een kwestie van tijd was voordat Tom overtuigd zou zijn. Maar hij vond het vervelend om Dolly te laten wachten.

Hij trof de waard slapend aan. Het lichaam van de man hing tegen een kruk en zijn gezicht rustte op de bar naast een kom soep. De inhoud was over het hout gestroomd, en over de voorkant van zijn toch al gevlekte en vieze voorschoot; om zijn hoofd heen stond een grote hoeveelheid grote bierglazen. Ren keek om zich heen of iemand hem advies kon geven over hoe hij de man wakker kon krijgen, maar iedereen ontweek zijn blik.

Er kwam een meisje voorbij met een dienblad vol glazen. Ze was een jaar of twaalf en liep behoedzaam maar doelbewust tussen de klanten door. Ze had ringetjes in haar oren en had een enigszins groene, vale huid. Ze bracht het bier naar een tafel met kaartende mannen en kwam toen naar de bar, waar ze haar dienblad begon vol te zetten met lege glazen. Ren gaf haar Benjamins bestelling door.

Het meisje knikte. Haar haar hing in een blonde vlecht over haar rug, en Ren moest aan het meisje denken dat de cent in zijn mond had gedaan, en aan de krullen op haar hoofd die zo zwart waren geweest als kraaienvleugels. Dit meisje was lang niet zo knap, maar haar ogen waren bruin als hazelnoten, en Ren had nog nooit een meisje met hazelnootbruine ogen gezien. Hij sloeg haar gade terwijl ze een klapdeur door glipte. Al snel kwam ze terug met het drinken.

'Hier,' zei ze, en Ren betaalde haar. Ze zette het bier op de bar en tilde toen haar rok omhoog en begon aan een korstje op haar knie te pulken.

'Dank je,' zei Ren.

Het meisje bekeek hem nu aandachtiger. 'Wat is er met je hand gebeurd?'

Ren probeerde iets interessants te bedenken, maar door de kleine blonde haartjes op de dij van het meisje schoot hem niets te binnen. Ten slotte probeerde hij een van Benjamins verhalen uit en zei 'Die is opgegeten door een leeuw. Die kwam uit een circus. En hij heette Pierre.' De woorden klonken vreemd uit zijn mond.

Het meisje stopte met pulken. 'Je bent niet erg goed in liegen.'

Achter haar kwam een golf daglicht naar binnen toen de deur naar de bar open werd geduwd. Drie in het zwart geklede mannen kwamen naar binnen en liepen naar de plek waar Ren stond. Hij was ervan overtuigd dat ze Dolly buiten hadden gevonden en hen kwamen arresteren, maar ze bleven niet bij hem staan, maar bij de waard. De kleinste van de drie reikte over de bar en trok zijn ooglid omhoog. De iris daaronder zag er hard en glanzend uit, als een knikker.

'Ze gaan hier niet lang mee, hè?' zei de man. Hij stak zijn hand in zijn broekzak en pakte er een kleine zak uit, die hij snel over het hoofd van de waard deed en aantrok door een knoop in de nek te maken. 'Waar is de baas?' vroeg hij aan het meisje.

Ze wees naar het achterkamertje, alsof dit soort dingen aan de orde van de dag was in de kroeg.

'Ik laat het aan jullie over,' zei de man tegen de anderen, en toen zette hij zijn hoed recht en liep de klapdeur door.

De doodgravers probeerden het lichaam recht te leggen, maar daar was het te stijf voor, en dus lieten ze het simpelweg op de grond rollen. De waard had de lepel nog in zijn hand. Een van de mannen pakte hem onder zijn knieën en de andere haakte zijn armen onder de oksels en over de borstkas. Iedereen schoof zijn stoel opzij, en de doodgravers liepen met kleine stapjes onhandig naar de deur. De arm van de waard zwaaide in het voorbijgaan tegen hoofden aan. De gasten schermden hun gezicht af en hielden hun ogen op de kaarten of op het inzakkende schuim in hun bierglas gericht.

Toen de twee mannen om een tafel heen manoeuvreerden, struikelde een van hen, en de soeplepel die de waard nog steeds omklemde, sloeg iemands hoed af. De rand van de hoed was zo breed als die van een domineeshoed en er zat een bloedrood lint omheen. De hoed tolde rond alsof de wind er vat op had gekregen en kwam bij de reling van de bar terecht, midden in het zaagsel en helemaal uit vorm. De eigenaar stond op van zijn stoel als een schaduw die zich uitstrekte over een muur.

De ogen van de man stonden te ver uit elkaar. Dat was het eerste wat Ren opviel. Er zat zoveel ruimte tussen de ogen dat het net leek of zijn gezicht was uitgestulpt – een open, lege vlakte. De man had een bleke huid, en lange haren die aan de zijkanten van zijn kin zaten geplakt. Zijn jas was van leer en hij droeg rode handschoenen – hetzelfde rood als het lint van de hoed.

De doodgravers bleven stokstijf staan. Toen de man met de rode handschoenen op hen af kwam, lieten ze de waard op de grond vallen. 'Het gebeurde niet met opzet,' zei een van hen. De ander deinsde achteruit. De gasten aan de omringende tafels pakten hun spullen en verhuisden naar de andere kant van de kroeg. De man met de rode handschoenen zei geen woord. Maar terwijl iedereen toekeek, haalde hij een groot mes uit zijn riem, hield het tegen de pols van de waard en begon de hand van de dode man af te snijden.

Het groene meisje pakte Rens mouw vast en drukte haar gezicht ertegenaan. Hij kon haar warme adem voelen die door de stof heen tegen zijn huid kwam. De arm van de waard schokte heen en weer terwijl de man door het bot sneed. Toen hij klaar was, bukte de man met de rode handschoenen zich om zijn hoed van de grond te rapen. Hij veegde hem af, bracht hem met zijn vingers in vorm en zette hem op zijn hoofd. Toen pakte hij de hand van de waard, die nog steeds de lepel vasthield, en ging ermee terug naar de tafel. Hij wees naar het groene meisje. 'Breng me een kom soep.'

Het meisje haastte zich naar de keuken, terwijl de drinkers zaagsel over het bloed schopten en weer op hun stoel gingen zitten. De doodgravers leken opgelucht. Ze liepen snel om het lichaam heen, hesen het tussen hen in van de grond en haastten zich de deur uit. De deur ging op de klink, het daglicht trok zich terug in de hoeken en de stormlampen straalden hun gloed uit, en alle mannen, allemaal, begonnen opeens te praten, alsof ze hun adem hadden ingehouden tot het lichaam was verdwenen.

Het groene meisje kwam terug met een kom soep in haar handen. Ren keek toe hoe ze zich door de menigte manoeuvreerde. Hij sloot zijn ogen, maar er veranderde niets. Hij zag nog steeds het heen en weer bewegende mes voor zich, het bloederige uiteinde van de arm van de waard. Zijn litteken jeukte zo erg dat het brandde. Hij drukte er hard op. Hij stak zijn nagels erin.

Het vertrek versmalde zich en week terug, net zo lang tot Ren het gevoel kreeg dat hij over de put van Saint Anthony gebogen stond en de echo van het water hoorde weerkaatsen. Op de een of andere manier voerde die echo een doodsangst met zich mee die Ren eerder had ervaren; hij kon zich die nu herinneren, hij was bijna tastbaar, terwijl de stemmen van de mannen in de kroeg in zijn oor mompelden, maar toen pakte het groene meisje hem bij zijn elleboog en zei: 'Zo ga je morsen.'

Hij hield het glas met ale schuin vast. Ren kon zich niet herinneren dat hij het van de bar had gepakt. Hij hield het recht en bedankte het meisje, dat flauwtjes naar hem glimlachte voordat ze weer aan het werk ging. Ren liep onvast op zijn benen terug naar de tafel. Benjamin en Tom keken naar de man met de rode handschoenen, die nu met de hand van de waard zijn soep at.

'We moeten hier weg,' zei Tom.

'Je bent dronken,' zei Benjamin.

'Ja,' zei Tom. 'Maar ik meen het.'

'We gaan nergens heen,' zei Benjamin. 'Nog niet.'

Tom schonk nog een glas voor zichzelf in. 'Ik zit nu al twee dagen in deze kroeg, en ik heb meer gehoord dan me lief is.' Hij keek naar de hen omringende tafels, boog zich voorover en zei met gedempte stem: 'Die muizenvallenman, die McGinty, heeft hier een markt met gesmokkelde spullen. Opium, Franse romans, ansichtkaarten, gouden tanden, whisky, walvisolie, pistolen, ivoren armbanden en lippenstift. Alles wat je maar wilt. Hij regelt het allemaal vanuit zijn fabriek en krijgt een percentage van elke trans-actie. En wanneer hij zijn aandeel niet krijgt, gaan zijn mannen aan het snijden.'

Tom knikte naar de man met de rode handschoenen en maakte toen een verontschuldigend gebaar naar Ren. 'Ik ben gehecht aan mijn handen. Ik wil ze niet kwijt.'

Benjamin reageerde niet. Hij had het te druk met kijken naar de man met de rode handschoenen, die zijn soep zat te eten alsof hij daar iets belangrijks van opstak wat hij al jaren probeerde te leren. Elke keer wanneer de man de hand van de waard optilde, ging Benjamin bozer kijken, tot hij kwaaier keek dan Ren hem ooit had gezien. Hij schoof zijn stoel weg van de tafel en begon zijn jas dicht te knopen.

'Waar ga je heen?' vroeg Tom.

'We doen het nog één keer,' zei Benjamin. 'Nog één keer, en dan vertrekken we.' Hij scheen opeens haast te hebben. Hij gaf Ren de sleutel van hun kamer. 'Jij gaat bij mevrouw Sands smeken of je er weer in mag.'

'En wat doen we met Dolly?'

Benjamin bleef even staan, met samengeknepen lippen. 'Als je er maar voor zorgt dat hij nog niemand vermoordt.' Met die woor-den deed hij de kraag van zijn jas omhoog, en met twee stappen was hij de menigte in geglipt.

Ren friemelde aan de sleutel in zijn hand. Tom schonk twee gla-zen vol met een roodachtige vloeistof en schoof er een van naar hem toe. 'Hier,' zei hij. 'Ik heb er genoeg van om alleen te drin-ken.'

'Ik moet voor Dolly zorgen.'

'Eén glas.'

Ren tilde het glas op. Hij nam voorzichtig een slokje en slikte het door. De alcohol brandde als vuur in zijn mond.

'Hoe heetten die maten van je ook alweer?' vroeg Tom.

'Brom en Ichy,' zei Tom.

'Die van mij heette Christian.'

'Dat weet ik nog, ja.'

Tom ademde puffend uit. 'Het is rot om je maten kwijt te raken.'

Ren stak zijn tong weer in de whisky. Hij wachtte om te zien hoe lang hij de whisky in zijn mond kon houden voordat hij het spul doorslikte. Achter in zijn keel kwam een warme, aangename gloed opzetten. 'Is Benjamin niet je maat?'

Tom schonk opnieuw iets te drinken in. Hij begon brabbelend te praten; de woorden liepen in elkaar over. Ren moest vooroverbuigen en zich goed concentreren om hem te kunnen verstaan.

'Toen ik Benji leerde kennen was hij voortvluchtig, omdat hij gedeserteerd was. En was ik niet onder de indruk van hem? En nam ik hem niet in huis en ontfermde ik me niet over hem, gaf ik hem niet een dak boven zijn hoofd en iets te eten, en hielp ik hem niet in maar ook weer uit de problemen? Ik leerde hem kaarten, en hoe hij zeker kon weten dat een vrouw hem niet bedonderde. En nu zijn onze levens zo met elkaar verweven dat ze ons aan hetzelfde touw zullen ophangen.'

'Heeft hij in het leger gezeten?'

'Hij is eraan verkocht,' zei Tom. 'Zijn oom bracht hem ernaartoe om een gokschuld te kunnen betalen. Het leger stuurde hem naar het westen, en hij zag mannen die aan flarden werden geschoten en die hun eigen buik weer in hun lijf probeerden te duwen.' Tom liet zijn hoofd op tafel zakken en kreunde. 'Hij was nog maar een jongen toen dat gebeurde. Nog maar een paar jaar ouder dan jij.'

Ren zette zijn glas neer. Toen pakte hij het weer op. De onderkant liet een vochtige kring achter op de houten tafel. Een smalle doorlopende lijn. Hij dacht aan Sebastian, die door het deurtje had gefluisterd. *Ik had hem moeten gebruiken. Ik had er een wens mee moeten doen zodra ik hem in handen kreeg.*

Tom beëindigde zijn verhaal, en de jongen wist dat als hij lang genoeg zou wachten, de woorden de kroeg zouden verlaten, zich een weg zouden banen langs de tafels en door de deur naar buiten, en dat het zou zijn alsof hij ze nooit had uitgesproken. Tom leek nu te slapen, met zijn hoofd in zijn armen. Ren gleed van zijn stoel, maar voordat hij weg kon gaan, keek de schoolmeester op.

'Brom en Ichy.'

'Dat klopt,' zei Ren.

'Leuke namen.' Tom liet zijn hoofd weer zakken. 'Laat ze niet los.'

NEGENTIEN

Dolly lag te slapen onder een esdoorn, en Ren vond hem er bijna vredig uitzien. Hij leunde met zijn hoofd tegen de ruwe stam en had zijn kap over zijn gezicht. Het was een warme avond. De bomen op de meent stonden in een rij als pionnen op een schaakbord.

Ren schudde Dolly's schouder heen en weer. Hij schreeuwde in zijn oor. Hij kneep zijn neus dicht en sloeg hem op zijn wang, maar Dolly reageerde niet. Ren ging op het gras zitten en keek naar de ondergaande zon. Zo nu en dan trok hij Dolly's kraag omhoog om zich ervan te vergewissen dat zijn borstkas nog op- en neerging. Ren telde zeventien schakels op de getatoeëerde ketting. Hij probeerde zich voor te stellen hoe het was als er zoveel geesten achter je aan zaten. Het duurde bijna een uur voordat Dolly eindelijk zijn ogen opendeed.

'Hoe lang heb ik geslapen?'

'Wel honderd jaar,' zei Ren.

Dolly voelde op zijn gezicht of er een snor was gegroeid. Zijn scheve grijns verscheen op zijn gezicht. 'Hoe komt het dan dat ik niet oud ben?'

'Dat ben je wel,' zei Ren. 'Je kunt het alleen niet zien.'

De straten waren donker toen ze op weg naar huis gingen. Dolly liep half verdoofd achter Ren aan en struikelde over de stoepstenen. Ren ging hem voor door een steeg en langs een groep soldaten die in een hoek stonden te roken. Hun uniformen waren vies en hun geweren hingen nonchalant over hun schouders. Toen Ren zich omdraaide om te kijken, knikte een van de mannen hem toe en lachte de spleten tussen zijn bruine tanden bloot, en als antwoord maakte Dolly een kruisteken.

Tegen de tijd dat ze bij het pension kwamen, was het vroeg in de avond. De rolluiken zaten al voor de ramen toen ze langs het gebouw over de stoep liepen. Toen Ren de deur probeerde open te doen, bleek die niet op slot te zijn. Het vuur in de keuken was uit. Het mes en de pastei-ingrediënten lagen nog op het aanrecht en de deegrol zat onder de bloem, maar van mevrouw Sands was geen spoor te bekennen. Dolly bleef staan wachten terwijl Ren kasten opendeed, de aardappelmand ondersteboven keerde, de doeken bij de deur opzijschoof en vervolgens de trap op stormde.

'Mevrouw Sands?'

Ren ging kijken bij hun bedden en liep toen naar de overloop op de volgende verdieping. Hij ging de kamer van de muizenval-meisjes in. De ruimte was zo groot dat er vier veldbedden stonden. Aan de muren hingen spiegelscherven. In de kast hingen hun zon-dagse kleren: hun zware laarzen en blauwe jurken ontbraken. Hij schopte een pot rouge om. Hij stommelde nog een trap op, naar de zolder.

Toen er niemand reageerde op zijn gebons, duwde hij de deur open. De kamer was smal en had een schuin dak met twee dakra-men. Daaronder stond een oud houten bed, en daarop lag, languit en met haar keukenkleding nog aan, mevrouw Sands.

Ze had een rood gezicht en de bovenkant van haar kraag was losgerukt. Haar handen zaten onder de bloem. Ren legde zijn hand op haar schouder. 'Mevrouw Sands,' fluisterde hij. Ze begon te schudden, eerst zachtjes en vervolgens harder, zelfs zo erg dat ze bijna op de grond viel. Ren pakte de deken, trok hem over haar lichaam en duwde haar naar beneden, waarbij hij met zijn hele ge-wicht op het matras drukte.

'JE VERMOORDT ME.'

'Ik probeer u te helpen.'

Mevrouw Sands concentreerde zich even op Rens gezicht. Ze stak haar arm uit en greep hem vast. 'HET IS DE VERDRONKEN JONGEN.' De pensionhoudster schudde haar hoofd. Ze trok aan de lakens. 'IK HEB NOG NOOIT IEMAND GEZIEN DIE ZO'N HONGER HAD.'

'Wat hebt u?' vroeg Ren.

'ik zal de kom niet wegpakken, ik beloof het.' Ze pakte zich vast aan zijn arm en probeerde op te staan. 'ik moet het avondeten klaarmaken.' Ze stapte van het bed en begon te hoesten, waarbij haar lichaam dubbelklapte. Ze boog zich voorover, drukte haar handen tegen haar ribben en begon te snikken. Een klein straaltje bloed viel uit haar mond op het tapijt.

'Dolly!' gilde Ren. Hij stormde naar de trap. 'Dolly!'

De trap dreunde, alsof elke tree onder de man bezweek terwijl hij naar boven liep. Dolly stormde de kamer binnen, zijn handen tastend voor zich uit als een blinde.

'Er zit bloed in haar mond.'

Dolly hurkte in zijn monnikengewaad neer op de grond. Hij bekeek de pensionhoudster van top tot teen en raakte toen haar buik aan. Mevrouw Sands kreunde.

'Niet doen!' zei Ren.

'Ze is ziek.'

'Ik weet het,' zei Ren. 'Help me.'

Samen legden ze mevrouw Sands weer op het bed en rolden haar in een deken. Ren had andere kinderen in Saint Anthony vroeger dit soort koorts zien krijgen. Wanneer ze bloed ophoestten, liet broeder Joseph ze naar een afzonderlijke kamer overbrengen. Als de broeders te lang wachtten voor ze een dokter lieten komen, duurde het nooit lang voor er in het veld naast de kapel een nieuw graf moest worden gedolven.

Dolly droeg mevrouw Sands naar beneden terwijl Ren de knop van Benjamins beddenpoot losdraaide. Ze zouden geld nodig hebben, bedacht hij, en hij pakte alles. Het paard en de wagen stonden in de stal; het duurde even voordat ze het dier behoorlijk hadden ingespannen en mevrouw Sands achter in de wagen hadden geïnstalleerd. Ren luisterde naar haar gehoest, pakte de teugels in zijn goede hand en hoopte dat hij zich in het donker de weg terug zou kunnen herinneren.

Na bijna een uur bereikten ze de brug. Ren had drie keer een verkeerde afslag genomen. Dolly had geen richtinggevoel en mevrouw Sands was in een angstige en zweterige slaap gevallen. De jongen kon in het voorbijgaan gedaanten in de stegen zien: figuren die zich rondom een vuur bewogen, een landloper die tegen een muur geleund stond, een oude vrouw die haar rok tot haar middel omhooghield en hem vervolgens liet zakken toen ze hen zag passeren. Hij keek recht vooruit, alsof hij niets van dit alles zag, en toen hij een glimp van de brug opving, slaakte hij een zucht van verlichting. Ze hoefden nu verder alleen nog maar rechtdoor naar het ziekenhuis.

De wagen schudde heen en weer terwijl hij de rivier over reed. Ren keek in het snel stromende water. Hij dacht aan de verdronken jongen en vroeg zich af of zijn geest zou voelen dat zijn oude kleren boven hem voorbijkwamen. Ren hield de teugels stevig vast en begon met God te onderhandelen. Als ze veilig over de brug kwamen, zou hij tien rozenkransen opzeggen. Als ze het tot het ziekenhuis redden, werden het er twintig.

Onder een straatlantaarn verderop stonden twee mannen pijp te roken. De een droeg een gleufhoed, die hij scheef op zijn hoofd had gezet; de ander had een paar hoge laarzen aan die waren dichtgeknoopt tot aan zijn knieën. Het waren dezelfde twee mannen die Dolly buiten bij O'Sullivan had herkend. Ren aarzelde, maar reed door. Toen ze dichterbij kwamen, pakte de man met de hoge laarzen een ronde, platte schijf vanonder zijn arm en sloeg die tegen zijn pols. Met een plofje veranderde de schijf in een hoge hoed. De man zette hem op zijn hoofd, sprong toen voor het paard en pakte de teugels vast.

'Beetje laat voor een catechese, is het niet, vader?'

De man met de hoge hoed kon niet ouder dan twintig zijn. Hij had een glad gezicht en een grenzeloos zelfvertrouwen. Achter hem had de man met de gleufhoed een ketting uit zijn zak gehaald, die hij door zijn vingers liet glijden.

'Ik ben een monnik,' zei Dolly.

'Dat is niet wat ik me herinner,' zei de Hoge Hoed. 'Ik herinner me een paars pak.'

Ren trok aan de teugels. De merrie schudde heen en weer met haar hoofd. Dolly schoof zijn gewaad naar achteren en stapte van de wagen.

'Laat het paard los.'

'We willen alleen maar een zegen,' zei de Hoge Hoed. 'Dan vergeten we misschien dat we je gezien hebben. Je kunt ons toch wel zegenen, monnik?'

Dolly bracht zijn twee vingers omhoog om met het kruisteken te beginnen. Achter hem hief de man met de gleufhoed de ketting op. Die kwam hard in Dolly's nek terecht. Ren schreeuwde het uit, maar Dolly reageerde niet eens. Hij draaide zich gewoon om, pakte de man bij zijn keel en drukte die in. De ketting viel. Dolly duwde de man tegen de lantaarnpaal en ramde zijn schedel er toen tegenaan, telkens weer opnieuw, tot de hoed van de man op de stoep viel.

Ren werd van zijn plaats gesleurd. De man met de hoge hoed gilde in zijn oor, en pas toen realiseerde de jongen zich dat er een mes tegen de zijkant van zijn gezicht werd gehouden. Toen vielen ze allebei voorover en lag Dolly boven op hen. Het was één kluwen van ellebogen en knieën. Ren voelde een steek in zijn wang. Een voet in zijn maag. Hij bedekte zijn gezicht met zijn armen en rolde van de stoep af, de goot in. Boven hem gilde iemand het uit en begon te kreunen, en toen hield het geworstel op en was het stil. De vingers van de jongen raakten iets nats en klefs. Het rook naar rotte vis, en dat was het ook. Ren keek om zich heen. Hij was omringd door koppen en staarten – alle overblijfselen van een dag vissen in de rivier.

Dolly pakte de jongen bij zijn elleboog en zette hem overeind. Het herdersgewaad zat onder het bloed. De man met de hoge hoed zakte op de stoep in elkaar; een van zijn ogen was uit de kas geraakt en er liep een glibberig bloedspoor van zijn wimpers naar zijn oor.

De jongen trilde. Zijn benen waren nat. Hij kon stemmen horen, een schreeuw in de steeg, en de stemmen kwamen dichterbij. Dolly keek rustig de avond in, en de jongen besefte dat hij nog tien mensen op deze manier zou kunnen doden. Ren moest zijn uiterste best doen om niet in paniek te raken. Hij probeerde te bedenken wat Benjamin zou doen.

'Leg ze in de wagen,' zei Ren. 'Nu.'

Samen tilden ze de mannen achter in de wagen, elk aan een

kant van mevrouw Sands. Alle commotie had haar gewekt uit haar koorts. Ze was wakker, en haar gezicht zat onder de rode vlekken. Haar voorhoofd was nat van het zweet.

'ZE STELEN ALTIJD MIJN SPEK!' schreeuwde ze.

'Dat weten we,' zei Ren. Hij trok de dekens over de lichamen.

Mevrouw Sands leek zich beter te voelen nu de mannen bedekt waren. Ze sloot haar ogen weer. 'NET GOED VOOR ZE.'

Ren trok de deken op tot haar kin. Hij pakte Dolly's hand vast. 'Laten we gaan.'

Dolly's vingers waren glibberig; Ren kon voelen dat er nog iets – haar, of huid – aan zijn handpalm zat. *Hij bedoelde het niet zo*, dacht hij terwijl ze weer op de wagen klommen, maar in zijn hart wist Ren dat Dolly het wel degelijk zo had bedoeld, en dat hij het opnieuw en opnieuw zou hebben gedaan. Hierna kon Ren niet meer denken. Hij voelde alleen maar de lucht op zijn klamme huid en rook de geur van vis in zijn kleren. Terwijl de straatlantaarn achter hen verdween, realiseerde de jongen zich dat hij naast een moordenaar zat. De onderhandelingen met God waren afgelopen. Nu ging hij zonder twijfel naar de hel.

Ren spoorde het paard aan, in een poging de afstand tussen de wagen en de stad zo groot mogelijk te maken. Het zou niet lang duren voordat de arm der wet achter hen aan zou komen, voor deze moorden en anders wel voor een andere die Dolly had gepleegd. Rens handpalm begon te zweten toen hij zich voorstelde dat ze gepakt zouden worden. Om de paar minuten keek hij om om zich ervan te vergewissen dat ze niet werden gevolgd. Het duurde niet lang voordat ze het open land in reden. Dolly leunde achterover op zijn plaats, alsof dit alles iemand anders overkwam. De maan kwam tevoorschijn vanachter een wolk, maar het gezicht van de man bleef donker.

'Je hebt ze gedood, Dolly.'

'Het was hun eigen schuld.'

'Dat maakt het nog niet goed.' Er klonk geritsel in het bos langs de weg. Ren draaide zijn hoofd. Hij kon voelen dat de bomen naar hen keken. De eiken en de iepen en de esdoorns torenden met hun zwiepende takken boven de wagen uit. Ren voelde de woorden van de akte van berouw achter in zijn keel, en toen golfden ze naar buiten: *O mijn God, ik heb er oprecht spijt van dat ik tegen U heb gezondigd.* Hij keek even naar Dolly, die omhoogkeek, naar de sterren. 'Jij moet ook biechten.'

'Waarvoor?' vroeg Dolly.

'Voor alles.'

'Dat zou jaren duren,' zei Dolly. 'En dan herinner ik me nog niet eens de helft van wat ik heb gedaan.'

'Als je het niet doet, word je niet gered.' Ren keek even opzij om te zien of dit enige indruk had gemaakt. Tot zijn verbazing zag hij dat dat niet het geval was.

Hij deed zijn best om de zeven zonden uit te leggen, de wederkomst en het einde van de wereld. Hij vertelde Dolly dat de doden zouden verrijzen en zich tussen de levenden zouden begeven, en dat er een dag des oordeels zou zijn waarop Christus zou bepalen wie er naar de hemel zou gaan en wie er voor eeuwig in de hel zou worden geworpen.

'Daar ben ik al geweest,' zei Dolly. 'En ik ben al teruggekomen.'

'Maar het is een zonde,' zei Ren. 'En het is tegen de wet. Je zult de gevangenis in moeten. *Ze zullen je ophangen.*' Hij kon Dolly's onverschilligheid niet begrijpen. Er stak een koude wind op en Rens neus begon te lopen.

Een wolk dreef weg van de maan en Dolly's gezicht kwam uit het donker tevoorschijn. Hij klopte Ren op de schouder. 'Ik heb het al eerder tegen je gezegd: ik ben gemaakt om te doden.'

De mannen achter in de wagen waren stil, alsof ze hiermee instemden. Opeens was Ren bang dat ze nog leefden. Hij liet het paard halt houden en tilde een punt van een van de dekens omhoog. De gleufhoed zat scheef, en de achterkant van de schedel van de man was helemaal opengespleten. Het gezicht van de andere man droop van het bloed; ze hadden zijn hoge hoed op de weg laten liggen. Ren wachtte op een teken, terwijl hij aan één stuk door misselijk was. Dokter Milton had het mis. Niets in hun lichaam was prachtig.

Ren keek de weg af die zich in het donker voor hen uitstrekte.

Verderop was een open plek, en door het gebladerte kon hij in de verte het torentje van het ziekenhuis zien, als een reus die wachtte tot hij gevoed zou worden. De jongen haalde diep adem, bedekte toen de hoedenjongens weer, haalde de wagen van de rem en zette het paard in beweging. Vader John had altijd tegen hem gezegd dat de Dag des Oordeels tijdens hun leven zou plaatsvinden. Maar toen Ren achteromkeek, werden ze door niemand gevolgd, en niets wees erop dat er een oordeel in aantocht was.

TWINTIG

Zuster Agnes stond bij de poort alsof ze hen verwachtte, met haar armen vol nachtspiegels. Ze sloeg ze een voor een tegen de muur van het gebouw leeg en schopte met haar voet aarde over de uitwerpselen. Ze zag er moe uit, alsof ze nooit ophield met werken.

Toen de wagen dichterbij kwam, realiseerde Ren zich dat zuster Agnes tussen hen en de kelder in stond. Hij begon te aarzelen en besloot toen te doen wat Benjamin gedaan zou hebben. Hij glimlachte, zwaaide en gaf de teugels over aan Dolly. Hij trok de rem aan. 'Onze pensionhoudster is ziek.'

Zuster Agnes zette de nachtspiegels neer en opende de poort. 'Als het besmettelijk is, zullen jullie moeten vertrekken.' Ze droogde haar handen aan haar grijze schort en liep voordat Ren haar kon tegenhouden naar de achterkant van de wagen en trok de dekens weg.

Ren verwachtte dat ze zou gaan gillen. Of in tranen zou uitbarsten. Maar nadat ze een vluchtige blik op de dode mannen had geworpen, duwde zuster Agnes ze eenvoudigweg opzij en begon de temperatuur van mevrouw Sands op te nemen.

'Koorts,' zei zuster Agnes. Ze trok de oogleden van mevrouw Sands omhoog. 'Verwijde pupillen.' Ze voelde aan haar nek. 'Gezwollen.' Ze opende de mond van mevrouw Sands en keek tussen de lippen door. 'Infectie.' Ondertussen probeerde mevrouw Sands haar van zich af te slaan, maar zuster Agnes wist haar zonder moeite te ontwijken. Toen pakte ze mevrouw Sands bij de polsen, legde haar oor op de borstkas van de pensionhoudster en bleef even luisteren.

'Komt alles goed met haar?'

'Stil!'

178

'MOORDENAARS!' schreeuwde mevrouw Sands.

Ren voelde dat hij doodsbleek werd. De non negeerde mevrouw Sands echter volledig. Ze bleef nog even luisteren, stond toen op en legde de deken weer goed. 'Je pensionhoudster heeft griep.'

'Is dat erg?'

'Dat kan het zijn. Het wordt overgebracht door vochtig weer. En het is besmettelijk. Ze zal de andere patiënten ermee besmetten. We kunnen haar hier niet hebben.' Ze stopte het lichaam van mevrouw Sands met geoefende efficiëntie aan alle kanten in met de deken. 'Tenzij je geld hebt voor een eigen kamer.'

Ren stak zijn hand diep in zijn zak en haalde het geld eruit dat hij uit de beddenpoot had gehaald. Zuster Agnes pakte de biljetten uit zijn hand en Ren vroeg zich angstig af of het wel genoeg was. Zwijgend telde de non het geld en keek toen naar Dolly, die nog steeds op de bok zat. Hij zat met hangende schouders voor zich uit te staren. Hij had op geen enkele manier laten merken dat hij haar had gezien, of Ren, of iets anders tijdens de laatste vijf kilometer die ze over de weg hadden afgelegd.

'Broeder.'

Dolly keek omlaag naar zuster Agnes.

'Kom je van Saint Anthony?' vroeg ze.

'Ja,' zei Ren, 'dat klopt.'

Dolly maakte het kruisteken en zuster Agnes bekeek hem aandachtig.

'En waar komen die mannen vandaan?'

Het klonk als een beschuldiging, en Dolly's gezicht betrok. Ren kon zien dat hij haar inschatte om te bepalen hoe groot het risico was. De jongen vloog naar voren.

'We hebben ze langs de weg gevonden.'

Ren kon zien dat de twijfels van zuster Agnes toenamen terwijl ze het gewaad van Dolly aandachtiger bekeek. Toen perste ze haar lippen op elkaar, alsof haar vermoedens waren bevestigd. Ze stak haar handen in haar mouwen en knikte naar de achterkant van de wagen.

'Je kunt de anderen naar de opslagruimte brengen. De dokter is bezig met zijn ochtendronde, maar ik weet zeker dat je er een gepaste vergoeding voor zult krijgen.'

Ze stond toe te kijken hoe Dolly en Ren de lichamen in dekens wikkelden en ze naar de kelderdeur droegen. Er zat een luik in de onderkant van de deur dat open kon zwaaien, net als in de poort van Saint Anthony. Ren deed het handvat omhoog en loerde naar binnen. Er zat een lange metalen glijbaan achter om de leveringen te verwerken. Dolly duwde de lichamen een voor een door het luik, en Ren hoorde ze over de glijbaan het donker in glijden.

De eerste ochtendkleuren werden zichtbaar in de lucht toen zuster Agnes hen naar boven bracht, naar de privéafdeling. Dolly liep voorzichtig de treden op, met mevrouw Sands in zijn armen. Ren volgde als laatste. Hij kon de mensen op de openbare afdelingen horen; ze draaiden zich om in hun bed en hun gefluister weergalmde door de hal.

Op de eerste verdieping haalde zuster Agnes een sleutel van de ring aan haar middel. Ze ontsloot een doorgang naar een lange gang met kamers. Voor elke tweede deur was een liefdezuster geposteerd. De meeste nonnen zaten te borduren of te naaien, maar Ren zag dat er ook een paar wat dommelden. Zuster Agnes stootte deze vrouwen aan terwijl ze langsliep, en ze zakten eerst dieper weg in hun stoel voordat ze wakker schrokken.

'Elke zuster heeft twee patiënten om voor te zorgen. De zusters zijn dag en nacht beschikbaar en moeten de maaltijden brengen en het beddengoed verschonen. Als jullie pensionhoudster iets nodig heeft, kan ze de bel laten klingelen en dan komt zuster Josephine.' Een oude, sproeterige non leunde tegen de muur van de lege kamer. Haar habijt was op een merkwaardige manier naar één kant toe gedraaid en haar mond hing open.

'Ik heb een nieuwe patiënt,' zei zuster Agnes.

De ogen van de non schoten open. Ze liep tegen de zeventig; er staken grijze haarstrengen uit haar habijt; ondanks haar leeftijd was ze een stevige vrouw.

'Haal de tobbe en wat water,' zei zuster Agnes. 'Ze zal ontluisd moeten worden.'

Zuster Josephine schuifelde de gang door en rolde ondertussen haar mouwen omhoog over haar forse armen. Dolly legde de pensionhoudster op het bed, terwijl Ren de kamer rond keek. Het was een aangenaam vertrek, met een schone vloer en bloemetjesbehang en ringgordijnen die waren versierd met kantwerk.

'IK BEN GEEN LUIS.'

'Stilte!' zei zuster Agnes. 'Straks maakt ze de andere patiënten nog wakker.'

'Ze kan het niet helpen,' probeerde Ren uit te leggen.

'KNUL!'

'Sst.' Hij pakte de hand van mevrouw Sands vast en kneep erin.

'JE MOET ZIJN AVONDETEN KLAARMAKEN. JE MOET HEM ZIJN SOKKEN BRENGEN.'

Ren probeerde zijn hand over haar mond te leggen, maar mevrouw Sands pakte zijn vingers vast.

'JE MOET ZE BIJ DE HAARD LEGGEN.'

En toen begreep de jongen het: het ging om de dwerg uit de schoorsteen. Mevrouw Sands wist dat hij hem had gezien. Ze wist dat Ren het houten paardje had gestolen. Zuster Agnes haalde een bruin flesje uit haar mouw. Ze hield het onder de neus van mevrouw Sands, die onmiddellijk begon te niezen. 'Je hebt haar van streek gemaakt.'

De deur zwaaide open, en zuster Josephine droeg een kom water naar binnen. 'Opzij!' zei ze tegen Dolly, die achteruitdeinsde tegen de muur, met zijn handen op de plek waar de non hem zojuist een elleboogje had gegeven.

'Ze heeft slaap nodig,' zei zuster Agnes. 'Jullie moeten gaan. Ze zal hier goed verzorgd worden. God zij geprezen.'

Ron boog zich over het bed. De ogen van mevrouw Sands stonden wazig. Haar handen waren slap. Ren kon de binnenkant van haar mond zien. Aan de rechterkant zat een met goud gevulde kies. Zuster Josephine begon aan de spelden in het haar van mevrouw Sands te trekken.

'Hoe lang zal het duren voordat ze beter is?'

'Dat valt niet te zeggen,' zei zuster Agnes.

'Ik kom snel terug,' zei Ren tegen mevrouw Sands. De pensionhoudster sloeg naar de nonnen toen die haar probeerden uit te kleden, en zuster Agnes duwde Ren en Dolly de kamer uit.

'Ik vind het hier vreselijk,' zei Dolly terwijl ze de gangdeuren door liepen.

'Ben je nooit ziek geweest?' vroeg Ren.

Dolly ging op de trap zitten en trok zijn gewaad omhoog. Hij liet Ren een dichtgemaakt gat in zijn dij zien ter grootte van een muntstuk.

'Hoe kom je daaraan?'

'Iemand heeft me neergeschoten,' zei Dolly. Hij streek met zijn vinger langs het gat.

'Waarom?'

'Omdat ik hem wurgde.' Dolly's tong duwde zijn wang naar buiten, en Ren zag dat hij weer liep op te scheppen. Hij liet Ren de plek zien waar de kogel naar buiten was gekomen, aan de andere kant van zijn been.

'De kogel is net langs het bot gegaan,' zei dokter Milton. Hij stond op de overloop onder hen door de spijlen van de leuning naar hen te kijken. Zijn pak was perfect op maat, zijn baard verzorgd, zijn vingernagels waren smetteloos schoon. 'Wat een onverwacht bezoek.'

'We hebben onze pensionhoudster gebracht,' zei Ren. 'Ze is ziek.'

'Heeft ze koorts?' vroeg dokter Milton. 'We hebben hier een paar interessante gevallen gehad. Gisteravond is er iemand aan overleden.' Hij kwam de trap op, boog zich voorover en legde zijn vinger op Dolly's litteken. 'Dit moet buitengewoon pijnlijk zijn geweest.'

Dolly wendde zijn blik af, alsof hij zich geneerde.

Dokter Milton bekeek aandachtig Dolly's reusachtige handen, zijn borstkas, zijn rechthoekige kale hoofd. Hij haalde zijn vinger van het litteken. 'Je hebt vast een fascinerend leven achter de rug.'

Dolly staarde terug.

'Ja,' zei Ren. 'Dat heeft hij zeker.'

De jongen kon voelen dat het ziekenhuis langzaam tot leven kwam, dat de artsen en studenten en patiënten aan hun dag begonnen. Er liep een liefdezuster langs met een dienblad vol verband.

Twee jonge studenten kwamen voorbijlopen over de trap en knikten dokter Milton toe. Ze leken te schrikken van Dolly, die zijn bebloede gewaad over zijn knieën had getrokken.

'Ik wil jullie even spreken,' zei dokter Milton. 'In de operatiekamer graag.' Hij ging Ren en Dolly voor door de gang, langs de rijen schilderijen en zijn eigen portret, waarop hij zo hongerig keek. Het vertrek was leeg, het podium was schoongeschrobd en er was vers zaagsel op gestrooid. De ochtendzon scheen door de dakramen en het licht viel op de rijen banken. Dokter Milton sloot de deur.

'Ik heb jullie levering ontvangen. Ik ben bang dat er een probleem is.'

'Wat is er aan de hand?' vroeg Ren.

'Ze zijn vermoord.' De dokter wees naar zijn ooghoek. 'Hier,' zei hij. 'En hier.' Hij legde zijn vinger op de achterkant van zijn schedel. 'Het bloed is nog maar nauwelijks droog. Ze zijn nog maar een paar uur dood. Wanneer een lichaam zo wordt afgeleverd, moet ik er melding van maken.'

Ren voelde dat zijn litteken begon te jeuken. 'Het was een ongeluk.'

'Dat maakt voor mij geen verschil.'

Er viel een stilte in het vertrek. Ren keek naar Dolly, die bij de deur stond en zijn handen open- en dichtdeed, met gefronst voorhoofd, alsof hij tegen zijn aanvechtingen vocht. Was Benjamin er maar, dacht Ren. Ze hadden een verhaal nodig om zich hieruit te redden. De jongen probeerde iets te bedenken om het uit te leggen. Maar Dolly liep naar de dokter toe en tikte hem op de schouder.

'Ik heb ze gedood,' zei Dolly.

'Pardon?' zei dokter Milton.

'Ik heb ze gedood, en ik heb er geen spijt van,' zei Dolly, en toen wendde hij zich tot Ren, alsof hij zojuist iets geweldigs had gedaan.

'Welnu,' zei dokter Milton, en hij zoog lucht naar binnen. 'Dat is heel interessant.'

De preek die Ren onderweg had gehouden had de waarheid

naar buiten gebracht. Dolly had gebiecht, maar tegenover de verkeerde persoon. Ren kreunde. *Het is afgelopen*, dacht hij. *We zijn er geweest.* Tot zijn verrassing merkte hij dat hij eerder opgelucht was dan bang. Hij ging op de trap zitten, liet zijn hoofd zakken en wachtte tot dokter Milton de politie zou laten halen. Maar de dokter sloeg geen alarm. Hij haalde een aantekenboekje uit zijn zak en begon verwoed op het papier te krabbelen.

'Ik zou je graag willen onderzoeken,' zei de arts tegen Dolly. 'Mag ik?' Hij gebaarde naar de operatietafel die midden op het podium stond. Dolly keek even naar Ren, en toen de jongen zijn schouders ophaalde, liep hij achter de dokter aan de trap af. Dokter Milton veegde wat zaagsel van de tafel en Dolly ging erbovenop liggen; hij strekte zich uit alsof hij een dutje ging doen.

De arts maakte een paar aantekeningen en boog zich toen over Dolly's gezicht. 'Ik ga je hoofd aanraken.'

'Waarom?'

'Om wat metingen te verrichten.' Dokter Milton plaatste zijn vingertoppen aan beide kanten van Dolly's voorhoofd. Toen bewoog hij ze langzaam over de schedel, waarbij hij elke knobbel afzonderlijk onderzocht en zijn duim over het midden ervan liet glijden, alsof de man bij elkaar werd gehouden door de naad die zich daar bevond. De ochtendzon scheen door het dakraam en het hele gezicht van de dokter werd erdoor verlicht.

'Ik heb een keer een reus ontmoet,' zei dokter Milton, 'die een schedel had met precies dezelfde vorm. Toen ik hoorde dat hij ziek was, probeerde ik een regeling met hem te treffen, maar hij weigerde zijn lichaam aan me te verkopen. Hij liet zijn vrienden beloven dat ze hem in een metalen doodskist zouden stoppen en die in zee zouden dumpen. Maar ik heb de begrafenisondernemer omgekocht, en die heeft de kist gevuld met stenen. Hij vormde een geweldige uitbreiding van mijn verzameling.' Dokter Milton liet zijn vinger langs Dolly's kaak glijden. 'Ik heb er nog geen moordenaars bij zitten. Zou ik je misschien kunnen overhalen om mee te doen, om mijn studie naar de omvang van schedels te bevorderen?'

Dolly keek de dokter met knipperende, niet-begrijpende ogen

aan. En toen begreep hij het opeens wel. De donkere mist verscheen weer in zijn ogen, en hij pakte in één vloeiende beweging de arm van de dokter vast en draaide die naar achteren. Dokter Milton schreeuwde het uit en probeerde weg te komen, klauwend met zijn vrije hand. Dolly ging rechtop op de operatietafel zitten en incasseerde de klappen alsof ze niets voorstelden.

De dokter begon te gillen en Dolly legde zijn hand over zijn mond, precies zoals hij dat ook bij mevrouw Sands had gedaan, om het lawaai met zijn vingers te dempen. Ren keek toe hoe dokter Milton werd afgetuigd en herinnerde zich hoe doodsbang hij tijdens zijn eerste bezoek was geweest, toen hij op de rand van dezelfde tafel had gezeten. Hij wachtte nog eventjes, en toen zei hij: 'Zo is het genoeg.'

Dolly liet de arts los. Dokter Milton kwam wankelend van het podium, terwijl hij vloekend zijn arm vasthield. 'Volgens mij heeft hij hem gebroken.'

'U hebt hem bang gemaakt.'

'Ík heb hém bang gemaakt?'

'Het spijt hem. Toch, Dolly?'

'Nee.'

Dokter Milton boog zijn arm en kromp in elkaar van de pijn. Hij rolde zijn mouw omhoog en voelde aan het bot. 'Niet gebroken. Maar wel verrekt. Nu kan ik minstens een week niet opereren. Wil jij dit uitleggen aan mevrouw Fitzpatrick met haar kropgezwel?'

'Niet echt,' zei Ren.

'Het helpt om iemands verhaal te kennen,' zei dokter Milton. 'Dat is het enige wat ik probeerde te zeggen. Als ik weet wat iemands beroep is of wat voor temperament hij heeft, kan ik zien op welke manier dat de groei van zijn lichaam heeft beïnvloed. Of zijn lever ziek is, of zijn hart te klein. Ongerijmdheden verklaren een heleboel.' Dokter Milton hing boven zijn kistje met instrumenten alsof die een zekere bescherming boden. Met zijn vingertoppen trok hij een verband tevoorschijn en begon dat om zijn gewonde arm te wikkelen, helemaal tot aan de pols.

'Ik ben niks anders dan een ander,' zei Dolly.

'Jawel, dat ben je wel,' zei dokter Milton, terwijl hij dreigend met een schaar zwaaide. Ren kon zien dat hij nog steeds bang was. 'Je bent een moordenaar. Een walgelijk iemand.'

De schaar flitste als een seinapparaat. 'De mannen die we hebben gebracht, waren ook moordenaars,' zei Ren.

Dokter Milton scheen geïntrigeerd te zijn, of misschien zelfs gerustgesteld. 'Hebben ze familie? Iemand die ze misschien komt zoeken?'

Ren keek de dokter strak aan. 'Nee.'

'Ik ga niet de gebruikelijke prijs voor ze betalen,' zei dokter Milton. 'En ik wil eerst dat die man van het terrein verdwijnt.'

'Ik laat Ren niet alleen,' zei Dolly.

De jongen legde zijn hand op Dolly's arm. 'Het is maar voor even,' zei hij. 'Wacht buiten op me.'

Dolly knakte met zijn enorme knokkels; het geluid weerkaatste tegen het plafond. Hij wierp dokter Milton een dreigende blik toe en gooide toen zijn lichaam naar voren, van de operatietafel af. Ren zag toe hoe zijn vriend vertrok, en toen hij zich omdraaide had dokter Milton al een mitella voor zijn arm gemaakt. Met wat onhandige bewegingen haalde de man zijn beurs tevoorschijn en stopte het geld in Rens handen. Het was minder dan een derde van wat ze eerder hadden gekregen.

'Jij bent een slimme jongen,' zei dokter Milton. 'Ik snap niet waarom je je met zo'n man inlaat.'

'Hij is mijn vriend,' zei Ren.

'Je zou op school moeten zitten. Je zou natuurwetenschap kunnen studeren. Of je zou een baan kunnen nemen. Iets respectabels.'

Deze mogelijkheden spreidden zich voor Ren uit als speelkaarten op een tafel, en werden toen weer dichtgevouwen, tot er nog maar één optie over was. Hij zou nooit natuurwetenschap studeren; hij zou nooit respectabel worden. Het beste wat hij kon doen, was het pad volgen dat Benjamin hem had laten zien. Dat hoorde nu bij hem. En hij had er genoeg van om braaf te zijn.

'Ik wil niet dat hij hier ooit nog komt,' zei dokter Milton. 'Tenzij je hem als levering brengt. Daar zou ik extra voor betalen.'

Ren stelde zich voor dat de beenderen van Dolly naast die van de reus hingen. 'Ik geloof niet dat hij dat prettig zou vinden.'

'Dat hoeft ook niet,' zei de arts. 'Hij hoeft alleen maar dood te gaan.'

EENENTWINTIG

Ren en Dolly doorzochten mevrouw Sands' laden, waar ze bergen nachtkleding in tegenkwamen, op zoek naar de sokken van de kleine man. Ren verbaasde zich over de grote hoeveelheid, want hij had de pensionhoudster nooit meer dan twee jurken zien dragen: één paarse, één bruine. In haar kast had hij nog een andere gevonden, gemaakt van lichtgrijze zijde, bedekt met papier en bij elkaar gebonden met een lint – hij vermoedde dat het haar trouwjurk was.

Terwijl ze aan het zoeken waren, probeerde Ren de hele tijd te bedenken wat hij tegen Tom en Benjamin moest zeggen. Hij wilde hun alles vertellen over de moordenaars die in het licht van de straatlantaarn hadden gestaan, maar hij was bang dat ze Dolly misschien zouden wegsturen. En dan was er nog het geld dat uit de beddenpoot was verdwenen. Benjamin zou een excuus willen horen, en hoe meer Ren er een probeerde te bedenken, hoe leger het werd in zijn hoofd.

Dolly opende een doosje vol opgerolde en vastgespelde linten. Hij trok het ene lint na het andere los, tot ze allemaal over het bureau rolden. Hij wierp een blik in de spiegel die boven de commode hing. 'Ren,' zei hij. 'Moet je kijken!'

Op de dwarsbalk boven hun hoofd stond een heleboel speelgoed onder een dikke laag stof te wachten tot het ontdekt zou worden: een marionet in de vorm van een aap, een vloot Vikingschepen, letterblokjes, kleine varkentjes, een maanvormig masker, een kasteel met een draak, en een paar vissen die je in en uit elkaar kon halen – de haai verzwolg de witvis. Dolly tilde Ren op zijn schouders en samen veegden ze alles op het bed.

Ren ging het houten paardje halen van de plek in zijn kamer

waar hij het had verstopt en zette het naast het andere speelgoed. Het was zonder twijfel door dezelfde hand vervaardigd. Van de scherpe hoeken van de oren tot het stompe gezicht leek het paard op de dieren waardoor het werd omringd. Zo erg kon de dwerg niet zijn, dacht Ren, als hij al deze dingen had gemaakt.

Ze vonden een tas met breiwerk in een kist die achter het voeteneind van het bed stond. Onderin, verpakt in stijf zeildoek, lag een paar versleten, schone sokken. De hielen en de tenen waren helemaal versleten. Ren kon zien waar het patroon al tientallen malen was hersteld. Hij hield de sokken omhoog en herkende de maat en de stijl. Hij was niet de enige die de kleren van de verdronken jongen droeg.

Dolly begon in de tas met gebreide spullen te rommelen. Hij diepte een bol garen, een paar stopnaalden en een schaartje op. 'Ik heb een bedknop nodig.'

'Waarvoor?'

'Om de sokken te mazen.'

Ze gingen terug naar hun kamer, en Dolly schoof het gerafelde breiwerk over de bedknop. Vervolgens stak hij het garen van de bol in een van de naalden en begon hij verticale rijgsteekjes te maken langs de gerafelde randen. Toen hij klaar was, maakte hij de steken aan beide kanten met een langer stuk garen aan elkaar vast en creëerde zo een vierkantje. Toen maakte hij een knoop en begon hij de andere kant op te werken, onder en boven het patroon en erdoorheen.

'Waar heb je dat geleerd?'

'Van mijn moeder.'

Ren keek toe hoe het patroon onder Dolly's handen verscheen. Het was moeilijk te geloven dat Dolly ooit een moeder had gehad. Hij stopte sokken op dezelfde methodische manier als waarop hij de mannen onder de straatlantaarn had omgebracht: vakkundig en zonder emotie. Hij hanteerde de naald net zo lang tot hij over het hele gat in de teen een subtiel web had geweven. Hij deed hetzelfde met de hiel, waarbij hij zachtjes fluisterend de rijen telde.

'Waarom zou mevrouw Sands voor hem zorgen, denk je?' vroeg Ren.

'Dat weet ik niet,' zei Dolly.

'Hij heeft vast iets vreselijks gedaan.'

'Hij is maar een dwerg,' zei Dolly. 'Ik denk niet dat hij veel gedaan kan hebben.' Dolly legde de eerste sok opzij en schoof de tweede over de bedstijl. Hij zoog aan het uiteinde van het garen, stak het met zijn reuzenvingers in de naald en begon de hiel te stoppen. De bedknop verdween uit het zicht toen hij de draden met elkaar verbond. Ren dacht aan alle vreselijke dingen die Dolly had gedaan. Aan alle vreselijke dingen die hij nog zou gaan doen.

'Ben je nog steeds van plan om hem te doden?'

'Wie?'

'Die man voor wie je bent ingehuurd?'

'Het lijkt me beter van wel, ja.'

'Waarom?'

'Ze hebben me al betaald.' De sok was klaar. Hij trok hem van de bedstijl en gaf hem aan Ren. 'En hij weet dat ik achter hem aan zit. Als ik hem niet te pakken krijg, neemt hij mij te pakken.' Dolly kroop naar zijn plek onder het bed. 'Nu ben ik te moe. Misschien doe ik het morgen.'

Ren boog zich over de rand van het matras. 'Hoe?'

Dolly had zich helemaal opgerold in de ruimte; hij kwam met zijn voorhoofd bijna tegen de lattenbodem. 'Nekken. Nekken zijn het makkelijkst.'

'Gebruik je geen pistool?'

'Dat maakt te veel lawaai.'

Ren liet zich weer op het bed rollen. Hij trok een van de dekens van mevrouw Sands over zijn schouders en keek toe hoe de middagzon langs de muren scheen. 'Wat zou je doen als ik je zou vragen om het niet te doen?'

Dolly zuchtte.

'We gaan weg. Je zou met ons mee kunnen komen.' Ren friemelde met de deken in zijn handen.

'Ik zal erover nadenken,' zei Dolly. 'Maar ik beloof niets.' Na een poosje draaide hij zich op zijn zij, waardoor hij het matras heen en weer liet deinen en Ren samen met het frame van het bed optilde. Het bed landde weer op zijn poten, al was het wel een stukje naar links geschoven, en Ren hoorde dat Dolly's ademhaling steeds luider werd en op een gegeven moment zelfs overging in gesnurk.

Ren staarde naar het plafond en dacht aan de man met de hoge hoed, het zware gewicht van zijn lichaam toen ze het door de kelderdeur van het ziekenhuis hadden geduwd. Hij voelde aan de korst op zijn wang op de plek waar het mes van de man hem had gesneden. Over een week zou de korst verdwenen en de huid eronder roze en nieuw zijn. Ren had Dolly er al toe weten over te halen om te biechten. Als hij hem ervan kon weerhouden nog iemand anders om te brengen, en als hij zou bidden zo hard hij kon, dan zou het misschien net lijken of het nooit was gebeurd.

Toen Benjamin om middernacht nog niet terug was, ging Ren naar beneden om zijn belofte aan mevrouw Sands na te komen. Hij nam hetzelfde dienblad mee naar beneden dat hij haar had zien gebruiken en stelde snel een maaltijd samen van oud brood en gedroogde worst met daarbij een gekneusd appeltje, en hij bedekte het geheel met een servet. Hij zette het dienblad op tafel naast de sokken die Dolly had gemaakt. Toen kroop hij in de aardappelmand en wachtte.

Er verstreek bijna een uur, en Rens benen begonnen te slapen. Net toen hij dacht dat de dwerg niet zou komen, hoorde hij iets in de schoorsteen. Even later kroop de kleine man uit de haard. Ren keek vanuit de aardappelmand toe hoe de dwerg de keuken rondliep, verachtelijk snuivend het servet optilde en rook. Hij liet het droge brood en de worst links liggen en ging met de appel op een kruk bij de haard zitten, waar hij het fruit vakkundig met zijn mes in stukken sneed, die hij zo van de tafel opat. Hij had dezelfde kleren aan die Ren hem eerder had zien dragen: een kort bruin jasje, een groene broek en kleine, onbewerkte laarzen. Toen hij zijn appel op had, kauwde hij op het klokhuis en spuugde de pitten in de haard. Vervolgens likte hij zijn vingers af, maakte de veters van zijn laarzen los, deed zijn sokken uit en pakte de sokken die Ren had neergelegd.

De dwerg inspecteerde de tenen. Hij streek met zijn vingers

langs de hielen. Toen stond hij op en liep tussen de tafels door. Ren probeerde hem vanuit de mand in het oog te houden, maar de dwerg glipte uit het zicht, naar de achterkant van de keuken, waar hij stoelen heen en weer schoof en pannen omverstootte.

Ren luisterde met ingehouden adem. Toen werd opeens zijn haar bijna van zijn hoofd gerukt. Zijn lichaam werd uit de mand gesleurd en op de vloer gesmeten, en de kleine man drukte zijn gruwelijk gerimpelde gezicht tegen het zijne aan.

'Waar is Mary?' blafte de dwerg. Stukjes appel sproeiden over Rens voorhoofd.

'Ik ken geen Mary.'

'De vrouw die hier woont. De vrouw die hier in huis de baas is!'

Ren probeerde zijn haar los te krijgen uit de vingers van de dwerg. 'Ze ligt in het ziekenhuis.'

De man verslapte zijn greep. Hij zag er geschrokken uit. 'Is ze dood?'

'Ze heeft griep. Ze heeft me gevraagd of ik voor u wilde zorgen.'

De dwerg liet de jongen los. Hij pakte het mes op dat hij had gebruikt om de appel te snijden. 'Zie ik eruit alsof ik verzorgd moet worden?' Het lemmet was bijna net zo lang als het heft en had een gebogen punt. De dwerg liep achteruit de haard in en pakte het touw vast. 'Wanneer komt ze terug?'

'Weet ik niet.'

De kleine man leek niet te kunnen besluiten of hij moest gaan of niet. Zijn stem kreeg een klagende klank. 'Ze is nooit ziek.' Hij draaide het touw in zijn handen heen en weer, alsof de ziekte van mevrouw Sands door de schoorsteen achter hem aan zou komen en hem zou weten op te sporen.

Ren realiseerde zich dat de man bang was. Hij pakte het dienblad met eten. 'U moet iets eten.'

De dwerg keek naar het brood en de worst. Toen vormde zich een gedachte op zijn gezicht, en hij liet het touw los en liet het mes in zijn zak glijden. 'Zit de provisiekast op slot?'

Ze openden de deur naar de achterkeuken en troffen een ge-

vulde provisiekast aan. De planken stonden vol met potten zuur-
waren en weckgoed: merkwaardige kleuren en verdachte vormen
die ronddreven in glazen potten. Er was een stuk gezouten vlees
dat in een kaasdoek was gewikkeld, manden vol wortelen en prei,
een klein fust bier, een sliert worstjes die aan een haak hing, bussen
met bloem en bruine suiker en een blik met een etiket erop waar
STROOP op stond.

De kleine man koos een pot met een geelachtig oranje inhoud.
Ren pakte de pot voor hem van de plank en keek toe hoe de dwerg
met zijn mes het deksel openmaakte. In de pot zaten halvemaan-
vormige, zachtroze dingen. De dwerg doorboorde een van de
glimmende stukken met zijn mes en bracht het naar zijn mond.
'Perzik,' zei hij, en hij stak zijn mes in de pot om nog een stuk te
pakken. Hij bood Ren niets aan. De jongen stond toe te kijken
terwijl hij zich afvroeg welke redenen mevrouw Sands had om een
dergelijke gast te tolereren. De dwerg at de pot leeg en likte vervolgens de randen af, stak zijn tong erin en dronk het sap op dat er
nog in zat.

'Geef me er nog een. Die daar.' De kleine man wees naar een
groene pot in de hoek. Die zat vol ingelegde uien. Hij doorboorde
ze met zijn mes, pelde ze laag voor laag af en stak de doorschijnende schillen tussen zijn lippen. Het leek wel of hij nooit uitge-
geten zou raken. Ren reikte hem de ene pot na de andere aan, en
de dwerg at ze allemaal leeg en zette de lege glazen potten naast
elkaar langs de muur van de provisiekast. De jongen vroeg zich af
of hij er een einde aan moest maken, maar hij herinnerde zichzelf
aan mevrouw Sands en aan wat hij had beloofd.

De dwerg begon pas rustiger aan te doen toen hij aan de ha-
ring toe was. Nadat hij het allerlaatste stukje vis uit het blik had
verslonden, stopte hij eindelijk. Hij veegde zijn mond af met zijn
mouw en liet zich tegen de muur zakken. 'Heb jij de sleutel?'

'Nee,' zei Ren.

'We moeten hem vinden. De muizenvalmeisjes zullen het hier
in een uur helemaal leeggeten.' Hij deed zijn riem losser en liet zich
op de grond zakken. 'Allemachtig.'

'Waarom woon je in de schoorsteen?' vroeg Ren.

'Ik woon niet in de schoorsteen. Ik woon op het dak.'

'En mag dat van mevrouw Sands?'

'Dit huis is net zo goed van mij als van haar. Onze moeder heeft het aan ons allebei nagelaten.'

Ren keek de dwerg verbaasd aan, en de dwerg staarde met een harde blik in zijn ogen terug. Het was een blik die bespotting verwachtte en zei: 'Kom maar op.' Ren bedacht dat mevrouw Sands zich, terwijl zuster Josephine haar ontluisde, er alleen maar druk om had gemaakt dat deze kleine man zijn sokken kreeg.

'Is ze overleden?'

De dwerg veegde zijn handen af aan een servet. 'Natuurlijk. Dat doen moeders.'

Ren klemde de lege weckpot vast. Onder zijn vinger kon hij een barst in het glas voelen. 'Het zal daar boven wel koud zijn in de winter.'

'Dat is het ook. Maar het is veilig.'

'Veilig waarvoor?'

'Voor de mensen die iedereen haten die anders is. Zoals ik. Of zoals jij.' Hij knikte naar Rens litteken, en intuïtief trok Ren de arm omhoog in zijn mouw.

'Jij kunt het tenminste nog verborgen houden,' zei de dwerg.

Betrapt wiegde Ren heen en weer op zijn hielen. Toen stak hij zijn stomp weer uit de mouw. De stomp was hard en roze, en zat onder de littekens. Maar hij realiseerde zich dat het er in vergelijking met de dwerg nog niet zo erg uitzag. Niet echt.

De man liet een zachte boer en wreef over zijn kleine buik. 'Ik heb hierboven een huis. En een kachel.' Hij stopte zijn hemd weer in zijn broek en hees zich overeind. 'Wil je het zien?'

'Ja,' zei Ren, en hij realiseerde zich dat het waar was. 'Heel graag.'

De dwerg scheen daar blij mee te zijn, bijna net zo blij als hij was geweest toen hij tot de ontdekking was gekomen dat de provisiekast niet op slot had gezeten. Hij kroop de schoorsteen in. 'Je moet jezelf erdoorheen duwen,' zei hij, terwijl hij het touw vastpakte. 'Je moet steun zoeken met je voeten – één onder je en één overdwars. En probeer je mond en je ogen dicht te houden. Dan krijg je geen roet binnen.' Met die woorden bond hij het touw om zijn middel, stapte op het haardrooster en hees zichzelf het gat in.

Ren keek van onderaf toe en luisterde naar het geluid van de rug van de dwerg die langs de bakstenen schoof. Het leek de man nauwelijks tijd te kosten om boven te komen. Toen was hij verdwenen en werd de bleke lucht zichtbaar, als een raampje in het donker.

Het touw kwam door de lege schoorsteen naar hem toe vallen. Het was niet zwaar, en het uiteinde was gerafeld. Ren bond het om zijn middel, net zoals hij het de kleine man had zien doen. Hij keek even omhoog de schoorsteen in. Die leek langer dan eerst. Hij dook in elkaar, klom op het metalen rooster, schopte de laatste paar grauwe houtblokken opzij en ging de schoorsteen in.

Die was smal, en niet veel breder dan zijn eigen schouders. De zijkanten zaten onder de zwarte vlekken en er zat een dikke, grijze korst op. Ren voelde eraan met zijn vingers. De bakstenen waren nog warm. Hij pakte met zijn hand het touw vast, duwde de elleboog van zijn andere arm tegen de steen erachter, plantte één hiel in de hoek en trok zichzelf omhoog, de schoorsteen in.

Toen hij op ongeveer twee derde was, werd de schoorsteenpijp smaller. Rens lichaam zou er alleen maar diagonaal doorheen passen, met zijn schouders tegen de hoeken gedrukt en zijn hoofd naar één kant gedrongen. Hij kon niet langer zijn knieën optillen om zichzelf naar boven te duwen. Hij hield het touw stevig vast en begon in paniek te raken.

'Ik zit vast!' riep hij.

Ren leunde eerst naar de ene en toen naar de andere kant. Hij gleed een of twee meter naar beneden, waarna hij zijn teen in een spleet wist te klemmen en zijn val wist te stoppen. Er kwam een aswolk van de muren en hij kreeg roet in zijn neus en zijn mond, tussen zijn tanden en onder zijn tong. Zijn armen waren geschaafd en lagen helemaal open, en hij verstuikte op een pijnlijke manier zijn enkel. 'Ik val!'

Hij hoorde de dwerg zeggen: 'Allemachtig.' En toen voelde Ren een ruk aan zijn middel. Eerst langzaam, en vervolgens steeds sneller, werd hij naar de bovenkant van de schoorsteen geholpen, waarbij hij zijn hoofd en zijn ellebogen stootte. Zo nu en dan verloren zijn voeten hun steun en bungelde hij als een vis aan het uiteinde van het touw. Een poosje later was hij het raam door dat door de hemel werd gevormd en kwam hij in de frisse lucht, waar de kleine man zijn jasje vastgreep en hem het dak op trok.

Hij klopte Ren op zijn rug. 'Naar beneden gaat het makkelijker.'

Ren wreef met zijn mouw over zijn gezicht. Hij hoestte en spuugde as uit. Het was bijna ochtend, de zon verlichtte de lucht in het oosten. Vanaf het dak kon Ren de hele stad zien: de muizenvalfabriek, die dreigend boven het stadscentrum uittorende; de rivier, die zich als een beschermende arm om het geheel heen kronkelde. In zuidelijke richting zag hij het marktplein. In het westen liep de brug over de rivier en markeerde een doorgang door het bos. Vlak achter dat bos lagen heuvels. Ergens in die heuvels bevond zich de ingang van de mijn die de levens had geëist van al die mannen uit North Umbrage, en dáár weer achter lag de weg naar het ziekenhuis.

De lucht was hier helderder en de geur minder ranzig dan op straat. Ren dacht aan alles wat hij had gedaan sinds hij Saint Anthony had verlaten, aan elke stap die hem op deze plek had gebracht. Zo voor hem uitgestrekt leek zowel de stad als zijn eigen verleden minder beangstigend. Alles was beter, realiseerde Ren zich, als je er van bovenaf op neerkeek.

De dwerg gebaarde naar Ren dat hij hem moest volgen naar zijn huis, dat vanbuiten niet meer leek dan een hok: een verlaten duiventil gehuld in vodden. Maar vanbinnen was het heel gezellig; de muren hingen vol dierenhuiden. De grond was bedekt met vachten van eekhoorns en wasberen en bevers, en in een hoek lag een groot hertenvel. Er zat nog een kop aan vast, met glazen ogen in de schedel. Dat was vast de plek waar de dwerg sliep, want er lag een kussen en er hingen verscheidene boekenplanken boven.

In een andere hoek stond een kleine potkachel, en daaromheen was de dwerg nu druk in de weer – hij haalde stukjes hout en papier uit zijn zakken en stopte die in het rooster, en hij goot water uit een kleine aardewerken kruik in een gebutste pan en zette die op de kachel. Hij haalde een stuk vuursteen onder een dakpan vandaan waarmee hij een vlam maakte die hij vervolgens aanwakkerde tot een vuur.

De dwerg rommelde in een houten kist en haalde er een zakje met wortelen en bladeren uit, dat hij in de pot met water gooide. Van een plank pakte hij twee mokken. Voorzichtig verdeelde hij het brouwsel dat hij op de kachel had omgeroerd. Ren pakte een mok in zijn hand. De inhoud rook bitter en verbrandde zijn tong.

'Alsem,' zei de kleine man. 'Onze moeder maakte dit altijd voor ons als we ziek waren. Ik zal wat voor je in een pot doen om mee te nemen naar Mary.'

'Waarom breng jij het niet?'

'Ik ga niet van het dak af,' zei de dwerg.

'Waarom niet?'

De dwerg zette zijn mok op de grond. 'Ik ga alleen naar de keuken. Verder kom ik nooit beneden.'

'Ben je nooit eenzaam?'

'Nooit.' De dwerg hoestte.

Ren geloofde hem niet.

Er lagen stapels boeken in de hoek, en op de planken aan de muur lagen er nog meer. Ren liep ernaartoe om de titels te lezen. Verscheidene waren geschreven in het Grieks en het Latijn, en in andere talen die hij niet kon lezen. Er stond een uitgave van de complete werken van Shakespeare op de grond, samen met dichtbundels, een paar romans, een geschiedenisboek over het Romeinse Rijk en een grote, geïllustreerde uitgave van *Don Quichot*. Ren pakte het boek op en sloeg het eerste hoofdstuk open. Het papier voelde dik en zacht aan tussen zijn vingers.

Het water kookte weer. De dwerg pakte het van de kachel en goot de pot vol die hij voor zijn zuster klaarmaakte. 'Sommige boeken waren van mijn vader. Maar de meeste waren van een vrouw die vroeger in North Umbrage woonde. Ze was altijd een beetje raar. Ik zag haar een keer langs de markt lopen, zo het water in. Ze liet haar mand los, en die dreef weg met de stroom. Ze deed nog een stap, en nog een, tot haar jurk van kleur veranderde en zonk. Een paar mannen die aan het vissen waren, trokken haar uit het water. Ik zag dat ze haar terug naar huis droegen. Haar rok sleepte achter ze aan en maakte een lang nat spoor, helemaal vanaf de rivier.'

'Wat is er met haar gebeurd?' vroeg Ren.

'Ze is verdwenen,' zei de dwerg. 'Ze zeggen dat haar broer haar naar een gesticht heeft gestuurd. Ik zag dat haar boeken naderhand werden verkocht op het marktplein, en ik vroeg Mary of ze ze voor me wilde kopen.' Hij boog zich voorover en bladerde naar het titelblad. Daar stond een tekening van Don Quichot, rijdend op zijn afgepeigerde paard, en in een van de hoeken stond een naam gekrabbeld: *Margaret McGinty*. De dwerg liet zijn vinger over het papier glijden. 'Haar broer is de eigenaar van de muizenvalfabriek. Hij heeft een heleboel geld. Maar hij heeft al haar spullen op straat verkocht, alsof ze een of andere misdadigster was.'

Ren sloeg *Don Quichot* dicht en zette het terug op de plank. Hij begreep nu waarom de dwerg bang was. Zonder mevrouw Sands was hij hulpeloos.

Buiten klonk een fluit. De dwerg duwde de deur open. Er steeg rook op vanaf de fabriek. De muizenvalmeisjes snelden de straat op in hun blauwe uniformen – een paar van hen hadden nog een deel van hun ontbijt in hun handen. Ze kwamen uit alle hoeken van de stad en stroomden allemaal dezelfde kant op.

'We moeten de provisiekast afsluiten,' zei de kleine man. 'Als we dat niet doen, eten ze alles op.'

'Betalen ze niet voor hun eten?'

'Ze krijgen twee maaltijden per dag. Maar nu mijn zus weg is, zullen ze alles opeten.'

De ochtend verspreidde zich over de daken, en de zon was zo roze dat de goten ervan glansden. De straten beneden kwamen langzaam tot leven nu de winkels opengingen en de bordelen hun deuren sloten. Alle muizenvalmeisjes waren in de fabriek verdwenen en de deur sloot zich achter hen als een reusachtige muil.

Ren keek naar de rivier die om de stad heen liep. Hij voelde de zoom van zijn jas. De steken daar waren recht en gelijkmatig. Ze liepen langs de naden, over de schouders en langs de mouwen. Ren zag in gedachten mevrouw Sands voor zich, die met naald en draad bezig was en het water uit de kleren van de verdronken jongen wrong tot ze volmaakt pasten.

De dwerg gaf hem de pot, die vol zat met thee. 'Als je Mary ziet,' zei hij, 'wil ik dat je haar ergens aan herinnert.'

'Waaraan dan?'

'Ze heeft gezegd dat ze altijd voor me zou zorgen. Dat heeft ze beloofd toen onze moeder overleed. Beloofd is beloofd.'

Even wilde Ren dat hij met de dwerg kon ruilen. Hij zou het niet erg vinden om op het dak te blijven, dacht hij, als mevrouw Sands altijd aan de andere kant van de schoorsteen was. Hij legde zijn hand op de baksteen en keek naar beneden, het donker in. De schoorsteen was net zo steil als de put van Saint Anthony. Ren duwde de pot dicht tegen zich aan. De thee van mevrouw Sands was zwaar in zijn armen. Hij maakte het touw vast om zijn middel, klom de schoorsteen in, en hoopte dat het touw niet zou breken.

TWEEËNTWINTIG

Het was inderdaad makkelijker om naar beneden te gaan. Ren duwde simpelweg zijn voeten tegen de bakstenen aan de binnenkant van de schoorsteen en liet zich steeds een beetje verder zakken, terwijl hij zich vasthield aan het touw. Slechts één keer gleed hij weg; bijna liet hij de pot vallen toen zijn schouders opeens heel moe werden. Rens ritme was overhoopgehaald; het begin en het einde van de dagen liepen onoverzichtelijk in elkaar over. Tegenwoordig was de kans groot dat hij om vier uur 's morgens wakker was en dat hij zich om twaalf uur 's middags opkrulde in een hoekje om even een dutje te doen. Ren had zich de dagen altijd als iets tastbaars voorgesteld, zoals de wijzerplaat in de studeerkamer van vader John: een halve zon en een halve maan, ochtend en avond. Nu begreep hij dat er geen precies moment was waarop de avond overging in de ochtend – dat er nooit een gloednieuwe dag was.

Toen hij bij de onderkant van de schoorsteen kwam, hoorde hij zachte stemmen in de keuken. Hij liet zich voorzichtig in de haard zakken en zag Benjamin en de Hazenlip. Ze zat bij hem op schoot en lepelde ingelegde vruchten in zijn mond.

Benjamins hand zat onder haar rok. Waar de zijkant omhoog was getrokken kon Ren een van haar zwarte kousen zien. De naad zat los, waardoor de witte huid aan de achterkant van haar knieën zichtbaar was. Benjamin fluisterde het meisje iets in haar oor en ze glimlachte.

'Ik ben al laat,' zei ze. De Hazenlip liet zich met een blos op haar wangen van Benjamins schoot glijden. Toen ze Ren in de haard zag staan, was het moeilijk te zeggen of ze zich geneerde of dat ze kwaad was. Ze griste haar omslagdoek van de kapstok, stak haar tong naar hem uit en ging weg.

Ren wachtte tot de deur dicht was, kroop toen de keuken in en zette de pot met thee op de grond. Hij maakte het touw los van zijn middel en schudde de as van zijn kleren.

'De Kerstman!' zei Benjamin. Hij droeg een nieuwe jas, met een blauwfluwelen kraag die goed kleurde bij zijn ogen, en gloednieuwe laarzen met een ronde voorkant. Het leer was handgemaakt en de veters waren nog helemaal glad.

'Waar ben je geweest?' vroeg Ren.

'Ik ben achter de waard aan gegaan. Hij woonde buiten op het platteland, maar uiteindelijk was het het allemaal waard. Zijn hele gezin is dood. Bezweken aan de koorts.' Benjamin veegde roet van Rens jasje. 'Hoe ben je in godsnaam in die schoorsteen terechtgekomen?'

Ren begon bij het begin. Eerst legde hij uit dat ze mevrouw Sands hadden gevonden, en toen vertelde hij over hun ontmoeting met de hoedenjongens op de weg. Benjamin fronste zijn wenkbrauwen over de moorden en voelde aan de wond op Rens wang. Maar zodra het geld ter sprake kwam, greep Benjamin de jas van de jongen vast en begon zijn zakken te doorzoeken. Hij trok de resterende biljetten eruit en gooide ze op de tafel.

'Waar is de rest?'

'Dat heb ik gebruikt om de dokter te betalen.'

Benjamin duwde Ren van zich af. Hij liep naar de haard en begon houtblokken op het rooster te gooien.

Ren verroerde zich niet en omklemde met zijn vingers de stoel. 'Ze zeiden dat ze dood zou gaan.'

'Het is de bedoeling dat je van andere mensen steelt,' zei Benjamin. 'Niet van mij.'

'Het was geen stelen.'

'Hoe zou je het dan willen noemen?'

Ren herinnerde zich wat Benjamin onderweg had gezegd, nadat ze het paard van de boer hadden gestolen: 'Lenen met goede bedoelingen.'

Benjamin keek hoofdschuddend omhoog, alsof hij een privégesprek met het plafond voerde. Toen gooide hij nog een stuk hout op het vuur. 'Hoor eens even,' zei hij, 'je kunt echt niet voor andere mensen gaan zorgen. Dan worden ze afhankelijk van je, en dan kun je niet bij ze weg als dat nodig is.'

Ren keek toe hoe hij zich vooroverboog om het vuur aan te steken. Dezelfde asgeur had in de keuken van de boer gehangen toen zijn vrouw het vuur had opgestookt en had geprobeerd het hoog genoeg te maken om hun te eten te kunnen geven.

'En als ik nou niet bij ze weg wíl?' vroeg Ren.

'Bij wie?' vroeg Benjamin. 'De dode man?'

'Hij is niet dood. Hij is mijn vriend.'

'Wie houdt zichzelf hier nou voor de gek?' Benjamin gooide een dennentak in de vlammen, en de naalden knetterden en rookten. 'Ik had je niet met hem alleen moeten laten.'

'Maar dat heb je wel gedaan,' zei Ren. Hij pakte de pot met alsem van de grond en zette hem voorzichtig op de keukentafel. 'Ik heb tegen hem gezegd dat hij bij ons kan blijven.'

Het vuur in de haard laaide nu hoog op; de sintels vonkten in de as. Benjamin streek met zijn vingers over zijn kin en zuchtte. Hij trok een stoel dichterbij en gebaarde naar Ren dat hij erop moest gaan zitten.

'Die man is geen vriend van je. Hij is een moordenaar. Als hij het in zijn botte kop krijgt, zou hij ons allemaal kunnen doden.' Ren wilde protesteren, maar Benjamin hief zijn hand op. 'Ik ken zijn soort. Mannen die niets meer voelen. Het ene moment betalen ze een drankje voor je en het volgende moment snijden ze je keel door, of die van een vrouw naast je, of ze zagen zomaar iemands hand af.' Benjamin wreef over zijn neus en keek toen naar de jongen om te zien of hij luisterde. Ren dacht aan de man met de rode handschoenen, die met de hand van de waard had gegeten. 'De enige waarde die hij heeft bestaat uit wat hij voor ons kan doen. Ik heb geprobeerd je duidelijk te maken wat ik weet,' zei Benjamin. 'Wanneer je je aan iemand hecht, breng je jezelf altijd in gevaar.'

Ren voelde de hitte op zijn gezicht. Het was te warm voor een vuur. Hij wist dat mevrouw Sands het zou afkeuren, en hij was bang dat de schoorsteen niet op tijd zou afkoelen en dat de dwerg zijn avondeten niet zou kunnen komen halen. Het kon niet anders dan dat Benjamin het warm had in zijn nieuwe jas, maar hij bleef staan waar hij stond, terwijl zijn voorhoofd vochtig werd, en hij wachtte tot Ren tegen hem zou zeggen wat hij wilde horen.

'Ik ben niet in gevaar.'

'Mooi zo,' zei Benjamin.

Die middag gingen ze Tom zoeken. Ren zocht in O'Sullivan en Benjamin ging langs bij drie bordelen in Darby Street, maar niemand had hem gezien. Op de terugweg naar het pension kochten ze een zak walnoten, die Benjamin vervolgens allemaal opat; zittend aan de keukentafel kraakte hij de ene noot na de andere en haalde het eetbare gedeelte eruit.

'Hij komt heus weer snel boven water,' zei Benjamin. Maar Ren kon merken dat hij zich zorgen maakte.

Ze gingen samen naar boven om te zien hoe het met Dolly was. Ze konden hem in de gang al horen snurken. Benjamin ging op handen en voeten op de grond van de slaapkamer zitten om de man onder het matras te bekijken, als een voorwerp waarvan hij aarzelde of hij het zou houden.

'Het is me een raadsel waarom hij zoveel slaapt.'

'Hij zal het wel nodig hebben,' zei Ren.

Benjamin stond op en klopte het stof van zijn knieën. 'Ik weet niet hoe het met jou zit,' zei hij, 'maar als ik een tweede kans in het leven kreeg, zou ik die met beide handen aangrijpen.'

Er was niet veel in huis voor het avondeten. De muizenvalmeisjes hadden korte metten gemaakt met het ingelegde fruit, precies zoals de dwerg had voorspeld, maar er waren nog wat aardappelen en gezouten varkensvlees over. Benjamin hakte het vlees in stukken en bakte het in reuzel. Hij sneed een paar aardappelen in schijfjes en gooide die boven op het vlees. Toen deed hij er zes eieren bij van de kippen in de tuin en zette de pan in de oven. Toen hij hem er weer uit haalde, was het mengsel hard geworden, en hij sneed het als een taart in stukken.

'Wat is het?' vroeg Ren.

'Iets wat ik in Mexico heb leren maken,' zei Benjamin.

Ren proefde een stukje. Het was een raar, dik goedje. 'Was het daar heel vreselijk?'

Benjamin blies op zijn vork. 'Het was niet best. Maar sommige mannen wenden eraan.'

Ren probeerde zich voor te stellen wat voor mannen dat waren. Toen realiseerde hij zich dat ze waarschijnlijk op Dolly leken. Hij prikte in een stuk aardappel. 'Wist je dat ik naar het leger zou worden gestuurd?'

'Het zou kunnen dat vader John dat gezegd heeft.'

'Heb je me daarom uitgekozen?'

'Onder andere.'

Ren keek op. Hij had het gevoel dat hij hem moest bedanken. En dus deed hij dat.

Even leek Benjamin niet te weten wat hij moest zeggen. Hij schraapte zijn keel en stapelde de borden op. Hij bracht ze naar het aanrecht, zoekend naar een plek om ze neer te zetten, en zette ze toen voorzichtig boven op de rest van de vuile vaat die zich had verzameld sinds mevrouw Sands weg was.

Er werd op het raam geklopt. Benjamin leek opgelucht.

'Daar zul je Tom hebben.'

Ren liep naar de deur, ging met zijn volle gewicht aan de deurknop hangen en zwaaide de deur open. Het ochtendlicht stroomde naar binnen. Hij kneep zijn ogen tot spleetjes en knipperde vervolgens. En toen nog een keer. Want daar stonden Brom en Ichy. Nat, rillend en doodsbang.

'Ik heb je maten meegenomen,' zei Tom. Wankelend op zijn benen duwde hij de tweeling ruw naar binnen. 'Nu zijn we eindelijk een gezin.'

De jongens vielen op de grond en sprongen meteen weer overeind. Ze liepen snel een hoek van het vertrek in, in een poging zo veel mogelijk afstand en meubels tussen zichzelf en Tom in te hebben. Ren vond ze er als bedelaars uitzien, met hun gescheurde hemden, hun te kleine broeken en hun gerafelde jasjes, die vol gaten zaten.

'Ben je gek geworden?' tierde Benjamin. 'Waar hebben we drie jongens voor nodig?'

Tom trok zijn jas uit, gooide hem op de grond en liet zich in een stoel vallen. Ren had hem nog nooit zo uitgeput gezien. Hij kon bijna niet meer op zijn benen staan, en Ren kon zich niet voorstellen hoe het hem was gelukt om helemaal in Saint Anthony te komen, nog afgezien van wat hij vader John allemaal had moeten wijsmaken om de jongens te mogen meenemen. Toen herinnerde Ren zich wat broeder Joseph over Brom en Ichy had gezegd – dat niemand ze ooit zou adopteren – en op dat moment wist hij dat Saint Anthony de tweeling net zo gemakkelijk had overgedragen als ze hém aan Benjamin hadden gegeven.

Tom diepte een doorweekt tabakszakje op uit zijn zak en gooide het op tafel. Uit zijn andere zak pakte hij een kruik. 'Het zijn zijn maten.' Tom sloeg met zijn vuist op tafel. 'Een jongen heeft zijn maten nodig.'

'We sturen ze terug,' zei Benjamin. 'Vanavond nog.'

'Ik ben hun vader,' zei Tom.

'Doe niet zo achterlijk.'

'Jij hebt Ren.'

Benjamin liep naar Brom en Ichy toe, die dicht tegen elkaar aan waren gekropen. Hij pakte ze een voor een bij hun kin en draaide hun gezicht naar het licht. Benjamin schudde vol ongeloof zijn hoofd. Hij gooide zijn armen in de lucht. 'Een tweeling! Nu zullen we achtervolgd worden door pech, ik voel het aan mijn water.'

Brom en Ichy hadden gehuild. Ze hadden rode ogen en een gezwollen, uitgeput gezicht. Ren haakte zijn ellebogen om die van zijn vrienden en trok ze mee de hoek om, de trap op en de slaapkamer in. De tweeling volgde hem gedwee, te uitgeput om vragen te stellen. Op de een of andere manier leken ze jonger dan de jongens die hij had achtergelaten, kinderen nog bijna, ook al waren ze bijna van zijn leeftijd. Ren was blij hen te zien, en zodra ze alleen waren sloeg hij zijn armen om hen heen.

'Hij zei tegen ons dat hij ons naar jou toe zou brengen,' zei Brom. 'Maar we wisten niet of het waar was.' Hij zag er mager en bleek uit. 'Ichy wilde niet meekomen.'

'Welles.'

'Nietes. Hij verstopte zich in de tuin en wilde zijn spullen niet pakken. En onderweg heeft hij de hele tijd gehuild. En vader werd woedend en zei dat hij ons allebei zou wurgen als Ichy niet ophield.'

'Hij zei dat we hem vader moesten noemen.'

'Hij zei ook dat hij ons zou wurgen als we het niet deden.'

Ichy pakte Ren bij zijn jasje. 'Denk je dat hij dat echt zou doen?'

Ren wist dat zijn vrienden al bang genoeg waren gemaakt, dus besloot hij te doen wat mevrouw Sands zou hebben gedaan als die hier was geweest. Hij haalde water waarmee de tweeling hun handen en hun gezicht konden wassen. Uit de kamer van de pensionhoudster haalde hij twee nachthemden en een paar extra dekens. De jongens kleedden zich snel om; ze deden hun modderige kleren uit, kropen toen samen in bed en trokken de dekens over zich heen.

'Hij heeft onze stenen afgepakt.'

'Hij heeft ze weggegooid toen we onderweg waren.'

'Hij zei tegen ons dat vader John een bedrieger was.'

'En hij zei dat God niet bestaat.'

Het matras onder hen begon te trillen. De tweeling keek elkaar onzeker aan. Toen schoof het bed vanzelf heen en weer; het kwam even van de grond, zweefde heen en weer en kwam toen weer op zijn poten terecht. Ichy slaakte een kreet en Brom greep de stijl van het bed vast.

'Het is Dolly maar,' zei Ren. 'Het bed beweegt als hij zich omdraait.'

De tweeling loerde over de rand. Dolly lag onder het bed. Hij had nog steeds zijn monnikengewaad aan. Zijn mond hing open en zijn borstkas bewoog op en neer tegen het matras.

'Waar hebben jullie hem vandaan?' vroeg Brom.

Ren aarzelde. 'We hebben hem op straat gevonden.'

Ichy reikte naar onderen en gaf Dolly een por met zijn vinger. 'Waarom slaapt hij daaronder?'

'Hij zal het wel fijn vinden.'

Ze hoorden Tom beneden tekeergaan. Er klonk geluid van brekend vaatwerk en van een stoel die werd omgegooid. De tweeling keek Ren bezorgd aan.

'Het is helemaal niet zoals we verwacht hadden.'

'Denk je dat hij ons terugbrengt als we het hem vragen?'

'Je zou met ons mee kunnen komen.'

Ren dacht aan zijn leven in Saint Anthony. En aan broeder Joseph en vader John, en de schrobbeurten door de liefdadige grootmoeders, en aan elke ochtend wakker worden in de kleinejongenskamer. Hij herinnerde zich de brief die hij had geschreven, op die eerste avond dat hij alleen was geweest in de kelder. Hij had hem nooit verzonden. Maar nu begreep hij dat dat precies was wat de jongens nodig hadden: goed nieuws.

Ren liet hun zijn nieuwe kleren zien, het jasje en de broek van de verdronken jongen, hoe mooi ze waren versteld, het lange ondergoed daaronder, de sokken die met zoveel zorg waren gestopt. Hij beschreef de ontbijten van mevrouw Sands, boordevol muffins, verse melk, eieren met spek en worstjes, en vertelde dat je twee keer mocht opscheppen, of nog een derde keer, als je wilde. Hij vertelde dat hij naar de kroeg was geweest en whisky te drinken had gekregen, en dat hij net zo laat mocht opblijven als hij wilde. Toen herinnerde Ren zich het speelgoed dat de dwerg had gemaakt. Hij glipte de kamer uit en kwam terug met een armvol speelgoed, dat hij als een lawine van cadeautjes op het bed liet vallen.

De jongens waren te oud voor speelgoed, maar alle angst en uitputting verdween van hun gezicht toen ze de kunstig gesneden houten voorwerpen bekeken. Ze pakten het ene na het andere op en gaven alles aan elkaar door; ze aaiden de kleine varkentjes, openden en sloten de vissen, lieten de marionetten dansen over het hoofdeinde van het bed. Ichy zette het maanmasker op, ging bij het raam staan en zei: 'Ik ben de volle maan!' Toen draaide hij zich op zijn zij en zei: 'Nu ben ik de halve maan!'

Ren keek toe hoe zijn vrienden speelden, maar voelde geen aandrang om met ze mee te doen. Hij herinnerde zich het kapotte soldaatje waarmee ze samen hadden gespeeld en dat nog steeds ergens op de bodem van de put lag, onder al dat water. Niemand wist dat het daar was, behalve de drie jongens in deze kamer.

Ichy stond op zijn tenen en probeerde zichzelf in de spiegel te bekijken. Het masker was te groot voor zijn gezicht. Zijn oog zat op de plek waar de neus had moeten zitten. Aan de andere kant van de kamer beet Brom vol concentratie op zijn lip terwijl hij de Vikingschepen over de dekens liet varen, die hij plooide tot golven van de zee. Er was een storm op komst en er kwam een vloedgolf aan. Hij tilde het uiteinde van het laken op en liet alle schepen kapseizen.

DRIEËNTWINTIG

De kikkers waren verschenen. Eerder had het geregend, en nu klonk er een koor van syncopisch gekwaak. Benjamin zat op de bok, met een lantaarn wankel op de bodem. Tom zat naast hem en Dolly en de jongens zaten achterin, waar ze zich vastklampten aan de zijkanten terwijl de wagen hotsend door de kuilen in het rotsachtige pad reed. Zwoegend torste het paard hun gewicht door de nacht. Om de kilometer bleef het staan, alsof het er volledig de brui aan gaf. Benjamin liet dan de zweep knallen en de merrie ploeterde voort.

'Waar gaan we heen?' fluisterde Ichy.

Ren wierp een blik op Benjamin en Tom, die met hangende schouders in het donker zaten. 'We gaan vissen,' zei hij.

De wagen reed een overdekte brug over die kreunde en kraakte en waar geen einde aan leek te komen. Toen ze aan de andere kant de brug af kwamen, reden ze verder naar het zuiden. Het landschap was hier drassig en rijk aan moerassen. Ren keek naar Brom en Ichy, met hun half angstige en half opgewonden gezichten, en bedacht hoe ver ze van Saint Anthony waren. Hij liet zijn vingers in zijn zak glijden en voelde aan de rand van de kraag. Hij had de kraag altijd en overal bij zich, alsof de drie blauwe letters van zijn naam hem konden beschermen tegen de rest van de wereld.

De bomen bij de rivier maakten plaats voor open, golvende velden. Zo nu en dan scheen er licht uit een huis. Brom en Ichy fluisterden tegen elkaar en staarden naar Dolly, die naast hen slapend tegen de zijkant van de wagen zat geleund. Tom zat voorovergebogen aan het uiteinde van de bok, met een bleek gezicht en een kater. Toen de wagen over een hobbel reed, kreunde hij.

'Het is je eigen schuld,' zei Benjamin.

'Praat niet tegen me,' zei Tom.

'Je houdt ons nog op.'

'Er is niks met me aan de hand. Als je maar ophoudt met praten.'

Het had Tom het grootste deel van de dag en de avond gekost om weer nuchter te worden. Toen dat was gebeurd, was hij de tuin van mevrouw Sands in gestrompeld en had hij urenlang in elkaar gedoken bij een reusachtige rozemarijnstruik gezeten. De tweeling had hem vanuit het raam gadegeslagen; de jongens hadden op hun lip gebeten van de zenuwen. Ren keek naar hun versleten schoenen, hun slecht passende jasjes die met touw bij elkaar waren gebonden. Ze wisten niet waar ze heen gingen, en Ren was niet van plan hen te waarschuwen.

Toen ze bij het kerkhof kwamen, was er geen wachttoren, geen ijzeren hek, geen slot om in te peuteren. De graven lagen onbeschermd in een open veld; ze waren slechts omringd door een lage stenen muur en een eenvoudige houten overstap die was neergezet om koeien tegen te houden.

Benjamin bracht de wagen tot stilstand.

Het begon harder te waaien en boven hun hoofd ritselden de bladeren. Tom liet zich met een pijnlijk gezicht van de wagen glijden. Hij pakte de lantaarn en een van de scheppen, stapte over de muur en baande zich een weg door het vochtige gras. De tweeling klom uit de wagen en ging in de berm staan. Ze keken van Ren naar de begraafplaats en weer naar Ren.

Benjamin maakte de teugels van het paard vast aan een boom en begon de jutezakken uit de wagen te laden. Hij gaf een knikje naar Dolly. 'Maak hem wakker.'

Ren kneep in Dolly's hand. De man opende zijn ogen en klom wankelend uit de wagen. Benjamin overhandigde hem een schep.

'Tijd om ons terug te betalen.'

De schep leek wel een stuk speelgoed in Dolly's handen. Hij fronste zijn wenkbrauwen.

'Alsjeblieft,' zei Ren. 'We hebben je hulp nodig.'

Zodra de jongen dat tegen hem had gezegd, verdween Dolly's besluiteloosheid. Hij pakte de schop zo stevig vast dat het ding leek te breken. 'Laat maar zien waar.'

De mannen klommen over de overstap, Benjamin voorop. Toen ze weg waren, hurkte Ren bij de wagen. Hij deed net of hij iets maakte, zodat hij zijn vrienden niet onder ogen hoefde te komen, maar de tweeling stond binnen de kortste keren achter hem.

'Wat doen we hier?'

'Je hebt tegen ons gelogen.'

Brom greep Ren vast alsof hij de antwoorden uit hem wilde trekken, maar Ren duwde hem van zich af.

'Nu weten jullie het,' zei hij.

Er klonk een schreeuw vanaf de begraafplaats. Benjamin riep Rens naam. De jongens schrokken op uit hun geruzie en klommen haastig over de overstap. Ze troffen de scheppen op de grond aan en zagen dat Dolly Benjamin tegen een boom duwde.

'Christus nog aan toe.' Benjamin bungelde aan het voorpand van zijn nieuwe blauwe jas. Hij zwaaide met zijn benen, maar Dolly liet hem niet los.

'Zet hem neer!' schreeuwde Ren.

'Ik graaf geen doden op,' zei Dolly. 'Niet voor jou. Voor niemand.'

De jas glipte weg en Dolly duwde hem steviger tegen de boom; zijn handen gleden dichter naar Benjamins keel. Ren stortte zich op Dolly's arm. Hij duwde hem met alle macht omlaag, maar de arm bleef waar hij was, onwrikbaar als een boomtak.

'Luister even,' zei Benjamin fluisterend. 'Luister.'

Tom dook op uit de mist, met de zware ijzeren schep over zijn schouder. Hij ging stilletjes achter Dolly staan, beschreef een wijde boog met de schep en sloeg Dolly ermee tegen zijn hoofd. Even bleef Dolly trillend staan; toen zakte hij in elkaar, Benjamin meeslepend. Zijn lichaam stortte met een doffe dreun tegen de grond.

'Haal hem van me af,' tierde Benjamin. Tom en de jongens haastten zich naar hem toe. Ze rolden Dolly van Benjamins benen.

Ren kneep weer in Dolly's hand. Hij riep zijn naam. Toen Dolly niet antwoordde, bracht Ren zijn oor bij zijn mond en luisterde. Even later hoorde hij een ademtocht, een zacht geluid dat klonk als de wind die van het water komt.

Tom boog zich voorover. 'Die zal ergere hoofdpijn hebben dan ik.'

'Je had hem niet hoeven slaan,' zei Ren.

'O nee?' zei Tom. 'Weet jij soms een betere manier om te voorkomen dat hij mensen wurgt?'

Het groepje ging in het donker om Dolly heen staan, luisterend naar zijn moeizame ademhaling. Ren en de tweeling zetten hem met veel moeite zittend tegen de boom aan. Dolly bleef buiten westen, met zijn hoofd tegen de stam, terwijl zijn knieën onder het gewaad uitstaken.

'Zonder hem krijgen we het nooit af.' Benjamin knielde neer op het gras. Hij trok aan Dolly's haar. Toen keek hij naar de jongens, en zijn gelaatstrekken leken zich te verscherpen. Hij pakte Dolly's schep en duwde die in Rens hand. De houten steel was ruw doordat de schep in weer en wind buiten had gestaan, en de jongen voelde dat er een splintertje doordrong in de palm van zijn hand.

Benjamin greep de tweeling vast en duwde de jongens in de richting van de graven. 'Ga de grafstenen zoeken,' zei hij. 'We moeten hier weg zijn voordat de zon opkomt.'

De grafstenen in het midden van de begraafplaats waren van leisteen; lange, zwarte brokken die uit de aarde oprezen. Aan de zijkanten waren er een paar van marmer, met urnen en engelen die verdrietig omlaagkeken of huilend naar de namen wezen. Benjamin wees naar de verste hoek. 'Ik heb aan de voet van elk graf een witte steen neergelegd,' zei hij. 'Die zouden jullie in het donker moeten kunnen zien.'

Tom begon te graven langs de rij. Want dat was het, zag Ren nu: een rij vers gedolven graven. Er waren er vier. Twee middelgrote kruizen en twee kleinere. De waard en zijn gezin.

'Eerst de vader.'

'Ik ben al bezig.' Tom stond tot aan zijn enkels in de grond. Hij haalde zwaar adem, en zijn gezicht werd snel roder van de inspanning.

Benjamin ging de jongens voor naar een kruis verderop in de rij. 'Niet het hele graf leegmaken. Als we maar bij de bovenkant van de kist kunnen.'

Ren liep als verdoofd mee en sleepte de schep achter zich aan. Onder aan het kruis lag een stuk helder kwarts. Hij pakte de steen op en liet zijn duim over het oppervlak glijden. De hoeken waren zacht, met iriserende vlekjes die fonkelden in zijn hand. Hij klemde zijn vingers eromheen. Toen wendde hij zich tot de tweeling. 'We moeten graven.'

Brom schudde zijn hoofd.

'Ik wil dit niet doen,' fluisterde Ichy.

Ren stak de schep in de grond, tilde een beetje aarde omhoog en ondersteunde de steel met zijn stomp. De aarde was zwaar van de regen maar de bovenste laag was nog hard. Hij probeerde niet naar het kruis te kijken, of naar de naam – SARAH, ECHTGENOTE VAN SAMUEL – die in het hout voor hen was gegraveerd. Hij dacht aan wat Dolly had gezegd: dat hij had gehoord dat ze hem aan het opgraven waren. Dat hij ze door de aarde heen had horen komen.

Tom schold de tweeling net zo lang uit tot ze begonnen te helpen. Om de beurt groeven Brom en Ichy met de schep, terwijl Ren de stenen uit de weg ruimde. Het leek wel of het werk nooit zou ophouden. Ze groeven dieper en dieper, tot er plotseling een dreun klonk toen hun schep hout raakte. Ren hurkte bij de rand van het gat. Hij kon de doodskist van licht pijnboomhout zien; het uiteinde stak uit de aarde als een hoofd vanonder een deken.

Benjamin kwam aanlopen met een schep met een lange steel. Hij duwde de jongens opzij en stak de steel in de grond. Er waren drie pogingen voor nodig voordat het blad het hout raakte en ze het hoorden breken. Toen trok Benjamin de schep los en kwam Tom aanlopen met twee kettingen waar grote metalen haken aan bevestigd waren. Het waren vleeshaken; Ren herkende ze van de slagerswinkel toen Tom ze in het graf liet zakken.

'Lukt het?' vroeg Benjamin.

'Ik ben er bijna,' zei Tom. 'Daar. Ja. Hebbes.'

Ze maakten de haken vast onder de armen en trokken het lichaam uit de kist.

Sarah, echtgenote van Samuel, was begraven in haar trouwjurk. Die was niet van zijde, maar van stijf, hard linnen met roze bloemen om de nek en schouders geborduurd. Er liep een rij paarlemoeren knopen van de kraag tot aan het middel, en om de handen van de dode vrouw zaten gehaakte handschoenen.

Ren probeerde zich op de jurk te concentreren in plaats van op het gezicht, dat er angstaanjagend uitzag – haar huid was stijf en koud als was, het haar leek net stro. Benjamin verwijderde de vleeshaken, sloeg zijn handen onder de oksels en sleurde het lichaam van de vrouw naar een grasveldje – haar jurk sleepte door de modder en haar witte laarsjes kwamen als twee geschilderde takken onder de rok uit. Haar lippen waren donkerpaars, een beetje geopend en gescheurd.

'Geef me het mes,' zei Benjamin.

Het duurde even voordat Ren het begreep. Hij haalde het berenmes uit zijn jas en gaf het hem, met een bang voorgevoel. Benjamin liet het lemmet onder de kraag van de trouwjurk glijden en sneed in één beweging dwars door de rij met knopen. De paarlemoeren knopen schoten als rijstkorrels door de lucht en kwamen her en der in het gras terecht, waar ze in het maanlicht in spikkels veranderden.

Benjamin gaf het mes terug aan Ren. 'Trek de rest van haar kleren uit. Die jurk is minstens vijf dollar waard.' Hij liet de kinderen achter en liep naar Tom toe, en samen begonnen de mannen het volgende graf open te graven.

Ren wendde zich tot zijn vrienden, met zijn mes in zijn handen.

'Wat moeten we doen?' fluisterde Brom.

'Ik wil naar huis,' huilde Ichy.

Ren kon hem wel schoppen. 'We gaan helemaal nergens heen.'

Hij probeerde de jurk vanaf de schouders van de vrouw omlaag te duwen, maar de armen bogen niet mee. Hij dreigde Brom en Ichy net zo lang tot ze op hun knieën gingen zitten om mee te helpen. De tweeling was nu zo in paniek dat ze alleen nog maar gehoorzaamden. Ten slotte rolden ze de vrouw op haar gezicht, maakten de jurk aan de achterkant los en haalden hem van haar lichaam, terwijl Ren de naden doorsneed. Onder de jurk droeg ze een eenvoudige witte onderrok en een korset. Er zat een moedervlek in haar nek, twee kleine bruine vlekjes tegen elkaar, als de lippen van een piepklein mondje.

De jongens stonden trillend en schuldbewust om haar heen. Ichy begon binnensmonds te bidden en al snel deed Brom met hem mee. *Onze Vader, die in de hemelen zijt.* Ren liep naar het volgende graf en zag het naakte lichaam van een oude man op de grond liggen. Zijn penis leek op een zacht touw en zijn ogen waren open en staarden.

Het duurde uren voordat ze klaar waren. De jongens groeven tot hun armen pijn deden, hun rug zeer deed en ze blaren op hun vingers hadden. Benjamin liep van de begraafplaats naar de weg, waar hij met gespitste oren om zich heen keek. Elke keer wanneer hij terugkeerde bij de groep leek hij nerveuzer en spoorde hij iedereen aan om sneller te werken.

Toen ze de laatste zakken op de wagen hadden geladen, bedekte Tom de lichamen met een deken, haalde de kruik uit zijn zak en begon weer te drinken. De tweeling kroop achter in de wagen en liet zich uitgeput op de grond vallen, terwijl Benjamin plaatsnam op de bok.

'Wat doen we met Dolly?' vroeg Ren.

Benjamins gezicht stond strak. 'Stap in.'

Het paard schuifelde heen en weer. Even was de ademhaling van het dier het enige geluid dat in de donkere nacht te horen was. Toen kwamen Rens voeten een voor een in beweging. Ze renden weg van de wagen, de overstap over, naar Dolly toe, en toen klonken er andere voetstappen; hij kon ze horen, ze gingen sneller dan de zijne en kwamen achter hem aan. Benjamin pakte Ren beet en hield hem stevig vast.

'We hebben niets aan hem.'

Ren probeerde zich los te wringen.

'Wil je bij hem blijven? Zal ik je hier achterlaten?'

Ren kon nog net Dolly's silhouet ontwaren: een berg aarde op de verkeerde plek. Hij lag nog steeds te slapen onder de boom. Ren wilde zijn vriend niet alleen laten. Maar de gedachte om te worden achtergelaten op het kerkhof was erger. Hij staakte zijn strijd, zijn krachten ebden weg en hij stribbelde niet langer tegen. Benjamin hield hem minder stevig vast en zette hem op de grond. Toen voerde hij Ren terug naar de wagen.

'Ik heb je gewaarschuwd,' zei Benjamin.

Terwijl ze wegreden, keek Ren naar Dolly's boom. Hij stelde zich voor dat zijn vriend hem in het donker riep, omringd door de stille kruizen en grafstenen. De begraafplaats verdween bij de bocht in de weg uit het zicht, en Ren verborg zijn gezicht in zijn jasje.

'Toe nou,' zei Tom. 'Niet doen. Je hebt je maten toch?'

Brom en Ichy waren zo stil en roerloos als poppen en staarden onafgebroken naar de stapel lichamen die naast hen in de wagen lag. Tom hoestte, pakte de kruik vanonder zijn jas en dronk met lange, langzame teugen. Toen hij klaar was, smakte hij met zijn lippen.

'Laten we een liedje zingen.'

De tweeling antwoordde niet.

'Kennen jullie geen liedjes? Hebben ze jullie niet leren zingen?'

'We kennen wel een paar hymnen,' zei Ichy.

'Die zijn in het Latijn,' zei Ichy.

'Nou, daar zullen we niet vrolijk van worden. Wat dachten jullie van "Hey Nonny No"? Of van "Bonnie My Bonnie"?'

'Die liedjes kennen we niet.'

'Nou, dan wordt het tijd dat jullie ze leren.' Tom nam een slok uit de fles. Hij schraapte zijn keel en begon te zingen, met een hoge stem die verrassend aangenaam klonk:

Blauw is lavendel, tidom
En groen roosmarijn
Word ik de vorst, tidom,
Mijn vorstin zul jij zijn.

'Deze kennen jullie wel,' zei Tom. Hij gooide de fles naar Benjamin.

Een flinke jongeling, tidom
Een meisken zag
Met wie hij graag, tidom
Onder de kastanjeboom lag.

Benjamin nam een slok en gooide de fles terug.

'Hier,' zei Tom, en hij gaf de fles door aan Brom. 'Zingen. Jullie hoeven alleen maar het tidom-gedeelte te kennen.'

Brom nam voorzichtig een slokje uit de fles en trok een gezicht.

Ichy deed hetzelfde en spuugde hoestend uit wat hij had ingeslikt, maar toen ze bij het refrein kwamen, zongen ze met hun zachte stemmetjes met Tom mee.

Want jij en ik, tidom,
Wij zijn nu één
Dus liggen wij, tidom
Nooit meer alleen.

Ren keek naar zijn vrienden. Hij was zich beter gaan voelen door het lied. Maar de woorden weerkaatsten als een waarschuwing boven zijn hoofd. Er klonk geen geritsel in de bladeren. Er woei geen wind door de naalden. Het was alsof alle bomen roerloos luisterden. Ren keek even op naar Benjamin, die op de bok zat. Hij had afhangende schouders en zong niet mee. Hij keek voor zich uit, naar het kruispunt.

Er ontstond een verontruste, onbehaaglijke sfeer in de wagen toen ze dichter bij de wegwijzer kwamen. Ren boog zich over de zijkant. Verderop langs de weg zag hij gedaanten. Andere reizigers die op weg waren. Benjamin vloekte en ging rechtop zitten, en Tom gooide nog een deken over de lichamen.

Het waren vijf mannen te paard. Doordat de maan achter hen aan de lucht stond, zagen ze er zelf bijna uit als bomen, met hun schaduw die zich voor hen uitstrekte. De mannen droegen verschillende soorten hoeden: een bolhoed, een strohoed, een cipierspet, een hoge hoed en een hoed met een bloedrood lint. De figuur in het midden was gekleed in een lange zwarte koetsiersjas. De paarden leken rusteloos, alsof ze al een tijdje stonden te wachten; ze schuifelden heen en weer en rukten aan de teugels.

'Meneer Nab,' zei de man met de koetsiersjas.

Benjamin bracht de wagen tot stilstand. Hij liet zijn ogen over de mannen glijden. 'Ik ken jullie niet,' zei hij.

De ruiter duwde de kraag van zijn jas naar achteren. Het was de man met de rode handschoenen die in O'Sullivan de hand van de waard had afgesneden. Dwars over zijn zadel lag een geweer, maar hij maakte geen aanstalten om het te pakken.

Benjamin glimlachte. 'Er moet sprake zijn van een misverstand.'

'Geen misverstand.' De man met de rode handschoenen wees naar de wagen, en de Bolhoed en de Strohoed manoeuvreerden hun paard naast de wagen. De Strohoed boog zich voorover en porde met zijn geweer in de zakken. Toen duwde hij een stuk jute opzij en werd het gezicht van Sarah, echtgenote van Samuel, zichtbaar.

'Wacht.' Benjamin hief zijn handen op. 'Al deze mensen zijn familieleden van mij. De enige die ik nog had. En ze hadden bij mijn familie begraven moeten worden en niet gedumpt mogen worden in een of andere armoedige uithoek op het platteland. Zo simpel is het.'

Ren zag de man met de rode handschoenen heen en weer schuiven in zijn zadel. Hij kauwde op een stuk tabak en draaide het uiteinde van de teugels steeds verder om zijn vingers.

'Het maakt ons niet uit wie ze zijn of hoe je eraan komt,' zei de man zachtjes. 'Maar jullie nemen ze niet verder meer mee.'

Benjamin haalde zijn schouders op en hield zijn handen omhoog. Toen boog hij zich plotseling naar voren en liet de zweep knallen. 'VORT!' En de merrie brak door de muur van ruiters heen.

'Hou je vast!' schreeuwde Tom.

De wagen stoof hortend en stotend over de weg. Toen ze door een kuil reden, werd Ren bijna uit de wagen gesmeten. Hij greep de zijkant vast terwijl de wagen verder denderde. Ze schoten door een nieuwe greppel en Brom en Ichy werden naar de rand geslingerd. Ren greep Brom bij zijn hemd en zette zich met de kromming van zijn arm schrap tegen het gewicht. Tom stak een been uit en kreeg Ichy te pakken met zijn voet, vlak voordat de jongen van de achterkant van de wagen gleed.

Benjamin was gaan staan. Hij knalde telkens opnieuw met de zweep. De ruiters waren intussen van de verrassing bekomen en kwamen dichterbij. Ren draaide zich om en zag door de stofwolken heen hoe ze hun paarden de sporen gaven. Ren werd aan de zijkant van zijn gezicht geraakt door een boomtak, en het geluid van de wagen en van de hoefslagen donderde in zijn oren. Twee van de mannen hielden een pistool vast. Ze reden nu naast de wagen, maar lieten zich een stukje terugzakken toen de weg versmalde.

Tom pakte een van de lichamen. Hij knikte naar Ren en samen sleepten ze het naar de rand van de wagen. Het was moeilijk om grip op de zak te krijgen. Ren proefde stof achter in zijn keel. Tom duwde het lichaam de wagen uit, en Ren keek toe hoe het voor de benen van het paard van de Cipierspet terechtkwam. Het dier struikelde en de Cipierspet werd op de grond gesmeten.

Ze pakten nog een lijk en sleepten dat naar de achterkant van de wagen. Er klonk een schot boven hun hoofd. Tom dook in elkaar en trapte met zijn voeten tegen het lichaam. Het viel van de wagen, maar dit keer gaven de mannen hun paard de sporen en sprongen de dieren eroverheen.

De wagen reed met ratelende wielen een bocht door, en Brom en Ichy gleden langs de latten. Ze sloegen naast Ren tegen de zijkant aan en klampten zich aan hem vast; hun handen waren nat van het zweet en hun nagels krabden zijn huid open.

Twee ruiters maakten zich los van de groep en schoten het bos in. Even later verschenen ze verderop op de weg, en toen lieten ze zich door de wagen inhalen. Het waren de Strohoed en de man met de rode handschoenen. Ze bevonden zich pal naast de bok, zo dicht bij Benjamin dat ze hem konden aanraken. Ze hieven hun geweren.

'Pas op!' gilde Ren.

Ze schoten op het paard. Een, twee gaten in de nek van de merrie, en een derde door haar been. Het dier zwenkte naar links en rechts, struikelde, probeerde weer overeind te komen en viel toen. De wagen reed dwars over de merrie heen, de dissels sloegen tegen de grond en braken af, en Ren zag Benjamin vallen, en toen kantelde de wagen, en Ren had het gevoel alsof de aarde onder hen open was gebroken en ze in een afgrond vielen. Toen werd Rens gezicht ergens door geraakt en voelde hij iets zwaars op zijn rug.

In de stilte die volgde had Ren het gevoel dat de bomen op hem af kwamen. Hij kon ze grommend onder de schors in hun eigen taal horen praten. Hun takken grepen hem vast. Hij probeerde de anderen te waarschuwen, maar zijn keel zat potdicht. Toen voelde hij dat hij werd gedragen, en elke beweging voelde als een nieuwe laars die hem fijnstampte.

'Is hij dood?'

Meer laarzen. Laarzen met klauwen. Ren probeerde om hulp te vragen. Hij voelde een piepklein vleugje lucht omlaaggaan. Hij zoog het naar binnen, en toen kwam er nog een vleugje, en toen nog een.

Ze waren in een moeras terechtgekomen. De wagen lag ondersteboven en was al half gezonken; de gebroken wielen dropen van de smurrie. Brom en Ichy stonden een beetje opzij. De man met de cipierspet richtte een pistool op hen. Tom lag onder de wagen en schreeuwde gedempt. De onderkant van zijn jas was nog net zichtbaar. De Bolhoed en de Strohoed waren hem aan het uitgraven.

Ren werd gedragen door de man met de hoge hoed. De rand was breed, de zijkanten waren van satijn en in een van de hoeken zat een rode vlek. Het was dezelfde hoed die was gedragen door de man die door Dolly was gedood. Dat wist Ren zeker. Maar de man die hem nu ophad, was ouder, en had een baard.

'Pilot,' zei de nieuwe Hoge Hoed, 'ik heb er nog een gevonden.'

De man met de rode handschoenen keek naar Ren vanaf de plek waar hij stond. 'Zet hem bij de anderen.'

Het paard leefde nog. De merrie ademde zwaar uit door haar neus. Ze knipperde snel met haar ogen, alsof er een zwerm vliegen op was neergestreken. Ren dacht aan de boer die haar een kus op haar neus had gegeven en werd overspoeld door schuldgevoel. Pilot herlaadde zijn geweer. Toen hij klaar was, klapte hij het dicht, zette de loop tegen het hoofd van het dier, een klein stukje onder een van de oren, en haalde de trekker over. De klap weergalmde door het moeras.

'Dat had jij moeten zijn,' zei Pilot, en pas toen zag Ren Benjamin opgerold op de grond liggen. Zijn blauwe jas was gescheurd, hij had een snee over zijn oog en zijn rechterwang leek op te zwellen.

Er klonk een gil vanonder de wagen. Het was Tom. Hij schold op de gravende mannen. Toen begon hij te snikken en te gillen; zijn stem galmde over het moeras. De man met de bolhoed was weer verschenen.

'Gebroken been.'

'Zeg dat hij stil moet zijn,' zei Pilot.

De Hoge Hoed doorzocht Rens zakken en haalde het berenmes eruit. Toen droeg hij Ren naar de tweeling en zette hem tussen de twee jongens in op de grond. Die waren van top tot teen overdekt met modder. Hun kleren en gezichten zaten onder de bruine spetters. Voor de eerste keer in zijn leven kon Ren de twee niet uit elkaar halen.

'Ik heb water in mijn oor.'

'Gaan ze ons doodmaken?'

Ren probeerde antwoord te geven, maar zijn zijden deden pijn. Hij zag Benjamin met Pilot praten. Hij wist dat hij een geweldig verhaal zou moeten ophangen om hen hier nog uit te redden. Hij besloot voor hem te bidden.

Benjamin gebruikte nu zijn handen. Hij beeldde een deel van het verhaal uit. Pilot knikte, aandachtig luisterend, en toen tilde hij de loop van het geweer op en sloeg ermee tegen Benjamins gezicht. Er spatte bloed uit zijn neus. Pilot stapte achteruit, alsof hij geen vlekken op zijn jas wilde. Toen zei hij iets tegen de Bolhoed en de Hoge Hoed, en de mannen stapten naar voren en begonnen Benjamin te slaan totdat hij op de grond viel. Met zijn handen probeerde hij zijn hoofd te beschermen, en zijn stem smeekte hun om hem met rust te laten. Ren sloot zijn ogen. Hij bedekte zijn oren. Het gegil ging door terwijl de lichamen werden verzameld en de paarden weer klaar werden gemaakt en Tom onder de wagen vandaan werd gesleurd. Het bleef maar doorgaan, met gierende uithalen die weergalmden door het bos, tot Ren uitgebeden was.

DEEL 3

VIERENTWINTIG

Toen de ruiters North Umbrage binnen kwamen rijden, doken de oude vissers onder de brug, trokken de zwervers zich terug in de steegjes en deden de weduwen de luiken voor hun etalages. Pilot en zijn gevangenen werden slechts begroet door de rook die in het vroegeochtendlicht uit de muizenvallenfabriek kwam. Ren herinnerde zich hoe het gebouw er vanaf het dak uit had gezien: de meisjes in hun uniform die door de deur waren gestroomd als water dat om een steen heen loopt.

Twee van de hoedenjongens kregen opdracht om de lichamen weg te brengen. Degenen die overbleven sneden de touwen door en maakten Tom los, die op een plank van de wagen achter de ruiters aan was gesleept. De eerste halve kilometer had hij gegild, en toen was hij, tot ieders opluchting, flauwgevallen.

Pilot stapte van zijn paard. Vervolgens pakte hij Ren bij de arm en trok de jongen omlaag. Het laatste uur had Ren voorop gezeten. Hij had zich vastgehouden aan het zadel, toegekeken hoe de rode handschoenen de teugels vasthielden en gevoeld hoe het lichaam van Pilot, dat naar hitte en leer rook, tegen hem aan drukte. Hij had zijn stomp opgetrokken in zijn mouw, en zijn hartslag had zich vermengd met het hoefgetrappel, totdat ze North Umbrage bereikten.

Hij keek naar zijn vrienden. De modder waarmee de tweeling was bedekt was opgedroogd en zat nu op hun gezicht als een dikke bruine laag die helemaal doorliep tot aan hun ellebogen. Brom zat met bungelende benen op het zadel van de Cipierspet. Ichy ging op de stoep liggen en krulde zich op. Benjamin steeg langzaam en behoedzaam af. Zijn kleren waren gescheurd, en zijn gezicht was zo rood en gezwollen dat hij wel iemand anders leek.

Nadat hij op de stoep had gespuugd, bonsde Pilot twee keer met zijn vuist op de deur, en er werd opengedaan door een andere man met weer een andere hoed. In het gebouw rook het net als in een kerk: kil, bedompt en een beetje gronderig. De groep liep de centrale trap op en twee mannen kwamen er met Tom achteraan. Overal om hen heen klonk het rommelende, doordringende geluid van machines. Zelfs de vloer onder hun voeten leek te bewegen.

Boven aan de trap liepen ze door een andere deur het hart van de fabriek binnen, vol rijen werktafels, materialen en meisjes. Tegen de muren stonden dozen met muizenvallen. In de hoeken lagen stapels planken en zaagsel. De meisjes stapelden en zaagden, stapelden en zaagden; de plankjes werden met een cirkelzaag op maat gesneden. In het volgende gangpad werden de houten onderdelen verzameld: meisjes sloegen met lijmborstels op de randen, terwijl andere de klemmen monteerden en de hoeken vastspijkerden.

In het midden van de hal waren meisjes met metalen onderdelen bezig. Sommigen maakten scharnieren vast, anderen verbogen hoeken en weer anderen stonden bij een machine waar aan de ene kant ijzerdraad in ging, dat er aan de andere kant in de vorm van lange spiralen weer uit kwam en zich als slangen naar de grond krulde. Een meisje knipte de springveren en bracht ze naar een andere rij meisjes, die ze op de muizenvallen monteerden. Over een van deze tafels, met zwarte handen van de smeer, zat de Hazenlip gebogen.

Ze had hen binnen zien komen. Ren had een glimp van haar opgevangen toen ze de hal hadden betreden. Ze was gestopt met werken toen ze Benjamins gezwollen gezicht zag. Maar nu zat ze met haar hoofd over de muizenval gebogen en bewerkte ze met snelle bewegingen van haar handen het ijzerdraad, alsof het naald en draad was.

De voorman, een kale man van in de veertig, liep de rijen langs om de lampen uit te doen die door de nachtploeg waren gebruikt. Toen hij langs Ren liep, klonk er van achter uit het vertrek een gil. Verscheidene meisjes verlieten hun post en renden naar de plek waar het gegil vandaan was gekomen. Bij een van de cirkelzagen stond een meisje met haar hand in haar mond. Het bloed stroomde over haar kin.

'Op de plaatsen! Op de plaatsen!' brulde de voorman. De meisjes aarzelden even en haastten zich toen terug naar hun werktafels. Na haar eerste gil had het meisje geen woord meer gezegd. Ze stond daar alleen maar te bloeden. Ren zag dat het zaagsel om haar heen donker werd.

'Hier,' zei de voorman, terwijl hij haar een doek probeerde aan te reiken.

Het meisje viel op de grond. De voorman bond de doek om haar hand en droeg haar de hal uit. Even later kwam hij terug en beende hij met grote passen naar de Hazenlip. Hij pakte haar bij een arm en bracht haar naar de cirkelzaag.

'Promotie!' riep hij, en hij schoof haar op haar plek. Toen hij zich omdraaide, rolde ze met haar ogen en keek weer even naar Benjamin. Ze beet op haar lip, pakte een handvol zaagsel en gooide het tegen de machine aan. Het werd rood, en ze veegde het zaagmeel met haar vingers op de grond en schoof het vervolgens met haar laars naast de machine.

Pilot baande zich een weg tussen de meisjes door, de ene rij na de andere, en liep toen een trap op die werd bewaakt door twee mannen. Die stapten omzichtig opzij toen het groepje langsliep. In de gang waar ze op uitkwamen lag een lange loper met een patroon van groene bloemen, die zo dik was dat Rens schoenen geen geluid maakten toen hij eroverheen liep. Zijn voeten zakten erin weg, en hij dacht aan het mos in de bossen achter het weeshuis, aan de diepe smaragdgroene kleur die ontstond op de plekken waar bomen waren omgevallen.

Aan het einde van de gang bevond zich een openstaande deur. De hoedenjongens droegen Tom erdoorheen. Ren liep achter hen aan en kwam een vertrek binnen dat een kantoor leek te zijn. In een hoek stond een telmachine. Naast een propvolle boekenplank lag een stapel registers. In het midden van het vertrek stond een reusachtig houten bureau, dat onder de krassen en de vlekken zat en waarvan de knoppen glanzend waren opgepoetst. Het bureau nam het grootste gedeelte van het kantoor in beslag. De jongens dromden eromheen alsof het een eettafel was.

'Jullie wachten hier,' zei Pilot.

'Het is allemaal een misverstand,' zei Benjamin.

'Daar zullen we snel genoeg achter komen.' De hoedenjongens legden Tom op de grond en liepen grijnzend het vertrek uit. Toen deed Pilot de deur dicht en draaide hem op slot.

Benjamin leunde tegen de muur en betastte voorzichtig zijn ribben. Zijn lippen waren twee keer zo dik als normaal en de huid rond zijn ogen zat onder de sneeën en blauwe plekken.

'Je bent gewond,' zei Ren.

'Met mij is niks aan de hand,' zei Benjamin met een rauwe stem.

'Wat gaan we doen?'

'We moeten nadenken. We moeten bedenken wat hij weet. Wat hij wil.' Benjamin streek met zijn vinger langs zijn kaaklijn. Hij stak een vinger in zijn mond en trok toen, krimpend van de pijn, een tand los.

Ren keek het kantoor rond, terwijl hij zich afvroeg waar Mc-Ginty op uit zou kunnen zijn. Zo te zien had hij al geld genoeg. De stoelen waren bekleed met fijn leer en de koperen lampen glommen. Op het bureau lagen een paar gouden pennen, en aan de muur erachter hing een aantal schilderijen waarop vossenjachten stonden afgebeeld. Daar had je de trompetblazer, die de honden aanvoerde. Daar had je de eerste ruiters die over de helling sprongen. Daar had je de honden, die zich over het gras verspreidden. En daar had je de vos, een klein rood vlekje, die nu eens over het veld flitste en dan weer doodsbang in elkaar dook, luttele seconden voordat hij ontdekt zou worden.

Aan de andere kant van het kantoor bevond zich een groot raam dat uitkeek over de fabrieksvloer. Benjamin schuifelde ernaartoe en leunde er met zijn hand tegenaan. Hij leek te onderzoeken of de hoeken meegaven, zodat het raam open kon, maar toen hij concludeerde dat dat niet het geval was, liet hij zijn arm naast zijn lichaam vallen.

'Ik moet plassen,' zei Ichy.

Brom gaf hem een duw. 'Dat had je eerder moeten zeggen.'

Ren keek naar de ruziënde tweeling. Hij kon het gevoel niet van zich afschudden dat ze in de ellende zaten doordat zij ongeluk brachten. Hij wou dat Tom hen nooit had geadopteerd. Hij wou dat hij nooit hun vriend was geweest.

Ichy begon te jammeren en opeens voelde Ren zich schuldig. 'Er is hier vast wel iets wat je kunt gebruiken,' zei hij, en hij zocht net zo lang in het vertrek tot hij een oude jampot vol met potloden vond. Hij haalde de potloden eruit en gaf de glazen pot aan Ichy. Even leek Ichy opgelucht. Hij rende naar het midden van het kantoor en maakte zijn broek open. Toen hij klaar was, bleef hij met de gele vloeistof in zijn handen staan.

'Wat moet ik ermee doen?'

'Geef maar.' Ren pakte de pot weer aan. Het glas voelde warm aan in zijn vingers. Hij draaide het deksel er weer op. Toen trok hij een la open en verstopte het ding in het bureau.

Tom begon te kreunen.

Ze liepen snel naar hem toe en Benjamin voelde voorzichtig aan zijn been. Maar zodra hij het aanraakte, slaakte Tom een gil. Benjamin zei dat hij stil moest zijn. Hij trok zijn jas uit en scheurde een reep van zijn hemd, die hij om het gebroken been bond. 'Zorg ervoor dat het strak blijft zitten.'

Tom gilde opnieuw. 'Mijn jongens!'

Brom en Ichy keken met open mond toe hoe het bloed uit zijn been stroomde.

'Hij wil dat jullie bij hem komen,' zei Ren.

'Moet dat?'

Tom duwde zijn nagels in Rens arm.

'Ja.'

Brom kwam naar voren en pakte Toms hand vast. Ichy pakte de andere. De schoolmeester staarde naar een punt ergens achter hun hoofden, en toen gingen zijn ogen dicht en viel hij flauw. Benjamin pakte Rens vingers. Hij legde ze op de plek waar hij het stuk hemd omheen had gebonden en zei dat Ren ertegenaan moest drukken. De jongen duwde en voelde de hartslag in Toms been.

'Denk je dat we om een dokter kunnen vragen?' vroeg Ren.

Benjamin schudde zijn hoofd en keek toen naar de deur. Er kwam iemand aan.

De Bolhoed en de Strohoed kwamen met getrokken vuurwapen naar binnen. Ze namen hun plaats in aan beide kanten van de deur. Vervolgens kwam Pilot binnenlopen. Hij trok zijn handschoenen vol verwachting strakker aan. Toen hield hij de deur open voor een man die was gekleed in een geel pak.

De man kwam binnenlopen op een manier alsof hij iets wilde bewijzen. Zijn jasje hing over zijn schouders, zijn bretels waren strak aangetrokken en zijn opgerolde mouwen waren vastgemaakt met roze lintjes. Hij was bijna net zo dik als broeder Joseph, en hij was het zwaarst rond zijn buik, die als een harde ronde bal voor hem uitstak terwijl hij het kantoor door liep en achter het reusachtige bureau ging zitten. Hij leek zich te ergeren, alsof ze zich hier allemaal hadden verzameld om hem ervan te weerhouden iets belangrijks te doen. Het was duidelijk dat alles in het vertrek – de schilderijen aan de muren, het tapijt onder hun voeten, de fabriek aan de andere kant van het raam – van hem was. Silas McGinty.

Hij stak een vinger uit naar Benjamin.

'Nab,' zei Pilot.

'Waarom heb ik nog nooit van hem gehoord?'

'Omdat hij het niet waard was,' zei Pilot.

'En nu is hij dat wel.' McGinty ging verzitten in zijn stoel. Hij sprak met een zwaar accent. Het leek wel of de woorden die hij uitsprak eerst langs een rasp schraapten, waardoor er allerlei letters wegvielen. 'En de kinderen?'

'Die stonden voor ons op de uitkijk,' zei Benjamin.

'Had je er drie nodig?'

'Een voor elke richting.'

McGinty friemelde aan de lintjes van de mouwen van zijn overhemd en richtte zijn blik toen op de vloer, waar Toms bloed langzaam het tapijt doordrenkte.

Benjamin drukte zijn handen tegen elkaar, alsof hij bereid was om het op een akkoordje te gooien. 'Mijn zus en haar gezin zijn vorige week overleden aan de koorts. De mensen uit hun dorp waren bang dat de ziekte zich zou verspreiden, dus hebben ze ze zonder ons te waarschuwen in de grond gestopt. Toen ik daarachter kwam, ben ik haar en de anderen gaan halen om ze een christelijke begrafenis te kunnen geven.' Hij deed een poging tot een kleine glimlach.

McGinty haalde een zakdoek uit zijn zak en snoot zijn neus. 'Dat is een goed verhaal,' zei hij. 'Nu ben ik aan de beurt. Er was eens een varken dat van eten en slapen hield en dat het fijn vond om zo nu en dan in de stront te rollen. Op een dag kwam de boer van wie het varken was voorbij en hij sneed de keel van het beest door en haalde zijn ingewanden eruit en maakte spek van zijn kont. Einde.'

Benjamins glimlach bestierf op zijn gezicht.

'Je hebt met je vingers in de begraafplaats gezeten,' zei McGinty. 'Da's niet netjes. Helemaal niet netjes.'

'Alstublieft,' zei Benjamin, 'Luister even naar me.'

Ren keek naar McGinty's sproeterige gezicht, naar de bobbel op zijn neusbrug. Hij kon zien dat de man zijn geduld verloor.

'Ik wil het niet hebben. Niet in mijn stad.' McGinty wendde zich tot Pilot. 'Hoeveel is hij waard?'

'Zevenhonderd dollar.'

'Dat is een hoop geld. Hij zal wel iets heel interessants hebben gedaan om zoveel waard te zijn.'

Pilot stak zijn hand in zijn jas, haalde er een opgevouwen advertentie uit en begon die voor te lezen; de woorden tuimelden over elkaar heen het vertrek in: 'Brandstichting, treinroof, bankovervallen, paardendiefstal en diefstal in het algemeen, desertie, illegaal gokken en illegale kansspelen, zich uitgeven voor wetsdienaar, zich uitgeven voor kapitein van de marine, zich uitgeven voor dominee, het verkopen van andermans grond, landloperij, aanstootgevend gedrag, bedreiging met een dodelijk wapen, vervuiling, het verkopen van vervalste eigendomsakten.'

Ren keek naar Benjamin, die net zo wit was geworden als de advertentie in Pilots hand. McGinty trok een bureaula open, haalde er een pistool uit en legde dat op het bureau. Alle aanwezigen in het vertrek keken toe hoe hij een paar kogels uit een doos in zijn hand schudde en het pistool begon te laden.

'Vertel me eens, meneer Nab: bent u een gelovig man?'

Benjamin schudde zijn hoofd.

McGinty klapte het pistool dicht en stak het toen naar Benjamin uit. 'Kijk eens naar de inscriptie.'

Benjamin aarzelde.

'Kom op,' zei McGinty. 'Lees voor wat er op de loop staat.'

Benjamin boog zich naar voren. *'De zielen van de rechtvaardigen zijn in Gods hand.'*

'Hebt u weleens de hand van God gevoeld?' McGinty wreef de inscriptie schoon met zijn zakdoek, alsof Benjamin die vies had gemaakt door er alleen al naar te kijken.

Iedereen wachtte tot Benjamin zou antwoorden. Ichy's maag knorde. Tom schoof kreunend heen en weer bij de deur. Er hing een klok aan de muur. Ren had hem nog niet eerder gehoord, maar nu tikte hij onafgebroken boven hun hoofd de seconden weg.

'Ik kan je doodschieten voor wat je hebt gedaan. Of ik kan je aanbrengen om de beloning op te strijken, en als ik die mooie lijst zo hoor, zullen ze je zeker ophangen.' McGinty was klaar met het schoonmaken van het pistool. Hij draaide de loop rond. Eén keer. Twee keer. Toen knikte hij in de richting van Tom. 'Hij ruïneert dat tapijt.'

De tweeling keek doodsbang op naar McGinty. De broers hielden nog steeds elkaars hand en ieder een hand van Tom vast, zodat ze een gesloten kring vormden. Nu lieten ze Toms vingers los, alsof hij opeens een besmettelijke ziekte had gekregen.

Ren wachtte tot Benjamin een beter verhaal zou vertellen, een verhaal waardoor ze hier weg zouden kunnen. Maar Benjamin stond alleen maar te wankelen op zijn benen, en zijn gezicht leek met de minuut meer op te zwellen. Als Ren wilde dat er iets gebeurde, zou hij het zelf moeten doen. Hij stapte naar voren, trok snel zijn jas uit en spreidde die uit over het tapijt. Hij probeerde het bloed ermee te deppen en boende heen en weer over het tapijt, en toen voelde hij dat het helemaal stil werd in het vertrek. Hij draaide zich om en zag dat iedereen naar hem keek.

'Wie is dat?'

'Niemand,' zei Benjamin.

McGinty fronste zijn wenkbrauwen. Hij gebaarde met zijn wapen en Pilot zette een pistool tegen de achterkant van Benjamins hoofd. Toen werd het nog stiller in het kantoor, alsof iedereen was gestopt met ademhalen, iedereen behalve Benjamin, die naar adem begon te happen alsof hij met zijn hoofd onder water zat. De Hoge Hoed greep Ren bij zijn kraag en trok hem naar het bureau.

Van dichtbij rook McGinty naar pepermunt. Ren kon zien dat zijn sproeten niet alleen zijn gezicht bedekten, maar dat ze ook op zijn nek zaten, en zelfs op zijn handen. Onder zijn armen vormden zich twee zweetplekken: ovale vlekken die zich uitbreidden langs de zijkanten van zijn gesteven overhemd. De man pakte Ren vast, trok zijn mouw omhoog en staarde naar de stomp. Ren probeerde zich los te rukken, maar McGinty pakte hem nog steviger vast. Hij betastte het litteken met zijn vingers, nam toen de hele stomp in zijn hand en duwde tegen het bot tot het pijn deed.

'Waar kom je vandaan?'

Ren was te bang om te liegen. 'Uit Saint Anthony.'

'Ben je een wees?'

'Ja.'

'Geluksvogel.' McGinty hijgde nu. Hij liet de stomp los en kneep Ren in zijn wang.

'Hij is nog maar een kind,' zei Benjamin zachtjes, terwijl het pistool nog steeds tegen de achterkant van zijn hoofd drukte. 'Hij is niets waard.'

McGinty liet Ren los, haalde een gouden zakhorloge tevoorschijn en klapte het open. Hij keek naar de jongen en hij keek naar het horloge. Toen sloeg hij zijn armen over elkaar en verviel in gepeins, en een tijdje leek hij er geen behoefte meer aan te hebben om met een van hen te praten. Benjamin sloot zijn ogen. De rest van de groep wachtte, en iedereen voelde de hitte in het vertrek.

Ren keek naar Benjamin, in afwachting van een teken, maar Benjamins gezicht stond strak van de spanning. Ren slikte. Hij dacht terug aan de keren dat hij in de studeerkamer van vader John had gestaan, wachtend tot hij zijn straf kreeg, terwijl de stilte erger was dan de slagen. Langzaam begon hij achteruit te lopen, en dat leek de betovering te doorbreken. McGinty knikte naar Pilot, en de man haalde het pistool weg van Benjamins hoofd.

'Ik zal u meer betalen dan zij,' zei Benjamin.

'Ik hoef je geld niet,' zei McGinty.

Benjamin keek even naar de deur. Daar stond Pilot zijn mes schoon te maken, maar hij wendde zijn blik niet van Benjamin af, nog geen seconde. 'Ik begrijp het niet.'

'Je vertrekt vanavond nog uit deze stad,' zei McGinty. 'Ik zie je nooit meer terug. Ik hoor je naam niet meer. Ik krijg niets meer over je te horen.'

Pilot deed de deur open. Hij wees naar het tapijt. De Hoge Hoed en de Strohoed hurkten ieder aan een kant van Tom neer en begonnen hem in het tapijt te rollen. Dat deden ze zonder een woord te zeggen, alsof ze het al vele malen eerder hadden gedaan. Brom en Ichy stapten opzij, en iedereen keek toe hoe Tom in de windingen van het tapijt verdween. Toen pakten de hoedenjongens allebei een uiteinde van het tapijt vast en trokken het de gang in, met de tweeling achter hen aan.

Benjamin pakte Rens hand vast. Van een van zijn vingers was de nagel afgescheurd. Toen ze zich omdraaiden om te vertrekken, kon Ren de blauwe plek over zijn knokkels zien lopen, een kleine donkere plek. Pilot ging voor de deur staan. Hij vouwde de advertentie die hij had voorgelezen dubbel. En toen nog een keer.

McGinty leunde achterover in zijn stoel. 'De jongen blijft.'

Benjamin aarzelde. Zijn vingers lieten Ren los en gingen naar de plek op zijn hoofd waar Pilot het pistool tegenaan had geduwd. Ren keek toe, en zijn hart bonsde zo luid dat het dreunde in zijn oren.

'Neem afscheid,' zei McGinty.

Ren wachtte tot Benjamin iets zou zeggen. Tot hij een verklaring zou horen. Waarom dit een vergissing was. Waarom ze onmogelijk van elkaar gescheiden konden worden. Maar Benjamin keek hem nauwelijks aan.

'Vaarwel,' zei hij.

Het volgende moment werd Ren het kantoor uit gesleept; het groene tapijt was als een waas onder zijn knieën. Pilot sleurde hem van de trap af, langs de rijen muizenvalmeisjes. Die werkten door en deden of ze niets zagen, maar Ren kon zien dat er een paar even stopten om naar hem te staren. De Hazenlip stond nog op haar plek, en even keken ze elkaar aan, totdat Pilot hem een andere deur door trok, en vervolgens een gang door, en hem ten slotte een bergruimte in duwde die vol stond met dozen en stapels papieren.

'Je bent écht een geluksvogel,' zei Pilot. Toen deed hij de deur dicht en draaide hem achter zich op slot.

VIJFENTWINTIG

De bergruimte had geen ramen. Tegen de muren en her en der op de grond stonden stapels houten kisten. In de hoeken waren twee archiefkasten en een klein bureautje met een kruk neergezet. Op het bureautje stond een inktpot en er lagen net zulke gouden pennen als in het kantoor. Er was ook een potkachel met een kleine pijp die aan de muur was bevestigd. Ren opende het rooster en zag dat de kachel vol as zat.

Hij ging op de kruk zitten en legde zijn hoofd op het bureautje. Hij probeerde het hout te voelen dat in zijn wang drukte. Zijn lichaam voelde zwaar aan, alsof hij van onderen door touwen naar de grond werd getrokken. Hij had zich nog nooit zo ellendig en alleen gevoeld.

Het liefst zou hij geloven dat dit deel uitmaakte van een plan en dat over een uurtje of twee de deur van het slot zou worden gedraaid en Tom en de tweeling en Benjamin met zijn glimlach op de gang op hem stonden te wachten, met een nieuwe wagen en een nieuw paard en honderden dollars rijker. Maar naarmate de ochtend vorderde en zijn maag pijn begon te doen van de honger, begon Ren steeds wanhopiger te worden, en hij bedacht vertwijfeld in hoeveel opzichten zijn metgezellen hem in de steek hadden gelaten.

Hoe meer Ren de anderen verwijten maakte, des te meer hij besefte dat hij met Dolly hetzelfde had gedaan. Hij had hem achtergelaten. Hij had alleen zichzelf gered. Dolly zou nu wel wakker zijn en over de weg zwerven, zijn naam roepen en struikelen over de dode merrie. Ren dacht aan hoe Pilot het geweer tegen het hoofd van het paard had gezet, op dezelfde plek waar de boer het dier een afscheidskus had gegeven.

Hij wou dat hij weer in de keuken van mevrouw Sands was. Ren stelde zich voor dat ze de muizenvallenfabriek binnen kwam stormen met haar bezem, waarmee ze de hoedenjongens ervanlangs gaf, en vervolgens Ren in haar armen optilde. Het zou precies gaan als in een van Benjamins verhalen. Hij kon de glinstering van haar scheve tanden zien, het geluid van de bezem horen die op Pilots schouders doormidden brak, de manier waarop ze McGinty tegen de grond werkte. Hij luisterde of hij in de gang haar voetstappen hoorde. Hij voegde meer details toe, en luisterde toen opnieuw.

In de loop van de dag begon Ren zich te vervelen en werd hij rusteloos, en hij begon de kratten te doorzoeken waar het vertrek vol mee stond. Hij bad de heilige Antonius om hulp. Hij bad of hij hem wilde helpen een mes te vinden of een stuk touw – alles wat hem maar zou helpen te ontsnappen –, maar er zaten alleen maar springveren en houtkrullen en papier in de kratten. In één kist zaten kapotte muizenvallen, die leken op de vallen die hij in de keuken van mevrouw Sands had gezien. Hij pakte er een uit en duwde tegen het metalen deurtje, en terwijl hij zijn vinger terugtrok voelde hij het dichtklappen.

Hij rommelde in de laden van het bureautje en haalde oude pennen en aantekenboekjes tevoorschijn. In de boekjes stonden illustraties van muizenvallen – de ene tekening na de andere van ingewikkelde, kleine moordmachines. Er was een ruwe schets van een muis die vanaf een helling waar lokaas op had gelegen in het water duikelde. Er was een andere, waarop een schroef in beweging werd gezet die ervoor zorgde dat de bovenkant van de val naar beneden kwam en de muis werd geplet. Op weer een andere schets stond een ingewikkelde doolhof getekend waarvan de doorgangen steeds kleiner en smaller werden, tot de muis zich niet meer kon wenden of keren.

Het waren tekeningen van gepatenteerde uitvindingen, of van ideeën voor zulke uitvindingen. Alle mogelijke manieren om de wereld te verlossen van iets ongewensts.

Ren begon te ijsberen door het vertrek. Elke keer wanneer hij bij de muur kwam, draaide hij zich weer om, tot hij bijna stond te tollen. Hij wreef met de palm van zijn hand over zijn litteken en hoorde toen dat er een sleutel in het slot werd gestoken. De deur ging open en McGinty kwam binnen. Hij had een papieren zak bij zich die qua grootte en vorm deed denken aan een mensenhoofd. Hij was zakelijk gekleed: zijn gele jasje was dichtgeknoopt en de linten aan zijn hemdsmouwen waren keurig gestrikt. Hij zette de zak op het bureautje.

'Hier,' zei hij.

Ren staarde naar de zak.

'Dit is voor jou,' zei McGinty. 'Maak open.'

De jongen stak zijn hand uit naar het gekreukelde papier. Langzaam en met trillende vingers vouwde hij de zak open. Ondertussen was hij zich ervan bewust dat McGinty achter hem stond.

De zak zat vol snoep. Pepermuntstokken en stukken toffee, zuurballen, chocoladerepen, citroensnoepjes, pindarotsjes, babbelaars, suikerkoekjes, petitfours, karamelsnoepjes, paraffinegom en reuzenlolly's. Ren had van zulke dingen weleens gehoord en ze ook in etalages zien liggen, maar hij had ze nog nooit geproefd. De zoete geur dreef als een wolk langs zijn gezicht en maakte dat hij zich tegelijkertijd uitgehongerd en duizelig voelde.

McGinty schudde de zak leeg en het snoep rolde over de tafel in een werveling van kleuren, over de aantekenboekjes heen en op de grond. 'Kom op,' zei hij. 'Opeten.'

Ren vroeg zich af of het snoep misschien vergiftigd was.

'Deze vind ik het lekkerst,' zei McGinty. Hij pakte een van de pepermuntstokken en brak hem in stukken. Hij zoog een paar minuten op het snoep, bewoog het heen en weer in zijn mond en vermaalde het toen met zijn tanden. Hij pakte er nog een en gaf die aan Ren. 'Proef maar.'

De jongen dacht aan meneer Bowers, die zijn gebit als een geheim uit zijn mond had laten glippen. *Dit gebeurt er met jongens die jam eten.* Hij schudde zijn hoofd.

'Godsamme, proeven!' brulde McGinty.

Ren pakte het stokje van tafel en stopte het helemaal in zijn mond. De zoetheid verblindde hem bijna; zijn mond zat vol speeksel, en plotseling kon het hem niet meer schelen of het vergiftigd was of niet.

'Dat is beter,' zei McGinty.

Ren haalde de wikkel van een reep chocola en at de reep in drie happen op. Zijn tong was van boven tot onder bedekt met gesmolten heerlijkheid. Hij kauwde op de kandij tot het spul versplinterde tegen zijn tanden; hij trok de toffee uit tot centimeters van zijn gezicht. Hij zoog het sap uit de paraffinegom en stopte een stuk noga in zijn wang, waar het snoep tegen zijn kiezen plakte en langzaam uit elkaar viel.

'Heb je die bekeken?' McGinty wees op het boekje met de schetsen van muizenvallen.

Ren veegde zijn mond af. 'Ja.'

McGinty koos een van de aantekenboekjes uit en deed het open. Hij sloeg een bladzijde om, en toen nog een, en liet Ren een tekening zien van een doosje waar een piepkleine guillotine in verborgen zat. De muis raakte een hendel terwijl hij op de kaas af ging en zijn kleine kopje rolde er aan de andere kant uit.

'Ik ben begonnen als rattenvanger,' zei McGinty. 'Zwarte ratten, bruine ratten en rode ratten. De zwarte komen omhoog door het riool, de bruine wonen in de muren van het huis, en de rode gaan achter levende dieren aan. Als ze de kans krijgen vreten ze een hond op, of een baby.'

McGinty sloeg nog een paar bladzijden om en liet Ren toen een andere tekening zien, van een groep ratten die een kind door een gat in de muur probeerden te krijgen. Sommige duwden, andere trokken, weer andere knaagden aan de tussenliggende plekken.

'Muizen zijn niet zo slim als ratten. Maar ze planten zich wel sneller voort. Toen ik begon met muizenvallen maken, verkocht ik ze zodra ik ze in elkaar had gezet. Maar na een tijdje hadden ze geen effect meer. De muizen kregen door hoe ze werkten. Ze geven de informatie aan elkaar door, van de ene muis aan de andere. En dus ontwierp ik een andere, en toen ving ik ze weer. En toen dat niet meer werkte, ontwierp ik weer een nieuwe. De truc is om de vallen te blijven veranderen, zodat ze vergeten waardoor ze worden gedood.'

McGinty sloeg het boekje dicht. Hij stak nog een stuk snoep in zijn mond. 'Je was een lelijke baby.'

Ren hield nog steeds een stuk paraffinegom vast. Hij kon voelen dat het spul zachter begon te worden, nu zijn handpalm glad werd van het angstzweet en zijn vingertoppen een afdruk op het tafelblad achterlieten.

'Maar je lijkt niet op haar. Absoluut niet zelfs.'

McGinty haalde zijn zakhorloge tevoorschijn. Hij drukte op het knopje en de bovenkant sprong open. Aan de ene kant zat een handgemaakt horloge, aan de andere een miniatuurportret van een jonge vrouw. Ze was prachtig om te zien. Ze had kastanjebruine haren en haar huid was zo bleek dat hij glansde. Haar lippen waren op elkaar gedrukt tot een aanlokkelijke mond en ze had donkerblauwe ogen die een beetje fonkelden, alsof ze de schilder uitlachte terwijl die haar schilderde. McGinty deed het horloge dicht. Hij streek er met zijn duim overheen en legde het toen tussen hen in op het bureautje.

'Dat is mijn zus.' McGinty koos een nieuw stuk pepermunt en brak het met zijn tanden doormidden. Kleine flintertjes rood en wit snoepgoed lagen glinsterend op zijn tong. 'Ze heeft tegen me gezegd dat je was overleden nadat je je hand had verloren. Ik had kunnen weten dat ze loog.'

De paraffinegom was gesmolten. Rens vingers waren er helemaal doorheen gegaan, en nu waren ze kleverig en lag het snoep in stukken op de grond. Hij staarde naar het horloge. Hij wilde het weer open zien. Hij kon het horen tikken op het bureautje, als een klein metalen hart.

'U vergist u,' zei hij.

McGinty stopte met kauwen. 'Ik vergis me nooit.'

Ren kon voelen dat al het snoep dat op de bodem van zijn maag was samengeklonterd, zich omdraaide en zich weer een weg omhoog begon te werken, naar zijn keel. Hij greep de rand van de tafel vast, draaide zich toen om en gaf over in een open doos met muizenvallen. Toen hij klaar was, veegde hij met zijn mouw over zijn mond. 'Ik wil naar huis,' huilde hij. Maar zodra de woorden uit zijn mond kwamen, besefte hij hoe hol ze waren. Hij had geen huis.

McGinty leunde tegen de tafel. Hij pakte een van de gouden

pennen op en haalde er het vuil onder zijn nagels mee vandaan.

'Je zei dat je een wees was.'

'Ja.' Ren boog zich over de doos met muizenvallen, bang en verward. Als deze man dacht dat hij zijn oom was, dan was hij ook het soort oom dat zijn neefje opsloot in een kast.

'Neem nog wat snoep.'

Ren pakte een pepermuntje. Bij de geur trok zijn maag zich samen. Hij stopte het pepermuntje in zijn mond en hield het tegen met zijn tanden, in een poging te voorkomen dat het zijn tong zou raken.

McGinty stootte hem aan met zijn voet. 'Is er nooit iemand gekomen om je op te eisen?'

Ren schudde zijn hoofd.

'Weet je het zeker?'

Ren knikte zwakjes.

'Neem nog wat snoep.'

'Ik heb geen familie!' huilde Ren. 'Ik heb niemand!'

'Nou ja,' zei McGinty, en hij zweeg even. 'Nu heb je mij.' Hij stak een nieuwe pepermuntstok in zijn wang en liet hem daar bungelen, als een lange, veelkleurige tandenstoker.

Even probeerde Ren zich voor te stellen hoe het zou zijn om met McGinty in de fabriek te wonen. Om de muizenvalmeisjes te zien komen en gaan. Om de rest van zijn leven opgesloten in deze bergruimte door te brengen.

McGinty bestudeerde zijn gezicht. 'Je gelooft me niet.'

'Nee.'

De onderkaak van de man schoof naar voren en de uitdrukking op zijn gezicht veranderde, als een raam waar een zonnescherm voor wordt geschoven. 'Ik zal het je laten zien. Ik zal het bewijzen.'

Hij greep de jongen bij zijn arm en voordat Ren wist wat er gebeurde, waren ze de bergruimte uit. Hoedenjongens stonden aan weerszijden van de gang opgesteld maar gingen aan de kant toen ze langskwamen. Een van hen rende vooruit om een deur open te houden, en toen liepen ze de trap af. McGinty hield de jongen de hele tijd stevig vast – slechts één keer liet hij hem eventjes los om zijn overjas van Pilot aan te pakken voordat ze een zij-ingang door gingen en de straat op stapten.

Het was laat in de middag; de winkels waren gesloten, de vuren brandden en de ramen waren verlicht. Bij elke hoek stak Ren zijn nek uit om te zien of hij Benjamin ergens zag. Hij had gehoopt dat zijn vrienden op hem zouden wachten, maar hij zag alleen maar nog meer hoedenjongens die voor hen uit, naast hen en achter hen liepen en die de mensen op straat aan de kant duwden. McGinty snoof tijdens het lopen, terwijl zijn ogen heen en weer flitsten en hij zijn hand om de arm van de jongen geklemd hield.

Ze kwamen bij het stadsplein en liepen de meent over. Aan de overkant stond een kerk, met een groot hek met zwarte spijlen om het kerkhof heen. Hoe verder ze liepen, hoe vastberadener McGinty's gezicht werd; zijn buik puilde voor hem uit en zijn gele pak fladderde in de wind. Ren keek omhoog, naar de kerktoren. Het gebouw kwam hem bekend voor, alsof hij het in een droom had gezien. En toen wist Ren het: het was de plek waar Dolly begraven had gelegen. De plek waar ze hem die eerste keer uit de grond hadden opgegraven. McGinty ging voor het slot staan waar Benjamin met een naald in had gepeuterd en opende het met een sleutel.

De hoedenjongens verspreidden zich rondom de kerk en Pilot stapte de begraafplaats op en hield het hek open. McGinty trok Ren mee aan zijn schouder en begon langs de rijen met graven te lopen. Aan beide kanten verschenen telkens weer dezelfde familienamen: BECKFORD, BARTLETT, HALE, WOOD. Ren struikelde over een rij grafsteentjes, allemaal pasgeborenen uit hetzelfde gezin met steeds een jaar ertussen.

Ten slotte liepen ze weg van de kerk, naar een graftombe die zich aan de achterkant van de begraafplaats bevond. De tombe was zo groot als een koetshuis, met een stenen trap die naar een overdekt gedeelte leidde dat was afgesloten met een hek. Aan beide kanten stonden marmeren urnen met roze en gele rozen. Op de tombe stond een torentje, met in het midden daarvan een klok. Ren keek toe hoe McGinty een andere sleutel uit zijn zak haalde en het hek opende. In de deur daarachter waren engelen gehouwen, en in de boog boven de deur zat een glas-in-loodraam waarop een fontein stond afgebeeld die uit de aarde omhoogspoot.

McGinty duwde de jongen als eerste naar binnen. De vloer was van graniet, en het was koud en donker in het vertrek. Ren kon links van hem een witte tafel ontwaren die tegen de muur aan stond. De hoeken van de tombe lagen vol modder en dode bladeren. Het plafond was laag en de muren stonden dicht op elkaar. De enige uitweg werd geblokkeerd door McGinty.

'Daar is ze.'

McGinty wees naar de tafel, en nu zag Ren dat het geen tafel was maar een graf. De jongen liep ernaartoe en las de woorden: MARGARET ANN MCGINTY. Het waren mooie, sierlijke letters, en onder de naam stond een inscriptie die met vaste hand was gehouwen: *De zielen van de rechtvaardigen zijn in Gods hand.* Ren streek met zijn vinger over de letters. Het marmer was gepolijst en glad. Hij voelde geen krassen, alleen maar de scherpe randen waar de woorden diep in het marmer doordrongen.

Ren dacht aan het portret van Margaret, aan haar lichtelijk geamuseerde blik. Hij liet zijn hand in zijn zak glijden en voelde het horloge van McGinty. Hij had het van de tafel gestolen toen ze de bergruimte uit liepen. Het metaal was warm; hij kon het klokje tegen zijn vingers voelen tikken.

Er scheen bontgevlekt licht over McGinty's gele pak. Boven Margarets graf hing een kruis aan de muur, maar de man keek er niet eens naar. Hij wreef alleen maar met zijn hand over zijn gezicht, alsof hij zijn emoties probeerde weg te vegen. Toen duwde hij Ren in de richting van het donkere uiteinde van de tombe.

'Kom op,' zei de man tegen Ren. 'Ga kijken.'

Het enige wat er verder nog in het vertrek aanwezig was, was een kleinere tafel, die tegen de achterste muur aan stond. Ren liep er met een ongemakkelijk gevoel naartoe. De plaat was van hetzelfde soort steen als die waar Margaret onder lag, en toen hij dichterbij kwam zag hij dat er een naam in was gegraveerd: REGINALD EDWARD MCGINTY.

'Nou.' McGinty wendde zich tot de jongen. 'Laten we eens kijken of je daarin ligt.'

Pilot stapte de tombe binnen, samen met vier andere hoeden-jongens, en ze hielden allemaal een ijzeren staaf in hun hand. Ze duwden Ren opzij, wrikten de staven onder de marmeren plaat en tilden die omhoog. Het krakende geluid weerkaatste tegen de muren toen ze de steen omhoogtilden. Toen ze de plaat op de grond zetten, kwam er een merkwaardige geur uit de doodskist: een mengeling van schimmel en vochtige theebladeren.

Ren boog zich naar voren en keek in de kist. Daar lag een klein bundeltje in dat in een stoffen zak was gewikkeld en dat de omvang en de vorm had van een baby.

Het bundeltje was bedekt met lichtgrijs poeder. Op sommige plaatsen was de zak aangevreten door insecten of versleten van ou-derdom. Ren kon aan de onderkant een stukje stof zien. Het was hetzelfde dikke linnen als dat van de kraag met zijn naam erop. Hij hoestte en proefde gal achter in zijn keel. Hij wist dat het onmoge-lijk was dat hij in de kist lag, maar toch gingen de haartjes op zijn armen overeind staan.

Pilot overhandigde zijn mes aan McGinty, die de zak opensneed; hij stak dwars door de onderkant en sneed de naad open. Toen hij klaar was, stapte hij hijgend achteruit, en pas toen hij hard begon te lachen kon de jongen de moed opbrengen om te kijken. De zak was in het midden doorgesneden en was gevuld met stenen. Ze hadden verschillende kleuren en vormen; sommige waren puntig en gebroken, andere zaten nog onder de aarde waar ze uit waren gehaald, en weer andere waren zo klein dat ze in de palm van Rens hand pasten.

Toen hij zich verder vooroverboog, zag Ren een paar piepkleine sokjes. Iemand had er de tijd voor genomen om de stenen in ba-bykleren te naaien. Hij of zij had de uiteinden van de mouwen aan elkaar vastgemaakt en de hals dichtgenaaid. Er zat kant op de kraag, en er was een bijpassend mutsje, met een lint door de rand dat helemaal was aangetrokken. McGinty had overal doorheen ge-sneden, en de stenen lagen verspreid over het marmer. Zonder na te denken pakte de jongen er een van de stapel. Het was een heel gewone, onopvallende steen. Hij was grijs en zat vol gaten. Geen jongen uit Saint Anthony zou hem hebben bewaard.

ZESENTWINTIG

Die avond vond Ren muizen in de muizenvalfabriek. De deur van de bergruimte was nog niet achter hem op slot gedraaid of de jongen hoorde de dieren over de vloer rennen. Hij hield de lamp omhoog die Pilot had achtergelaten en zag een moedermuis met een paar kleintjes die zich te goed deden aan een reep chocola. Ren trok de kruk naar de hoek aan de andere kant van het vertrek en ging zitten, met zijn voeten omhoog.

De jongen wachtte in het donker, met een leeg hoofd en koude tenen. Ten slotte schoof hij de kruk opzij en begon stukjes hout uit de doos met kapotte muizenvallen in de kachel te gooien. Hij gebruikte de lamp om de stapel in brand te steken, en al snel brandde er een vuurtje. Hij deed zijn schoenen uit en duwde zijn voeten tegen het ijzeren deurtje. Langzaam werd de huid op die plek warm, door de sokken van de verdronken jongen heen.

Nadat hij het graf had opengemaakt, had McGinty uitgeput geleken. Hij had Pilot gewenkt en Ren net als eerder naar dezelfde bergruimte laten terugslepen. Nu keek Ren om zich heen, naar de op elkaar gestapelde dozen, het ingezakte plafond en de rennende muizen. Het was een vergeten vertrek. Hij stelde zich voor dat er dagen, en vervolgens jaren binnen deze muren zouden verstrijken.

Ren haalde het horloge tevoorschijn dat hij had gestolen en deed het open. Het portret van Margaret McGinty keek hem aan. Ze had een lange, sierlijke nek en mooi opgestoken kastanjekleurig haar. Ze droeg een paarlemoeren ketting met bijpassende oorbellen. Ren volgde met zijn vinger haar volmaakte neus.

Hij legde het horloge op het bureautje en raakte zijn eigen gezicht aan. Hij voelde de vorm van zijn oren, zijn neus, zijn mond, om na te gaan of ze ook maar enigszins op die van haar leken. Hij had in zijn leven weinig tijd voor een spiegel doorgebracht. In het weeshuis was er maar één geweest, en wel in de studeerkamer van vader John, waar Ren zichzelf altijd even in bekeek vanaf de andere kant van het vertrek terwijl hij wachtte op zijn straf. Soms gingen er maanden voorbij voordat hij zijn spiegelbeeld weer zag. Hij schrok er bijna altijd van. Alsof hij een vreemdeling begroette.

De jongen stak zijn hand in zijn jaszak en haalde de kraag met de letters van zijn naam eruit. Ze zagen er hetzelfde uit als altijd. De R en de E waren met krachtige, rechte halen genaaid, de N was scheef. Ren kon de bobbeltjes voelen. Hij draaide het stuk kraag om en onderzocht de knopen. Precies onder het uiteinde van de laatste letter zat een gaatje, alsof de naald erdoorheen was gestoken en er weer uit was gehaald voordat hij een steek had kunnen maken. Hij realiseerde zich dat de N helemaal geen N wás. Het was het begin van een M.

Al die jaren had hij zich afgevraagd waar hij vandaan kwam en wie hem in Saint Anthony door het deurtje had geschoven – dat maakte nu allemaal niet meer uit. Hij had een naam. Hij had een moeder. En toen wist hij het weer: hij had ook een oom.

Het slot werd omgedraaid en de Hoge Hoed en de Bolhoed kwamen binnen. Ze sleepten een houten hobbelpaard met zich mee. Het had glazen ogen, een geschilderd zadel en een staart van echt haar. De mannen schoven een paar kratten en dozen opzij en zetten het paard in een hoek. Toen Ren vroeg waarom hij in de bergruimte zat opgesloten, keek de man met de bolhoed de Hoge Hoed even aan, maar die lachte alleen maar en schopte een paar papieren aan de kant, zodat de deur dicht kon.

Het was een paard voor een kind – een veel kleiner kind dan Ren. Nu het zo tussen de dozen ingeklemd stond, kon het onmogelijk bewegen. Maar het was een prachtig stuk speelgoed, met koperen stijgbeugels en een beslagen hoofdstel, en Ren kon er niets aan doen, maar hij vond het mooier dan het paardje dat de dwerg uit de schoorsteen had gesneden, met zijn ruwe vormen en met de piepkleine gaatjes die voor neusgaten moesten doorgaan. Dit paard had een volmaakte, witgeschilderde neus, en de neusgaten waren zo groot dat je er een vinger in kon steken.

Ren stak net zijn vinger in de neus toen McGinty de bergruimte binnen kwam. Hij droeg geen jasje en de mouwen van zijn witte overhemd waren opgerold tot aan zijn ellebogen. Op de voorkant van het overhemd zat een bloedvlekje. Zijn knokkels waren gehavend en gezwollen, en zijn losgeknoopte boord zat scheef. Hij klopte op het achterwerk van het dier. 'Vind je het mooi?'

Ren keek naar het bloed op het overhemd van de man. Hij knikte.

'Nou, rij er dan op.'

De jongen gooide zijn lichaam over het paard. Zijn voeten pasten niet in de stijgbeugels; zijn benen sleepten aan beide kanten over de grond.

'Ik zei dat je erop moest rijden.'

Ren tilde zijn knieën op en stak zijn tenen in de stijgbeugels. In een poging om in evenwicht te blijven, greep hij de manen zo stevig mogelijk vast. McGinty kwam achter hem staan en gaf hem een duw, en de jongen schommelde vooruit en achteruit; hij botste tegen de dozen die het dichtstbij stonden, net zo lang tot het speelgoedpaard verschoof en langzaam weggleed over de vloer.

'Daar,' zei McGinty. 'Tevreden?'

De glijders sloegen met een regelmatig ritme tegen het hout. Ren omklemde het paard met zijn knieën.

'Mooi zo,' zei McGinty. Hij roffelde met zijn vingers tegen de zijkant van zijn broek en stak toen een knokkel in zijn mond. Hij had dezelfde puntige kin als zijn zus. Zijn ogen waren echter grijs in plaats van blauw, en zijn korte nek leek wel tussen zijn schouders te vallen.

'Die kerel die je hiernaartoe heeft gebracht,' zei McGinty. 'Denk je dat hij ooit iemand gedood heeft?'

Nu Benjamin ter sprake kwam, voelde Ren een golf van teleurstelling over zich heen komen. 'Ik denk het niet,' mompelde hij.

McGinty ging op de rand van het bureautje zitten, strekte zijn benen en sloeg ze vervolgens over elkaar. 'Hij wilde je waarschijnlijk verkopen.'

'Hij zei dat ik niks waard was.'

McGinty wierp hem een scherpe blik toe. 'Denk je dat dat waar is?'

'Nee,' zei Ren.

'Geloof het maar wel. Dat deed mijn zus ook.'

Ren dacht aan de initialen op zijn kraag, aan het fijne linnen en de indigo draad. Ook al had ze het niet afgemaakt, het was Margarets bedoeling geweest dat de steken lang mee zouden gaan. Ze had hem een naam willen geven. En als ze hem een naam had gegeven, betekende dat dat het de bedoeling was geweest dat hij werd gevonden.

'Hoe is ze overleden?'

McGinty keek hem dreigend aan. Toen liep hij naar de kruk, trok die bij de kachel en liet zich erop neerploffen.

'Koorts. Een paar dagen nadat jij was geboren.' Hij drukte zijn handen tegen elkaar. Het vuur scheen flikkerend tegen de stapels dozen en tekende zijn silhouet ertegen af. Ren haalde zijn tenen uit de stijgbeugels en zette zijn voeten op de grond.

'Wat voor iemand was ze?'

McGinty pakte de pook op en gebruikte hem om het rooster op de kachel op te tillen. In de kachel verbrandden de muizenvallen tot as. 'Ze had een moedervlek,' zei hij. 'Een kleine. Aan de zijkant van haar gezicht. Ze droeg altijd een muts die ze naar beneden trok om hem te bedekken. Ze hield er niet van als mensen ernaar keken. Het gaf haar het gevoel dat ze anders was, alsof ze ergens om gebrandmerkt was.

Onze vader zei altijd dat ze lelijk was, maar ik hoorde 's nachts wel dat hij haar lastigviel. Toen ik op een dag thuiskwam was hij iets vreselijks met haar aan het doen. Ik was toen oud genoeg om er een einde aan te maken.' McGinty stak de pook in de kachel. 'Later vond ik haar bij de rivier, op blote voeten en met haar rok omhooggetrokken. Ze was het bloed van zich af aan het wassen. Ze waste mijn kleren ook, en toen hebben we het lichaam het bos in gesleept.

Daarna hadden we het een tijdje heel goed samen,' zei hij. 'Ik verdiende genoeg met de muizenvallen om ervan te kunnen leven, en toen ook genoeg om de fabriek te openen, en toen genoeg om alle dingen voor haar te kopen die ze altijd had gewild. Maar Margaret heeft zich nooit thuis gevoeld in de stad. Ze liep soms kilometers ver het bos in en verdween dan. Ik moest mijn mannen achter haar aan sturen om haar te zoeken.

Ze brachten haar een keer thuis nadat ze dagenlang vermist was geweest. Ze was in de mijn geweest, zei ze. Ze had een oude spelonk gevonden en was erdoorheen gekropen, en daarbij had ze een toorts gebruikt die ze had gemaakt van een stuk van haar jurk. Het was een dure jurk, een fluwelen, en ik vond het vreselijk dat ze hem kapot had gemaakt. Ze had het alleen nog maar over de mannen die ze daar had gevonden, dode mannen, niets dan beenderen, allemaal bij elkaar. Ze zei almaar dat ze vast dicht bij elkaar waren gekropen om het warm te krijgen. Ze moesten elkaar in het donker hebben gevonden.

Daarna was alles anders. Ik dacht dat ze eindelijk tot bezinning was gekomen. Ze begon naar de kerk te gaan. Ze stopte met zwerven en deed elke dag boodschappen op de markt. Op zondag droeg ze een jas met lintjes, en een speciale hoed met veren, en een boa van konijnenbont. Ze zag er heel goed uit.

En toen opeens, volkomen onverwacht, probeerde ze zichzelf te verdrinken. Een paar ouwe mannen droegen haar terug naar huis, helemaal doorweekt en huilend, alsof het het einde van de wereld was. Ik moest steeds denken aan toen ze nog een kind was en haar handen waste in de rivier.' McGinty pakte de pook weer op. Hij greep het ding zo stevig vast dat de wonden op zijn knokkels opensprongen en weer begonnen te bloeden. 'Een paar maanden later beviel ze van jou. Ze wilde me niet vertellen wie het had gedaan.'

Ren hield de teugels van het hobbelpaard vast. Zijn zitvlak was gevoelloos, maar hij durfde zich niet te bewegen, alsof de kleinste verandering ervoor zou zorgen dat McGinty zou ophouden met praten. Het vuur in de kachel was uitgegaan. Er gloeiden alleen nog maar een paar kleine stukjes hout. Het was weer donker geworden in de kamer, en tussen hen in strekte het duister zich uit, net als het zwijgen van McGinty, en toen begreep Ren waar de man op uit was. Er was een reden waarom hij in deze bergruimte zat opgesloten. Er was een reden voor het snoep en het paard.

Hij stapte van het zadel. 'Ik weet niet wie hij is.'

McGinty veegde zijn neus af. 'Dat komt nog wel.'

Ren hield de manen van het paard vast. Die voelden droog en ruw aan, alsof ze al jaren niet meer aan iets levends hadden vastgezeten. 'Wat gebeurt er als u hem vindt?'

'Hij zal zich moeten verantwoorden voor wat hij heeft gedaan.'

'En als u hem niet vindt?'

McGinty zei niets, en de jongen begreep dat als zijn vader niet gevonden zou worden, híj degene was die zich zou moeten verantwoorden. Alle mogelijke manieren waarop dat zou kunnen gebeuren kwamen bij hem op. Ren dacht aan Margaret die de rivier in liep en de stroming voelde. Die hen allebei probeerde te verdrinken nog voordat hij geboren was.

'Ze moet me hebben gehaat.'

McGinty zette de pook op de grond. Hij rolde zijn mouwen naar beneden, trok zijn kraag recht en stak een opengesprongen knoop door het knoopsgat. Hij was er weer klaar voor om zaken te doen. Hij haalde de sleutel uit zijn zak.

'Dat zou ik niet weten,' zei hij. 'Maar ík haatte je wel.'

ZEVENENTWINTIG

Het vuur zwakte af tot een kleine vlam, en toen doofden de laatste gloeiende houtblokjes langzaam uit. De jongen stopte papier in zijn jas om warm te blijven en trok een van de registers over zijn schouders; op de geopende bladzijden stond een ontwerp afgebeeld waar prikkeldraad en springveren in verwerkt waren. Het grootste deel van de avond had hij doorgebracht met luisteren naar de muizen die over de vloer renden en met nadenken over alles wat hij te weten was gekomen en wat zich voor hem tentoonspreidde als de streepjes op een muur waarmee de dagen worden gemarkeerd.

Hij had een moeder – die dood was. Hij had een oom – die hem haatte. Nu hij de waarheid kende, waren alle verhalen over een gezin die hij door de jaren heen had gekoesterd en waaraan hij zich had vastgeklampt in rook opgegaan. Hij was niet van adel. Hij kwam niet voort uit het huwelijk tussen een non en een priester. Hij was niet de zoon van een pionier die door indianen was vermoord. Hij was geen van al die dingen waarvan hij ooit had gedacht dat hij ze had kunnen zijn.

Zijn hele leven had hij gewacht op de onthulling van dit geheim. Nu was het dan zover, en het verbaasde hem dat hij zich er totaal niet anders door voelde. Hij was er niet sterker of moediger door geworden, en het had hem ook geen rust gegeven. Hij was dezelfde jongen als altijd, alleen waren zijn kansen nu verkeken. Hij wou dat hij de stappen ongedaan kon maken die hem hier hadden gebracht, dat hij achterstevoren de gang door kon lopen, door het kantoor van McGinty, door de fabrieksdeur, om ten slotte achterstevoren, vol nieuwe mogelijkheden, op de stoep te belanden.

Ren trok het boek naar zich toe. Het gewicht ervan drukte

tegen zijn borst, en zijn gedachten gingen terug naar zijn vrienden. Hij begon God te beloven dat hij terug zou gaan en Dolly
zou gaan zoeken, dat hij aardiger zou zijn tegen de tweeling, dat
hij Benjamin zou vinden en hem zou vergeven. Deze gedachten
kwelden Ren vanbinnen, zo erg dat op een gegeven moment zijn
hele lichaam pijn deed. Hij keek het donker in, en hij kon niet
slapen.

Na middernacht hoorde Ren weer het geluid van een sleutel, en
hij hief zijn hoofd op. De scharnieren kraakten en er scheen een
streepje licht naar binnen. Hij knipperde met zijn ogen, in de verwachting McGinty weer te zullen zien. Hij werd doodsbang. Maar
er gluurde een gestalte de bergruimte binnen, en toen zijn ogen
waren gewend zag hij de Hazenlip in de deuropening staan.
    Ze had haar muizenvaluniform nog aan, haar schort zat scheef
en de veters van haar laarzen waren slordig vastgemaakt. Ter hoogte van haar middel hield ze stevig een bundeltje vast. Het meisje
snelde naar binnen, sloot de deur en ging er toen met haar rug
tegenaan staan. Ze nam de stapels dozen in zich op, het snoepgoed
dat door het vertrek verspreid lag, het kleine hobbelpaard, en Ren,
die languit op het bureautje lag, met het boek tegen zijn benen.
    'Aan het genieten van het goede leven?'
    'Wat doe jij hier?' fluisterde Ren.
    'Ik ben gekomen om je hier weg te halen.' Ze gooide het bun-
deltje op de grond. 'Niet dat het mij wat kan schelen.'
    Ren klauterde van het bureautje en maakte het pakje open dat
ze had meegebracht. Het was een blauwe jurk. Een muizenvaluni-
form.
    'Dat kan ik echt niet aantrekken.'
    'Dan blijf je toch lekker hier?' zei de Hazenlip. Ze liep terug en
legde haar hand op de deurknop. Maar ze draaide hem niet om.
    Aan de andere kant van de deur klonken voetstappen. De Ha-
zenlip verstijfde toen ze voor de deur vertraagden. De jongen en
het meisje staarden elkaar aan en haalden nauwelijks adem. Ren
besefte hoe groot het risico was dat ze had genomen door naar
hem toe te komen. Voor de deur bleef iemand even staan, en toen

liepen de voetstappen verder door de gang. De Hazenlip liet haar hand op de deurknop liggen tot ze niet meer te horen waren. Haar vingers trilden toen ze ze van de knop liet glijden, maar toen de Hazenlip zich tot Ren wendde had ze een triomfantelijke uitdrukking op haar gezicht. Heel even vond Ren haar niet lelijk meer, en hij trok de jurk over zijn hoofd.

De Hazenlip maakte de knopen dicht. Het uniform was klein en scheurde op Rens rug bijna in tweeën. Samen speelden ze het klaar de korte rok met de pofbroek over zijn broek heen aan te trekken. Toen hij was aangekleed, duwde ze de muts naar beneden zodat die zijn gezicht bedekte, en legde toen de omslagdoek over zijn schouders.

'Waarom help je me?'

De Hazenlip leunde tegen het bureautje, alsof ze alleen maar wat tijd probeerde te doden. Ze deed haar best om te grijnzen met haar beschadigde mond. 'Benjamin heeft gevraagd of ik met hem wilde trouwen.'

Dat betwijfelde Ren.

'Echt waar,' zei ze. 'We wachten tot ik achttien ben. Dat is al over een jaar.'

'Je bent nog niet eens vijftien.'

De Hazenlip keek hem woest aan en Ren voelde zijn kaken rood worden. Niemand zou ooit met haar trouwen.

Het meisje kon aan zijn gezicht zien wat hij dacht. Ze greep hem bij zijn arm en draaide zo snel zijn pols op zijn rug dat Ren op zijn tong moest bijten. Toen gaf ze hem een klap, en nog een, zo hard dat zijn oor ervan tuitte. Ze boog zich voorover en kuste hem waar ze hem had geslagen; ze zoog met haar lip aan zijn oor en liet een afschuwelijke, slijmerige plek achter. Ren probeerde zich los te rukken, met zijn pijnlijke arm en met de rok die strak om zijn middel zat. De Hazenlip duwde hem de bergruimte door en keek toen met een zelfgenoegzaam lachje toe hoe hij als een bezetene haar kus van zijn gezicht probeerde te vegen.

'Ik doe nu de deur open,' zei ze.

De gang was vol schaduwen en er hing een vettige geur. Ze gingen een hoek om en liepen langs de ene kamer na de andere vol kratten. De Hoge Hoed stond tegen een van de deurposten geleund en rookte een dunne bruine sigaret. Hij keek verlekkerd naar hen toen ze langsliepen. Ren trok zijn muts naar beneden. De Hazenlip draaide de hare naar de Hoge Hoed toe, die begon te fluiten maar stopte toen hij haar gezicht zag.

De rijen op de fabrieksvloer werden verlicht door zwak brandende plafondlampen. De Hazenlip leidde Ren naar de donkerste hoek en liet hem naast haar plaatsnemen, samen met de andere meisjes langs de lijn, die het hout stapelden en de stukken tegen de cirkelzaag duwden.

'Niet opkijken,' fluisterde ze. 'Wat er ook gebeurt.' Een paar meisjes keken even in hun richting en richtten zich toen weer op hun werk. Ze deden net of ze Ren niet zagen, maar hij kon merken dat ze het wisten. Ze bleven naar beneden kijken en maakten met snelle bewegingen van hun vingers hun vallen, alsof de voorman naast hen stond en niet aan de andere kant van de ruimte onder zijn jas aan het slapen was.

Zo ging er een uur voorbij. En toen nog een uur. Ren hield zijn stomp verborgen en bleef dicht in de buurt van de Hazenlip; hij deed al haar bewegingen na, terwijl hij voortdurend doodsbang was dat hij ontdekt zou worden. Zijn vingers zaten onder de smeerolie, het hout maakte een gierend geluid als het gezaagd werd, en een dun laagje zaagsel viel als nevel over zijn gezicht. Zijn hand gleed één keer weg toen zijn stomp het hout niet ondersteunde, en het hout brak en de splinters stoven over de tafel. Snel verving de Hazenlip het stuk hout. De voorman tilde even zijn hoofd op, leunde toen achterover en sloot zijn ogen.

Rens schouders begonnen pijn te doen. Maar hoe langer hij naast de Hazenlip stond en hoe meer hij begreep hoe elke dag er voor haar uitzag, met het lawaai en het vuil van de muizenvalfabriek, des te warmer zijn gevoelens voor het meisje werden. Ren keek toe hoe ze ijverig en toegewijd de stukjes hout voor haar doorzaagde en stapelde. Door hem te redden, besefte hij, hoopte ze voor zichzelf een uitweg te vinden. Hij had de moed niet om haar te vertellen dat Benjamin al weg was.

Toen de fabrieksfluit klonk, ruimde de Hazenlip snel haar werkplek op en pakte toen Rens hand vast. Haar handpalm was glad van het zweet. De andere werkers verlieten hun plaatsen en vormden een kring om hen heen. Ze kwamen zo dicht bij hen lopen dat Ren de smeerolie op hun jurken kon ruiken, het zaagsel in hun haren, hun goedkope parfum en gezichtspoeder.

De meisjes liepen als een groep, met Ren in het midden. Om de fabriekshal uit te komen zouden ze langs de voorman moeten. Ren kon de man verderop zien; hij pulkte in zijn neus en telde de meisjes terwijl ze de deur uit stroomden. De Hazenlip kneep in Rens vingers, en de muizenvalmeisjes kwamen nog dichter om hem heen lopen. Ren was ervan overtuigd dat hij elk moment ontdekt zou worden. Hij dwong zichzelf om niet te gaan rennen.

Ze waren bijna bij de voorman toen een van de meisjes uit het pension, het meisje met de spleet tussen haar tanden, zich losmaakte van de groep. Ze liep naar de man toe en begon een gesprek met hem, en op het moment dat Ren langsliep trok ze giechelend de kraag van haar uniform een beetje open.

De muizenvalmeisjes bleven dicht bij elkaar toen ze door de hoofdpoort de straat op liepen. Ze kletsten luid en sloegen hun omslagdoeken om hun hoofd toen ze langs een groep hoedenjongens kwamen die bij de ingang rondhingen. Ren deed de bewegingen van de meisjes na en trok de zware wol over zijn gezicht. Vervolgens pakte de Hazenlip zijn hand weer vast, en samen liepen ze door de menigte alsof ze over een golf gleden, terwijl ze al die tijd de fabriek achter zich voelden. Ten slotte sloegen ze de hoek om. De Hazenlip fluisterde: 'Nu', en maakte zich los uit de groep en trok Ren mee een steeg in.

Ren en de Hazenlip leunden buiten adem tegen een muur. Boven hun hoofd hingen waslijnen, die het ene gebouw met het andere verbonden. Schone lakens en theedoeken en lange broeken en ondergoed, mooi en gevarieerd als vlaggen.

'Ik weet niet eens hoe je heet,' zei Ren.

'Jenny,' zei de Hazenlip. Ze trok haar hand weg van Rens vingers, maar hij pakte hem weer vast en drukte hem tegen zijn lippen; zijn muts kwam tegen haar pols aan, zijn mond was warm tegen haar open handpalm. Toen gooide hij haar hand van zich af, opgelaten over wat hij had gedaan. Het meisje probeerde spottend te lachen, maar in plaats daarvan betrok haar gezicht. Ze legde haar hand op de plek waar hij haar had gekust en zei: 'Kom hier nooit meer terug.'

ACHTENTWINTIG

Het ziekenhuis zag eruit alsof alles en iedereen nog diep in slaap was: de gordijnen waren dicht en het gebouw stak af tegen de donkere lucht waarin het eerste ochtendlicht verscheen. Over een paar uur zouden de deuren opengaan om artsen en studenten en patiënten te verwelkomen, maar nu stond Ren buiten door het hek naar de ramen te staren. Achter een van die ramen lag mevrouw Sands, en hij was vastbesloten haar te zien voordat hij North Umbrage verliet.

Hij wist dat hij weinig tijd had voordat McGinty zou ontdekken dat hij was verdwenen. Misschien zaten de hoedenjongens al op hun paard en kwamen ze over deze zelfde weg aanrijden. Ren nam een risico door hier halt te houden, maar hij moest afscheid nemen. Wat hij daarna ging doen wist hij nog niet. Hij durfde niet te denken aan wat er vervolgens zou gebeuren, waar hij heen zou gaan of hoe hij zichzelf moest zien te redden. Als hij daar te veel over nadacht, zou hij het niet kunnen opbrengen om verder te gaan. En hij moest verder. Vandaag en morgen. En daarna minstens nóg een dag.

Hij vond de bel bij de poort, pakte het touw en trok eraan. Even later ging de kelderdeur open en verscheen dokter Milton in eigen persoon. Hij hield een lantaarn vast en had zijn pak nog aan. Dat zag er gekreukeld maar schoon uit.

'Aha,' zei de arts. 'Daar ben je dan.' Alsof hij Ren al had verwacht. De man haalde zijn sleutels tevoorschijn en deed het hek van het slot. 'Kom snel mee,' zei hij. 'Ze wachten al. We wilden net beginnen.'

Ren liep achter de dokter aan de binnenplaats over en de deur naar de kelder door. Dokter Milton schoof achter hen de grendel voor de deur. Ze liepen de trap af, en de metalen glijbaan voor de lichamen liep naast Rens voeten naar beneden. De muur zat vol spinnenwebben. Ren kon nauwelijks iets zien en hield zijn armen voor zich uit om te voelen waar hij moest lopen terwijl ze naar beneden gingen. Onder aan de trap bevond zich een vochtige, koele kamer met een zandvloer. De kelderruimte werd verlicht door olielampen, en er stonden verscheidene operatietafels. Languit op de tafel in het midden van het vertrek lag Tom. Naast hem zat de tweeling geknield, elk aan één kant. Ze hielden nog steeds zijn handen vast.

Toen Ren hen zag, werd hij overspoeld door opluchting. De angst waaronder hij gebukt was gegaan viel van hem af toen de tweeling opstond en zijn naam uitschreeuwde. Brom lachte en Ichy liep wankelend op hun vriend af. Er zat nog steeds modder op hun kleren. Hun armen zaten onder de blauwe plekken en de schrammen, maar het waren dezelfde jongens als uit Saint Anthony – hun lot nam een wending ten goede.

'Hoe zijn jullie hier gekomen?' vroeg Ren.

'Brom heeft een ezelswagen gestolen.'

'De vrouw van wie die wagen was stuurde haar varkens achter ons aan.'

'We hebben stenen naar ze gegooid.'

'We hebben jou gezocht.'

'Maar vader zei dat we hem naar het ziekenhuis moesten brengen.'

'Toen begon hij te gillen.'

'Toen sloeg hij ons.'

'Toen zei hij helemaal niets meer.'

'We waren bang dat hij dood zou gaan voordat we hier aankwamen.'

'Maar we hebben gebeden,' zei Ichy. 'En het is niet gebeurd.'

Ren keek naar het verwilderde gezicht van de schoolmeester. Alle kleur was uit zijn kaken getrokken en zijn woeste baard zat onder de takjes en het gras. Ren reikte naar hem en trok een stukje bolster los vanonder zijn kin.

Tom opende zijn ogen. 'Waar is Benji?'

De blijdschap die Ren had gevoeld toen hij zijn vrienden terugzag ebde weg. Hij keek het vertrek rond, maar het enige wat hij zag waren medicijnflessen en haken en manden en emmers water.
'Is hij niet bij jullie?'

De tweeling schudde het hoofd.

Tom kreunde. Zijn opgezwollen been was zo dik als een boomstam. De rode huid zat onder de blaren en stond strak gespannen. Opeens was Ren bang dat Tom misschien dood zou gaan. De tweeling dacht hetzelfde. Hij kon het aan hun gezichten zien.

Dokter Milton kwam naar voren en zette de lantaarn op tafel. 'Ik zie dat dit een onverwachte ontmoeting is. Maar als jullie niet willen dat zijn been helemaal wordt verwijderd, is het tijd om aan het werk te gaan.'

De arts gaf alle jongens instructies. Ichy moest de wond schoonmaken, Brom moest klaarstaan met het verband en Ren moest dokter Milton helpen om het been recht te trekken. Ze zouden allemaal nodig zijn en ze zouden allemaal moeten samenwerken om het bot recht te krijgen. De arts trok zich terug in een hoek van het vertrek, draaide een deur van het slot en kwam even later terug met een beetje whisky. Brom hield de fles vast en Tom zoog hem leeg, alsof hij borstvoeding kreeg. Snel hielpen de jongens dokter Milton met zijn voorbereidingen, en toen wachtten ze terwijl dokter Milton tegen Tom zei dat hij zich klaar moest maken. Tom ijlde nog half toen ze de leren riem tussen zijn tanden plaatsten. Rens hand trilde van spanning toen hij zijn handpalm op de enkel van de man legde.

De arts deed zijn jas uit. Hij rolde zijn mouwen op. 'Klaar?'

Tom knikte.

'Nu,' zei dokter Milton.

Ren pakte de enkel vast, draaide hem recht en trok. Onmiddellijk viel het leer uit Toms mond, en hij gilde harder dan mevrouw Sands. Harder dan de mannen onder de straatlantaarn. Zo hard dat toen dokter Milton op de breuk duwde en het bot onder de huid op zijn plek drukte, Rens oren dichtklapten en weer openplopten en hij een merkwaardig, vaag, hol gebrul hoorde.

Ichy pakte de zeep, kookte water dat ze hadden klaargezet en goot dat over de wond, langzaam, langzaam, tot hun handen doorweekt en Toms kleren nat waren en de grond helemaal onder water stond.

Brom pakte het katoenen verband en begon het been te verbinden.

'Niet te strak,' zei dokter Milton terwijl hij het bot op zijn plek hield. Toen het verband was aangebracht, spalkte hij het been. Ondertussen veegde Ichy Toms voorhoofd af. Brom stapte weg van de tafel en trok Ren opzij.

'Dokter Milton wil weten waar de lichamen zijn,' fluisterde hij.

'Wat heb je tegen hem gezegd?'

'We hebben gezegd dat jij ze had.' Hij legde zijn hand op Rens schouder. 'We waren bang dat hij vader niet zou helpen.' Dokter Milton legde de laatste hand aan een verband voor Toms voet. Hij bond een steun onder de enkel en maakte toen voorzichtig twee stukken hout aan het been vast, van de heup tot aan de hiel.

'Met een kruk zal hij er snel mee kunnen lopen.' Hij schoof een deken onder Toms hoofd. 'Ik zal jullie een zalfje meegeven om de zwelling te laten afnemen, en een drankje tegen de pijn.'

Brom liep weer naar Tom toe om zijn hand vast te houden. Ichy boog zich voorover en begon onkruid uit de baard te pulken. De arts gebaarde naar Ren dat hij hem moest volgen naar de achterkant van het vertrek, naar de plek waar hij de whisky vandaan had gehaald. Hij deed de deur van het slot en ging Ren voor naar zijn kantoor.

De muren hingen vol planken waar een heleboel boeken op stonden, en papieren en bakken met etiketten erop. Het enige raam in het vertrek was dichtgeverfd en vergrendeld. Dokter Milton maakte een plek vrij op een bureau dat vol stond met flessen, vergrootglazen en dozen met gedroogde vlinders. Hij ging meteen aan het werk, als een kok in een keuken; hij pakte een poeder van de ene plank en wat kruiden van een andere, en toen vermaalde hij het geheel met een antieke vijzel en stamper.

Ren hield de lantaarn omhoog. In de donkerste hoek van de kamer glinsterde iets. Op een tafel lag iets groots met een laken eroverheen. De jongen liep er dichter naartoe en zette de lamp neer. Naast de tafel stond een bak met water. Er lag een messenset in, glanzend onder het water. Er kwam een beeld van Dolly bij hem op. Rens hand begon te zweten. Hij kreeg een metaalachtige smaak in zijn mond toen hij zijn arm uitstak en het laken terugtrok.

Op de tafel lag een man. Hij lag in een bak met hoge randen en dreef in een bruine vloeistof met een zoetige geur. Zijn benen waren verwijderd en er zat een opening midden in zijn lichaam, van zijn keel tot aan zijn lies. Ren zag dat de uiteinden van zijn ribben uitstaken. De huid leek zo dik en taai als rubber, maar binnenin was er niets meer over. Al zijn organen waren weg. Het enige wat over was, was een vochtige, glanzende massa die wit en rood en hier en daar een beetje paars was. De man had niets menselijks meer, en zijn gezicht was helemaal ingevallen. Maar Ren kon zien dat hij blond haar had gehad, en er zat een tatoeage van een blauwe vogel op de huid van zijn schouder.

Dokter Milton was klaar met het fijnmalen van het poeder en strooide het in een pot waar een stroperige vloeistof in zat. Toen haalde hij zijn horloge uit zijn vest om te zien hoe laat het was. 'Het moet tien minuten intrekken.' Hij schraapte zijn keel en liep naar de man toe die op de tafel lag. 'Je zult je wel afvragen waarom ik whisky gebruik.' Milton doopte zijn vinger in de bak en streek ermee over de huid van Rens arm. 'Voel je hoe snel het verdampt? De alcohol voorkomt dat de lichamen snel vergaan. Maar toch gaan ze maar een paar dagen mee. Ik ben altijd op zoek naar een betere oplossing.'

Dokter Milton haalde zijn pijp tevoorschijn, maar in plaats van hem aan te steken gebruikte hij hem om tussen de ribben in het lichaam te porren, de huid omhoog te tillen en eronder te kijken. 'Deze man heeft vandaag waarschijnlijk tien levens gered. Dat kan ik van mezelf niet zeggen – jij?'

Ren had een droge keel. De geur van slechte whisky vulde zijn neusgaten. Hij stapte achteruit tot zijn rug de muur raakte. Hij kon duidelijk de knobbelige botten van de ruggengraat zien, onder een dunne laag spierweefsel, hard en wit als knokkels.

'Je ziet wat pips,' zei dokter Milton. Hij pakte een fles lavendel van de plank, goot een beetje op een zakdoek en gaf die aan Ren. 'Dat overkomt iedereen de eerste keer. Maar je went er wel aan.'

De jongen drukte de zakdoek tegen zijn neus en inhaleerde diep. Zijn stem klonk gedempt. 'Hoe dan?'

De dokter trommelde met zijn vingers onder zijn kin. 'Zoals bij álles wat onaangenaam is, neem ik aan. Schakel je zintuigen uit tijdens het proces en kijk verder dan waar je op dat moment mee bezig bent. Uiteindelijk krijgt een soort gevoelloosheid de overhand en kom je tot de ontdekking dat je tot alles in staat bent.'

Ren liet de zakdoek zakken en keek weer even naar het lichaam. Hij kokhalsde en drukte de doek snel weer over zijn neus.

Dokter Milton keek teleurgesteld. Hij trok het laken over het lijk en pakte de bak op waar de messen in zaten. 'Je zou vijf lichamen brengen. Mijn studenten verwachten ze.'

Ren leunde tegen de muur. Die was koel, en toen hij zijn vingers wegtrok waren ze nat van de condens. 'We gaan weg,' zei hij. 'Er komen geen lichamen meer.'

De dokter zette de bak weer neer en morste daarbij een beetje roze water. 'Dat is een teleurstelling voor me.' Hij liep de kamer door, trok een la van zijn bureau open en zocht iets op in een aantekenboekje. Hij legde zijn hand tegen zijn voorhoofd, alsof dat plotseling pijn deed, en schraapte opnieuw zijn keel. 'Dit is dus de laatste keer dat we elkaar zien.'

'Ja.'

'En hoe ga je het been betalen dat ik zojuist heb gezet? En de rest van de verzorging van je pensionhoudster?'

Ren liet zijn hand in zijn zak glijden om na te gaan of hij ergens mee kon onderhandelen. Hij voelde het gouden horloge van Mc-Ginty en gaf dat aan dokter Milton. Die klikte het open, bekeek aandachtig het portret en gaf het horloge toen weer terug.

'Kun je lezen?'

'Ja,' zei Ren.

'Dan heb ik een beter idee.'

Dokter Milton trok een stoel naar zijn bureau, pakte een vel papier en doopte een pen in de inkt. Terwijl de dokter schreef, keek Ren om zich heen naar de boeken. Ze lagen en stonden op alle mogelijke manieren op de planken en lagen in reusachtige stapels op de grond, net als in MR. JEFFERSON, VOOR AL UW NIEUWE, GEBRUIKTE EN ZELDZAME BOEKEN. Ren boog een beetje naar links en las de titels op een paar van de ruggen: *De oefening van gebed. Een geschiedenis van de frenologie. De Humani Corporis Fabrica.*

'Hier,' zei dokter Milton. Hij overhandigde Ren een pen en stapte weg van de tafel. 'Je kunt een kruisje zetten als je je naam niet kunt schrijven.'

Op het papier stond een korte verklaring, waarin Ren werd beschreven als een twaalfjarige jongen en dokter Milton als de getuige van dat feit, en waarin stond dat Ren volledig op de hoogte was van de wetten van het land en toezegde dat zijn lichaam bij zijn overlijden eigendom zou worden van het ziekenhuis van North Umbrage, om de wetenschap te dienen, om het inzicht in en de kennis van de anatomie te bevorderen, ten bate van het menselijk ras en van de gehele mensheid.

Ren keek op van het papier.

'Je hoeft me je lichaam niet nú te geven,' zei dokter Milton. 'Het is een belofte. Voor later.'

De pen voelde zwaar in zijn hand, even zwaar als het operatiemes, en Ren stelde zich voor dat het door zijn huid sneed, de spier naar achteren trok, hem tot op het bot opensneed. Wat een karwei zou dat zijn. De jongen kreeg kramp in zijn zij. Hij drukte met zijn arm tegen zijn ribben. Hij was niet leeg, nog niet, ondanks alles wat hij voelde ontbreken.

Er droop inkt over zijn vingers. Ren sloot ze om de pen en schreef zijn naam, de naam die zo vertrouwd leek, de naam die hij nooit voor zichzelf had kunnen bedenken.

NEGENENTWINTIG

Boven, op de afdeling met de eenpersoonskamers, stond een raam op een kier. Ren voelde de koele wind op zijn huid toen hij door de deur naar de kamer van mevrouw Sands liep. Achter het gordijn was het ochtend; de roze lucht vermengde zich met grijs, en hij rook de geur van naderend onweer. Het licht scheen op de gaasachtige tent die over het hoofd en de schouders van mevrouw Sands hing en die wel leek te gloeien.

Naast het bed, in een schommelstoel, zat zuster Agnes. Ze was aan het breien en zat met haar hoofd over de naalden gebogen. Toen Ren de deur achter zich dichtdeed, keek ze op op een manier alsof hij even tevoren nog in de kamer was geweest.

'Hoe gaat het met haar?' vroeg Ren.

'Beter,' zei zuster Agnes. 'God zij geprezen.'

Ren deed de flappen van de tent van elkaar. Er kwam een golf damp naar buiten, en de lucht voelde nat en kleverig aan op zijn huid. Het was een week geleden dat hij mevrouw Sands naar het ziekenhuis had gebracht. Haar gezicht stond vredig, en haar haren waren netjes in twee vlechten gevlochten. Ze droeg een schoon wit nachthemd, dat tot haar nek was dichtgeknoopt. Naast het bed stond op een tafel een ketel heet water op een komfoor; uit de tuit ontsnapten witte wolkjes die de ruimte om haar heen vulden.

Zuster Agnes keek de jongen aan, keek toen weer omlaag naar haar naalden en vervolgens weer omhoog, alsof ze probeerde de twee op de een of andere manier met elkaar in verband te brengen. 'Je bent gekomen om afscheid te nemen.'

'Ja,' zei Ren.

'Kom je nog terug?'

Ren dacht aan het lichaam in de kelder, aan de blauwe vogel die op de huid was getatoeëerd. 'Ooit wel.'

Zuster Agnes stopte het breiwerk in een tas. Ze schommelde heen en weer in haar stoel; de glijders gleden met een regelmatig ritme over de grond, net als bij het hobbelpaard in de muizenvalfabriek.

'Denkt u dat ze het me zal vergeven dat ik haar verlaat?' vroeg Ren.

Zuster Agnes klemde haar lippen op elkaar en zei toen: 'Dat weet ik niet.' Ze hield op met schommelen en keek uit het raam. Ze streek met haar hand langs de zoom van haar habijt en liet hem toen op haar schoot vallen. 'De man die je hier eerder heeft gebracht, die kwam niet uit Saint Anthony.'

'Nee,' zei Ren. Even werd hij opgebeurd door de gedachte dat Dolly hem was komen zoeken.

'Maar jij komt wel uit Saint Anthony. Ik meen dat je daar bent grootgebracht.'

Ren vroeg zich af hoe ze daarachter was gekomen. Maar nonnen en priesters en broeders schenen altijd meer te weten dan de meeste mensen.

'Antonius is de beschermheilige van zoekgeraakte dingen,' zei zuster Agnes. 'Ik heb het altijd al een gepaste naam voor het weeshuis gevonden.' Ze haalde een opgevouwen papier tevoorschijn en overhandigde dat aan Ren. De jongen vouwde het langzaam open en herkende het handschrift van broeder Joseph:

Beste zuster,

Ik heb uw brief met grote belangstelling gelezen. De jongen over wie u sprak heeft hier tot acht maanden geleden gewoond. Hij is toen opgeëist door een familielid. Ik had zo mijn twijfels over de bedoelingen van de man, maar het is niet aan mij om vragen te stellen, en zoals u weet is de ruimte in Saint Anthony beperkt en moeten we alle vormen van hulp aannemen waarin God voorziet.

Ik ben dankbaar dat de jongen bij u terecht is gekomen. Mocht u hem weer zien, geeft u hem dan alstublieft onze zegen. Vertel hem dat ik hoop dat hij goed gebruik heeft gemaakt van zijn Levens der heiligen *en dat ik elke avond bid dat de slechte dingen die in drieën komen zijn geluk niet hebben achtervolgd (hij zal begrijpen waar ik het over heb).*

De uwe in Christus,
Broeder Joseph Wolff

'Waarom had u hem geschreven?' vroeg Ren.

'Ik moest weten of je hetzelfde kind was.' Zuster Agnes zag er zenuwachtig uit en begon weer te schommelen; ze duwde de stoel naar achteren en naar voren. 'Een paar jaar geleden kwam er midden in de nacht een vrouw naar het ziekenhuis. Ze zei dat ze christen was, God zij geprezen. Maar haar jurk zat onder het bloed, en ze leek half krankzinnig van de koorts. Ze vertelde me dat ze haar baby had gedood.' Zuster Agnes vouwde haar handen en vouwde ze toen weer open. 'Dat komt zelden voor. Maar ik heb in mijn leven een paar keer gezien hoe een vrouw ertoe gedreven werd. Ik vroeg haar of ze mij het lichaam wilde brengen, zodat we het kind een fatsoenlijke begrafenis konden geven. Ze had de baby onder een bosje naast de weg verstopt, in de buurt van de toegangspoort. Hij zat stevig in dekens gewikkeld, en toen ik die lostrok, zag ik dat het kind nog leefde en dat het niet meer dan een paar weken oud was.' Zuster Agnes sloeg even haar hand voor haar mond voordat ze verderging. 'Een van zijn handen was afgesneden.'

Ren keek naar mevrouw Sands. Hij keek alleen maar naar mevrouw Sands. Hij verwachtte dat ze wakker zou worden en zou gaan schreeuwen. Maar ze bleef volkomen stil en rustig.

'Ik pakte het kind in mijn armen en rende terug naar het ziekenhuis. De artsen wisten zijn leven te redden, God zij geprezen. Toen de baby geen gevaar meer liep, probeerde ik hem in de armen van de vrouw te leggen. Ze hield hem vast en huilde, maar ze weigerde te erkennen dat het kind leefde. Ze trok de baby alle kleertjes uit behalve het nachthemd en vulde ze met stenen van de binnenplaats. Ze hield de pop die ze had gemaakt en zei dat ik over de baby moest waken tot ze terugkwam. Ze wilde me niet vertellen hoe ze heette, en ook niet hoe het kind heette.

Toen ik twee weken niets van de moeder had gehoord, bracht ik de baby naar Saint Anthony. Daar brengen we de kinderen naartoe die zijn achtergelaten, opzettelijk of doordat de ouders zijn overleden. De koets zette me af bij het kruispunt en ik liep naar het weeshuis. Het was net begonnen te regenen. De baby was zo stil dat ik bang was dat ik hem in het bundeltje had laten stikken. Ik sloeg de deken terug en hij staarde me aan met een eigenaardige blik in zijn ogen, en toen stak hij zijn stomp in zijn mond.

Ik had toen al jarenlang kinderen door het houten deurtje bij Saint Anthony afgeleverd. Ik vond het niet leuk om te doen, maar voerde mijn taak zonder klagen uit. Ik verheugde me erop om alleen terug te reizen naar het ziekenhuis, verlost van mijn last, met tijd om wat na te denken. Maar de manier waarop het kind aan zijn pols zoog, alsof hij aan de borst van zijn moeder lag, maakte het moeilijk voor me om mijn gevoelens van me af te zetten. Ik stond voor het deurtje met de baby in mijn armen. Ik dacht maar steeds aan de moeder die zo had gehuild toen ze voor de eerste keer naar het ziekenhuis was gekomen en had gezegd: "Ik heb hem gedood, ik heb hem gedood."

De regen was al doorgesijpeld in mijn habijt. Ik dwong mezelf om emotioneel afstand te nemen, en nadat ik nog een laatste keer in de deken had gekeken, stopte ik het kind goed in en duwde het hele bundeltje door de klapdeur. Maar zodra ik dat had gedaan, kreeg ik spijt. Ik bedacht dat ik tot de ochtend had moeten wachten, zodat ik zeker wist dat iemand hem zou vinden. Maar ze zouden kunnen denken dat het een baby van een van de zusters was, of zelfs van mezelf, en dat zou het klooster te schande maken. Hoe dan ook, ik stak mijn hand door het deurtje, om te zien of ik de deken te pakken kon krijgen en het kind terug kon halen. Maar het was al weggerold, buiten mijn bereik. Ik tastte overal rond, tot de nacht ten slotte ten einde liep en ik terug moest naar het ziekenhuis.'

Zuster Agnes keek naar haar handen. Ze klemde haar vingers in elkaar en draaide ze heen en weer. 'Het was verkeerd om je daar in de regen achter te laten. Ik heb er door de jaren heen heel vaak aan moeten denken.'

'Met mij is alles goed gegaan,' zei Ren. 'Ze hebben me gevonden.'

'God zij geprezen,' zei zuster Agnes. 'Ik ben blij dat te horen.' En toen leek ze weer zichzelf te worden. Ze zuchtte. 'Het is nu snel ochtend.'

Ren zag dat de dageraad was aangebroken. Er was een nieuwe dag op komst. Het gezicht van mevrouw Sands zag er zo op het kussen jonger uit, alsof haar slaap de zorgen van jaren had weggenomen. Hij pakte haar hand vast. De huid was glad en papierachtig, en haar vingers voelden koud aan. Ren hield ze vast tot ze weer warm waren. Toen liet hij ze los.

'Ik heb een overeenkomst gesloten met dokter Milton,' zei Ren.

Zuster Agnes ging rechtop in haar stoel zitten. 'Wat voor overeenkomst?'

'Hij zei dat de kamer en een zuster ermee betaald konden worden, tot ze beter is. Hoe lang het ook duurt.'

De non keek bezorgd en zuchtte toen weer. Ze zei dat ze overal voor zou zorgen. Ren gaf haar de brief van broeder Joseph, maar ze duwde hem terug. 'Hij heeft je een zegen gestuurd,' zei ze. 'Die moet je meenemen.'

De stoom uit de ketel golfde uit de tent. Hij bedekte Ren als een mist en daalde neer tot diep in zijn longen. De jongen ademde in en uit, en hij veegde met zijn mouw de damp onder zijn neus weg.

Er zat een haarlok tegen het voorhoofd van mevrouw Sands geplakt. Ren streek hem achter haar oor. Hij boog zich dicht naar haar toe, sloeg zijn armen om haar schouders en duwde zijn gezicht in haar hals. Mevrouw Sands hoestte. Ze tilde haar hand op en legde die op zijn hoofd. Toen opende ze haar ogen en kneep in zijn oor tot het pijn deed.

'BRENG ME NAAR HUIS.'

'Mevrouw Sands!'

'JE GAAT WEG.'

'Ik moet wel,' zei Ren. 'Het spijt me.'

'ONZIN.' Mevrouw Sands probeerde uit bed te komen, maar

zuster Agnes duwde haar stevig maar teder terug onder de dekens. 'IK BEN GENOEG VERZORGD.'

'U bent nog te zwak,' zei zuster Agnes. 'U moet nog een paar dagen in bed blijven, op z'n allerminst.'

'MIJN BROER MOET ZIJN AVONDETEN HEBBEN. ALS HIJ DAT NIET KRIJGT GAAT HIJ DOOD.'

'Er gaat niemand dood,' zei zuster Agnes.

'BRENG ME NAAR HUIS,' schreeuwde mevrouw Sands.

'Dat kan ik niet doen,' zei Ren.

De pensionhoudster liet zich weer in de kussens vallen. Ze beet van frustratie op haar lip. 'IK HEB HET BELOOFD,' zei ze.

Het was drie dagen geleden dat Ren de dwerg te eten had gegeven. Het zou zelfs nog langer duren voordat mevrouw Sands weer naar huis zou kunnen. Ren zag in gedachten de kleine man door de schoorsteen naar beneden komen, waar hij een lege keuken zou aantreffen, een leeggehaalde provisiekast en verder alleen maar muizenvalmeisjes.

'JE BENT EEN GOEIE JONGEN.'

'Ik doe mijn best,' zei Ren.

'DAT WEET IK,' zei mevrouw Sands. 'EN IK HEB HET RECHT NIET OM HET VAN JE TE VRAGEN.' Ze pakte hem bij zijn schouder en trok hem naar zich toe. Ze probeerde te fluisteren. 'ER LIGT GELD BEGRAVEN IN DE TUIN, BIJ HET KIPPENHOK. IK WIL DAT JE DAARMEE NAAR DE MARKT GAAT. LAAT GENOEG ETEN VOOR HEM ACHTER EN NEEM DE REST MEE.'

Ren dacht aan de hoedenjongens, die de wegen afzochten. Aan McGinty, die door de muizenvalfabriek liep te ijsberen. 'Ik kan niet teruggaan.'

'ALSJEBLIEFT,' zei ze. 'IK HEB HEM HELEMAAL ALLEEN ACHTERGELATEN. IK HEB TEGEN HEM GEZEGD DAT IK DAT NOOIT ZOU DOEN.' Ze begon te huilen en toen te hoesten; het kostte haar longen veel moeite om lucht binnen te krijgen. Zuster Agnes kwam naar voren en begon met haar hand op de rug van mevrouw Sands te slaan, zo hard dat haar slaapmuts van haar hoofd vloog en op de grond terechtkwam.

Ren bukte zich om hem op te pakken. Hij was gemaakt van eenvoudig wit katoen. Hij drukte hem tegen zijn neus en snoof de geur van zeep op, fris en lekker. Het was voor Benjamin heel makkelijk geweest om weg te lopen. Maar voor mevrouw Sands was het dat niet. Zij beheerde het huis dat van haar moeder was geweest. Zij stopte de sokken van haar broer. En ze ging nog steeds elke avond op haar knieën zitten, met haar oor tegen de grond gedrukt, om te horen of ze haar man in de aarde hoorde.

Mevrouw Sands hoestte opnieuw en greep zijn hand vast. 'REN.'

'Ik zal het doen,' zei hij. 'Ik zal voor hem zorgen,' zei hij. 'Rustig nou maar,' zei hij.

En dat was ze.

DERTIG

De hele weg terug naar het pension regende het. In de lucht boven hem flitste de bliksem, en Ren telde de seconden terwijl hij de ezel aan de teugel vasthield, tot de donder achter hem aan kwam rollen en het dier probeerde weg te schieten tussen de bomen. Achter in de wagen hielden Brom en Ichy dekens over Tom heen, die met zijn been uitgestrekt op de planken lag. Het onweer volgde hen van het ziekenhuis tot helemaal in North Umbrage. Elke keer wanneer Ren een paard hoorde naderen, stuurde hij de wagen een eind het bos in, en daar wachtten ze dan, verborgen onder de takken, tot de andere reizigers voorbij waren.

Bij elke stap zei Ren tegen zichzelf dat hij anders was dan Benjamin. Het water sijpelde door zijn kleren, tot ze zwaar om zijn lichaam hingen. De regen stroomde van zijn hoofd en in zijn ogen. Hij dacht aan broeder Joseph, en aan *De levens der heiligen*, en aan alle verhalen die hij 's avonds laat in de kleinejongenskamer had gelezen, over de heilige Sebastiaan en de heilige Dimpna, en de martelaren, en alle vreselijke dingen die ze hadden doorstaan om het goede te doen.

Voordat ze de brug over gingen, zei Ren tegen de tweeling dat ze zich met Tom achter in de wagen moesten verbergen, en hij bedekte hen alle drie. Toen pakte hij nog een deken en sloeg die als een kap om zijn schouders en zijn gezicht. Hij was blij met het onweer. De straten waren grotendeels leeg, op een enkele weduwe na die zich voorbijhaastte, op zoek naar onderdak. Ren voerde de ezel langzaam in de richting van het pension, terwijl hij op zijn hoede bleef voor hoedenjongens en de zijstraten nam, zodat hij niet langs de muizenvalfabriek zou hoeven. Hij kon het gigantische gebouw nog steeds boven de daken van de huizen zien uitsteken, alsof het al zijn bewegingen volgde terwijl de schoorsteen zwarte wolken uitbraakte die ondanks de regen in de lucht bleven hangen.

Toen ze bij het pension aankwamen, bleek dat niet afgesloten te zijn. Alles was er overhoopgehaald. De muizenvalmeisjes hadden de provisiekast volledig leeggeplunderd voordat ze naar hun volgende dienst waren vertrokken. De tafel was bezaaid met stapels vuile borden. Het dak lekte als gevolg van de storm, en hier en daar waren potten, pannen en emmers neergezet om de regen op te vangen. Samen hielpen de jongens Tom naar binnen, waar ze hem op de bank legden. De schoolmeester kreunde en tierde voortdurend. Toen ging de tweeling op zoek naar droge kleren en dekens, en Ren bracht de ezel naar de stal. Eerst maakte hij het dier los en daarna liep hij naar de achtertuin om het geld van mevrouw Sands te zoeken.

De kippenren was een klein hok dat in een hoek van de tuin stond. Het had een schuin dak en stond op vier palen in de modder. Ren kroop eronder en ploegde met zijn vingers door de natte grond. Hij groef bij elk van de palen, en vervolgens tussen het kippenhok en het hek. Ten slotte stak hij zijn hand vlak voor de kleine ingang in de modder. Net toen hij in de aarde de rand van iets voelde, stak een kip haar kop uit de deur en pikte in zijn hand. Verbaasd trok Ren zijn hand terug, waarna hij de opening met zijn arm blokkeerde. Hij voelde de kippen in zijn elleboog pikken terwijl hij het geld uit de grond haalde.

Het zat in een glazen pot, hetzelfde soort pot dat mevrouw Sands voor haar ingemaakte vruchten gebruikte. Ren veegde het vuil weg. Er zat een dikke rol bankbiljetten in de pot. Meer dan genoeg voor de dwerg en genoeg om hem op weg te helpen. Ze zouden alleen moeten wachten tot het ochtend was en de markt openging. Ren stopte de pot onder zijn arm en haastte zich terug naar het huis. De broertjes stonden dicht tegen elkaar aan in de deuropening op hem te wachten.

'We gaan terug,' fluisterde Brom.

'Naar Saint Anthony,' zei Ichy.

'We denken dat je beter met ons mee kunt komen.'

'En Tom dan?' vroeg Ren.

'We zeggen wel dat hij dood is.'

'Er komt wel iemand anders.'

'Iemand anders zal ons uitkiezen.'

Ren keek naar zijn vrienden. Hun broeken waren te klein, hun jasjes waren tot op de draad versleten, hun vooruitzichten waren onzeker. Als ze in het verleden uit elkaar waren gegaan, toen ze er nog uitzagen als kinderen, hadden ze misschien nog een kans gehad. Maar als ze nu teruggingen, zouden ze zeker aan het leger worden verkocht. 'Niemand zal jullie adopteren.'

'Wat bedoel je?'

'Dat heeft broeder Joseph gezegd. Ik had het jullie eerder moeten vertellen.'

De tweeling keek verward. Ichy trok aan zijn oorlel en Brom hield argwanend zijn hoofd schuin. 'Waarom zou niemand ons willen?'

'Vanwege jullie moeder,' zei Ren. 'Omdat ze zelfmoord heeft gepleegd.'

Brom stortte zich met een schreeuw naar voren. Hij kwam tegen Rens buik aan en de twee jongens vielen in een wirwar van armen en benen achterover het huis in. De pot gleed weg en viel kapot. Ren kwam hard op de grond terecht en er brak iets in hem; hij begon te vechten met alle kracht die hij in zich had – hij schopte, sloeg met zijn hand en deelde klappen uit met de elleboog van zijn andere arm, en toen voelde hij dat zijn enkels onder hem uit werden getrokken en dat Ichy boven op hem lag en hem hard begon te stompen – en de jongen was sterk, veel sterker dan Ren ooit had kunnen denken.

De jongens rolden over elkaar heen de keuken in. De slagen kwamen nu overal vandaan en Ren slaakte een schreeuw van frustratie en verdriet; hij beet en schopte zijn voeten alle kanten op, probeerde een vuistslag uit te delen, en toen kreeg hij iemands haar te pakken, en Ichy gilde in zijn oor en krabde met zijn nagels aan Rens arm en scheurde de huid van zijn pols open, en nog steeds liet Ren niet los.

Een golf ijskoud water spoelde over Rens hoofd en verstopte zijn oren. De jongen proestte toen het water over hen alle drie heen spoelde en etensresten en gebroken borden en mokken over de keukenvloer deed drijven. Tom stond over hen heen gebogen met een regenemmer, waarmee hij nu boven zijn hoofd zwaaide en tegen de zijkant van Rens gezicht sloeg, terwijl Brom en Ichy druipend en doorweekt wegkropen.

'Laat ze met rust!' schreeuwde Tom. 'Blijf bij ze uit de buurt!'

Ren lag buiten adem op zijn zij. Zijn kaak deed pijn. De muur voor hem was gemaakt van houten latjes, en alle knoesten waren zichtbaar, alle donkere gaten die op gezichten leken. Hij had nog plukken haar in zijn handen. Hij had geen idee welk haar van wie was.

Tom sleepte zich terug naar de bank die voor de open haard stond. 'Mijn jongens,' zei hij. 'Kom bij me.' Toen de tweeling naar hem toe schuifelde, sloeg hij zijn armen om de jongens heen en drukte hen tegen zich aan, en hij huilde en kuste hun voorhoofd en huilde opnieuw. Brom en Ichy zaten er onbeweeglijk, verward en opgelaten bij. Tom wreef in zijn ogen en klopte hen op hun schouders. 'Ga nu maar iets te drinken voor me zoeken.'

De jongens keken Ren dreigend aan en gingen toen op zoek naar een fles. Zodra ze buiten gehoorsafstand waren, stak Tom zijn arm uit, pakte Ren bij zijn jasje en trok hem naar zich toe. Hij ademde zwaar en rook uit zijn mond. 'Waarom heb je me dat niet verteld van hun moeder?'

'Ik dacht niet dat het je iets zou kunnen schelen,' zei Ren.

'Het kan me wel schelen,' zei Tom. Zijn stem was hees.

Ren rukte zich los uit zijn greep en Tom viel voorover op de grond. Brom kwam de kamer weer binnen, met een fles in zijn hand. Hij zag Tom spartelen en hurkte naast hem neer.

'We moeten hem boven zien te krijgen.'

'Hij is jóuw vader,' zei Ren.

Brom liep naar Ren toe en schopte hem tegen zijn been, precies hard genoeg om hem duidelijk te maken dat ze nog niet klaar waren. Toen ging hij terug en maakte de fles open, zodat Tom eruit kon drinken. Hij maakte de spalk weer vast, liet de man op zijn goede knie steunen en hielp hem toen in de stoel. Ichy kwam binnen met een door motten aangevreten deken en sloeg die om Toms schouders. De tweeling liep naar de houtmand van mevrouw Sands, die in de buurt van de provisiekast stond, en droeg de overgebleven houtblokken naar binnen. Ichy kroop in de haard en maakte een vuur, terwijl Brom naar buiten ging voor nog een lading en de natte houtblokken om de ijzers heen schikte. Vervolgens trokken ze hun natte jassen uit, en ook die van Tom, en hingen die bij de schoorsteenmantel te drogen. Boven hun hoofd roffelde de regen nog steeds op het dak, en buiten spoelde het water door de goten. Ren ging in een hoek zitten en wreef over zijn gloeiende wang; hij haatte ze allemaal.

Tom nam nog een slok. 'Het wordt tijd dat we onze strategie bepalen.' Hij legde zijn been recht en trok toen krimpend van de pijn een deken over zijn knieën. 'Wat wilde die muizenvalkerel van ons?'

'Hij denkt dat ik zijn neef ben,' gromde Ren.

Tom krabde zich onder zijn baard. 'En ben je dat?'

'Het lijkt er wel op.'

'Dat maakt het lastig.' Tom nam nog een slok uit de fles. 'Je zult uit het zicht moeten blijven. Er moet ergens een plek zijn waar je je schuil kunt houden.'

'Tot wanneer?'

Het leek Tom te verbazen dat hij dat vroeg. 'Tot Benji terugkomt.'

Ren legde zijn hand op de plek waar de emmer hem had geraakt. Hij dacht aan de blik op Benjamins gezicht toen hij afscheid had genomen. 'Die komt niet terug.'

Tom maakte een zwaaiende beweging met zijn hand. 'Hij komt altijd terug. Ik heb dit al zo vaak meegemaakt.'

'Ze hadden me wel kunnen vermoorden,' zei Ren, 'en het kon hem niets schelen. Hij gaf me zó weg. En hij liet jou achter met je gebroken been, in een tapijt gerold op de straat. Je zou dood zijn gegaan als de tweeling je niet in het ziekenhuis had weten te krijgen.'

Tom nam nog een slok en staarde in het vuur. De houtblokken stonden nu in lichterlaaie en verwarmden het vertrek, zodat er damp van de schouders van de man sloeg, alsof zijn geest langzaam verdampte.

'Over een uur klopt hij op die deur.'

'Dat doet hij niet,' zei Ren.

Tom schudde zijn hoofd, maar Ren kon zien dat hij dat deed omdat hij niet wist wat hij nog kon zeggen. Hij gebaarde naar Brom en Ichy, en de tweeling hielp hem om in evenwicht te blijven terwijl hij de keuken uit strompelde en zijn been de trap op begon te slepen. Ren keek vanuit de deuropening toe hoe ze langzaam vooruitkwamen; Ichy trok een vloerkleed opzij terwijl Tom zijn arm over de schouder van Brom had geslagen. Tom bleef op de overloop even rusten en ademde onregelmatig. 'Ik ga niet weg. Niet voordat ik iets van Benji hoor.'

'Als we in North Umbrage blijven, zal McGinty me vinden.' Ren had er genoeg van om ruzie te maken; hij had er genoeg van om de leiding te hebben. Hij sloeg zijn armen over elkaar en liet zich verder tegen de muur aan zakken. 'En wat moet ik dan?'

Boven zijn hoofd leunde Tom tegen de trapleuning, en hij nam hem bedachtzaam op. Toen veegde hij zijn neus af op een manier waaruit bleek dat hij Ren overal de schuld van gaf.

'Jij bent de dief,' zei Tom ten slotte. 'Bedenk jij maar iets.'

Het bleef de hele nacht onweren. Ren doorzocht de troep in de keuken tot hij een paar oude stukken brood vond. Toen legde hij een deken in de aardappelmand en kroop erin. Het leek een slechte schuilplaats, maar het zorgde er in elk geval voor dat er iets tussen hem en de wereld was. Het enige wat hij nodig had, was een paar uur rust.

De bliksem flitste tegen het keukenraam. Ren begon weer te tellen om te bepalen hoe ver weg het onweer was. Een, twee, drie – hij hoorde het gerommel van de donder een paar kilometer verderop. Even later werd de hemel opnieuw verlicht. Een, twee – dit keer kon hij de muren voelen trillen. Er klonk een harde klap toen de bliksem dichtbij insloeg. Een – en de donder bulderde. Hij viel boven op hem neer, alsof hij het gebouw in tweeën zou splijten.

Toen het onweer eindelijk afnam, haalde Ren zijn ellebogen van zijn hoofd, en op dat moment hoorde hij de voordeur. Er werd niet geklopt, maar zwaar en hard gebonsd, alsof iemand het hout met zijn schouder opzij probeerde te duwen. Ren bleef in de mand zitten, in de hoop dat het zou ophouden, en toen dat niet gebeurde kroop hij eruit en pakte de pook van de haard. Ze hadden de grendel voor de voordeur geschoven toen ze waren aangekomen, en nu hij op de deur af liep, zag hij dat de planken ertegenaan gedrukt werden.

Ren keek toe hoe de scharnieren langzaam meegaven. Hij sloeg zijn armen om zichzelf heen. De regen sijpelde van buiten naar binnen, over de drempel en over de stenen vloer. Zo meteen zou het water zijn voeten raken.

'Ren,' zei een stem achter het hout.

De jongen reikte naar de grendel en schoof die opzij. Het waaide hard en de deur vloog open en sloeg tegen de muur. Een gestalte strompelde uit de nacht naar voren.

'Dolly!' riep Ren uit. Hij spreidde zijn armen, maar Dolly duwde hem opzij en liep de keuken in, waar hij eerst tegen een kruk stootte en toen tegen een tafel voordat hij bij de open haard was. Dolly's gezicht vertoonde dezelfde donkere kalmte als toen hij de mannen onder de straatlantaarn had vermoord. Hij staarde in de as van het vuur, en zijn reusachtige handen gingen open en dicht, open en dicht.

'Je hebt me in de steek gelaten,' zei Dolly.

'Dat was niet mijn bedoeling,' zei Ren.

Dolly draaide zich om en ging met zijn rug naar de haard staan. Kleine druppeltjes spatten uit zijn gewaad over de stenen en vormden een kring van water om hem heen. Hij stond midden in die cirkel, met de stof als een tweede huid om zijn benen.

Ren voelde zich slap van spijt. Hij liet zich op de grond zakken, met zijn hoofd tegen de bank. Dolly torende boven de jongen uit, alsof hij een godsgericht was. Alsof hij op het punt stond zijn voet op te heffen en Ren de aarde in te stampen.

'Ik kon er niets aan doen,' zei Ren. Hij vertelde Dolly alles wat er was gebeurd, van het moment dat Tom van achteren met de schep was opgedoken tot Benjamin die over de weg achter hem aan was gekomen. Terwijl hij aan het praten was, was het net alsof Dolly hem niet kon horen. Zijn gezicht stond onbewogen, net zo hard als de ijzers in de haard. De donder rolde boven hun hoofd, zachter nu. Het onweer was een kleine twee kilometer ver weg, en toen nog twee kilometer verder, en de bliksem was niet meer dan een zwakke flikkering tegen het raam.

'Je hebt gelijk,' zei Ren, en zijn stem brak. 'Ik heb je in de steek gelaten. Het spijt me.'

Dolly stapte uit de cirkel van water en ging naast de jongen op zijn hurken zitten. Hij pakte Rens hoofd vast, een enorme hand die beide oren bedekte alsof hij zijn hoofd in elkaar zou drukken, en toen boog hij zich snel naar voren en gaf de jongen een kus op zijn voorhoofd, in de ruimte tussen zijn twee reuzenduimen. Vervolgens liet hij Ren los en wendde zich even af om zijn neus af te vegen met zijn mouw. Toen hij weer naar Ren keek, was de uitdrukking op zijn gezicht uitgeput en zacht – een berg die al was gekanteld en gevallen.

'Weer vrienden,' zei hij.

EENENDERTIG

Ren wakkerde het vuur aan. Al snel knetterde het en verwarmde het de haard. Dolly trok zijn laarzen en kleren uit en hing ze te drogen. Hij ging in zijn lange ondergoed op de bank zitten en deelde mee dat hij honger had. Ren gaf hem de stukken brood die nog over waren. Toen doorzocht hij de keuken en vond twee appeltjes waar happen uit waren genomen. Hij gaf er één aan Dolly en ging toen naast hem zitten; samen keken ze naar het drogende monniksgewaad.

Dat was helemaal versleten; de onderkant was op verscheidene plaatsen gescheurd en de mouwen zaten onder de modder. De naden op de schouders begonnen los te raken en er zaten bloedspatten op de borst. Het was maar een kostuum, dat één keer per jaar met de kerst werd gedragen. Het was niet bedoeld om langdurig gedragen te worden.

Het plafond lekte nog steeds en de regendruppels vielen in de emmers en de pannen op de vloer. Ren luisterde naar het geluid van het druppelende water en keek toe hoe Dolly at. Zijn kin was plakkerig. Zijn borsthaar krulde tussen de knopen van zijn onderhemd. Hij fronste zijn voorhoofd terwijl hij at en hij sperde zijn ogen wat wijder open, maar al met al zag zijn gezicht er vredig uit. Hij at langzaam en likte zijn vingers af. Toen hij klaar was, gaf Ren hem de andere appel en vroeg de jongen hem hoe hij de weg terug had weten te vinden.

'Ik heb de weg gevolgd,' zei Dolly. 'Er waren sporen in de modder. En ik vond de wagen. En het paard.'

Ren was de merrie vergeten, half begraven in het moeras – met haar gebroken nek en met de ogen wijd open in doodsangst. Hij vroeg zich nu af wat het dier had gedacht terwijl het daar had liggen sterven, of de merrie zich de boer nog herinnerde die zoveel van haar had gehouden.

De kneuzingen in Dolly's nek waren genezen. Er waren alleen nog sporen van een snee op de plek waar het touw had gezeten. Ren herinnerde zich de eerste nacht die ze samen hadden doorgebracht, vlak nadat ze Dolly uit de aarde hadden opgegraven. Toen Benjamin de dode man in de wagen uit de zak had gesneden, was het bijna alsof hij hem had opgeroepen. Alsof hij Dolly door pure wilskracht tot leven had gewekt.

Nu zat Dolly keihard te niezen, en hij besproeide de zijkant van Rens gezicht. De jongen zocht net zo lang in de keuken tot hij een schone doek vond. Hij veegde zijn wang schoon en gaf de doek toen aan zijn vriend. De volgende ochtend zouden ze weg moeten uit het huis, dacht Ren, en de brug over, ver weg van North Umbrage. Hij wist dat hij het met Dolly zou kunnen redden. Hij keek om zich heen door de vernielde keuken. Er was nauwelijks iets de moeite van het meenemen waard. Toch zei hij tegen zijn vriend dat hij moest gaan pakken.

Dolly snoot zijn neus. 'Hoe zit het met de anderen?'

'Die zijn beter af zonder ons.' Ren zweeg even en dacht erover na of dat waar was. Hij wist dat Brom en Ichy het vreselijk zouden vinden als hij vertrok. Maar Tom was vast van plan om te blijven, en zijn been had rust nodig. Bovendien wist Ren nu dat de tweeling voor hem zou zorgen. En dat hij voor de tweeling zou zorgen.

Ren stond op en begon te verzamelen wat hij kon. Ze zouden vroeg moeten vertrekken, voordat de anderen wakker waren. Hij pakte twee dekens van de grond, rolde ze op en stopte ze in een tas. Hij pakte een koekenpan en een kop reuzel. Onder in de aardappelmand vond hij twee vergeten aardappeltjes, en ook die pakte hij in.

'Waar gaan we heen?' vroeg Dolly.

'Dat weet ik nog niet,' zei Ren. 'Ergens waar ze ons niet kennen.'

'Ik heb altijd naar Mexico gewild.'

Even vroeg Ren zich af of Benjamin daarnaartoe was gegaan. 'Dat zouden we kunnen doen.'

'Of naar Californië.'

Deze nieuwe gebieden strekten zich in Rens fantasie uit als eindeloze woestijnen, waar de horizon zich uitstrekte zover het oog reikte. Hete zon en weidse prairies en ronde, rode bergen die langzaam tot stof verweerden.

Ren zette de aardappelmand recht. Toen liep hij door de troep die de muizenvalmeisjes hadden achtergelaten, terwijl hij zich afvroeg wat hij nog meer moest meenemen. Op het aanrecht, op de planken en verspreid over de vloer stonden bergen vuile vaat, vol plakkerige en gestolde etensresten. Kapotte theekopjes en verbogen vorken, kommen die waren gebarsten en borden met schimmel langs de randen.

In de provisiekast vond hij achter een opengescheurde zak bloem een potje augurken, en hij stopte het in de tas. Hij liep langs de bezem waar mevrouw Sands hen mee had geslagen. En langs het borduurwerk met het onzevader dat boven de haard hing. En langs een spiegel met twee vogels die in de lijst waren gegraveerd.

Ren pakte alleen dingen die hij kon dragen. In zijn jas zat het stuk kraag met zijn naam, de steen die Ichy hem in Saint Anthony had gegeven, de nepscalpen van zijn ouders en het gouden horloge van McGinty. Hij stopte het gestolen exemplaar van *De hertendoder*, het houten paardje van de dwerg en het nachthemd dat mevrouw Sands hem de eerste avond had aangetrokken in de tas.

Hij vond inkt en papier, en terwijl hij ging zitten, herinnerde hij zich de brief die hij lang geleden aan de tweeling had geschreven. Hij wilde toen zo graag dat ze dachten dat hij gelukkig was. Nu wilde hij alleen maar door hen vergeven worden. *Beste Brom en Ichy*, begon hij, en toen stopte hij. Hij draaide het papier om en begon opnieuw:

Lieve mevrouw Sands,

Ik wilde niet vertrekken zonder afscheid te nemen. Ik heb het geld gevonden, precies op de plek waar u had gezegd dat het zou liggen. En ik beloof dat ik zal doen wat ik heb beloofd.

Er zijn hier twee jongens. Ze heten Brom en Ichy. Ik hoop dat u op

dezelfde manier voor ze zult zorgen als u voor mij hebt gezorgd. Ze
zijn schoon en eerlijk, ook al zijn ze een tweeling.

Met vriendelijke groeten,
Ren
PS Het spijt me van de afwas.

Ren vouwde het papier twee keer dubbel en bleef toen zitten. Hij
wist niet wat hij nu moest doen. Uiteindelijk ging hij de trap op en
legde hij de brief op het bed van mevrouw Sands. Terwijl hij weer
naar beneden liep, kwam hij langs zijn oude kamer. Hij hoorde
Tom woelen in zijn slaap en Ichy ademhalen door zijn neus. Brom
maakte geen geluid, zelfs niet toen Ren bleef wachten op de trap,
in de hoop dat hij iets zou horen om zich later te herinneren.

In de keuken had Dolly zijn monniksgewaad weer aan. 'Het is
droog,' zei hij. 'Voel maar.'

Ren raakte de grove bruine stof aan. 'We moeten mooiere kleren voor je zien te krijgen.'

Het vuur was uitgegaan. Ren spreidde een deken uit over de
vloer. Hij stopte theedoeken in zijn laarzen, sloeg een deken over
zijn schouders en rolde zich op als een bal, net zoals Benjamin lang
geleden had gedaan, toen hij een bed voor hen had gemaakt in de
boerenschuur. Dolly kwam naast Ren zitten, met zijn voeten in de
as. De nacht omsloot hen en de haard begon af te koelen.

'Ik heb een besluit genomen,' zei Dolly. 'Ik ga hem niet doden.'

'Wie?'

'De man voor wie ik was aangenomen.'

Ren kon zijn adem tegen de deken voelen. Alles wat hij ooit had
gedaan leek te steunen op dit moment. 'Waarom niet?'

'Omdat jij me hebt gevraagd om het niet te doen.'

De woorden vonden hun weg door het donker, totdat Ren dichter naar Dolly toe schoof en tegen zijn been leunde. Samen luisterden de man en de jongen hoe de regen afnam en toen ophield.
Ze hoorden ook hoe geleidelijk de potten en pannen om hen heen
stilvielen. Buiten verkleurde de lucht langzaam van zwart naar
blauw. De vogels begonnen te zingen. En de nacht was voorbij.

Ren tilde zijn hoofd op. Eerst dacht hij dat er een muis was gevangen en dat het diertje met zijn nageltjes tegen het deurtje van een muizenval krabde. Maar daar was het gepiep te luid voor, en het kwam uit de gang.

'Wat is dat?' vroeg Dolly.

'Ik weet het niet.' Ren gooide de deken van zich af en liep de gang in. Hij kon nu geschuifel horen, en ook een metaalachtig geluid, dat van de achteringang kwam. Ren staarde naar de deurknop. Er klonk gerammel en toen viel er een kleine naaldvijl uit het sleutelgat en kletterde vlak voor de deur op de tegels.

De jongen stormde terug naar de keuken, deed de deur achter zich dicht en leunde ertegenaan. Dolly stond bij de haard, zijn handen klaar om in actie te komen.

'Het raam!' fluisterde Ren. Hij pakte hun tas. Hij klom op het aanrecht en duwde tegen de koude ruit. Hij kon de hoedenjongens zien, die bij de achterdeur in elkaar gedoken zaten, en nu ging de deur een stukje open en slopen ze het pension binnen.

Wanhopig zocht Ren de kleine metalen knippen en rukte er met zijn vingers aan. Hij wierp zijn hele gewicht tegen de ruit en toen was er lucht – heerlijke, prachtige koele lucht op zijn hand en zijn gezicht.

Iemand greep Rens benen vast en trok hem weer naar binnen. Hij schopte, maar de Hoge Hoed hield hem stevig vast. Drie andere hoedenjongens namen het tegen Dolly op. Ze hadden touwen om zijn armen en zijn nek geslagen en probeerden hem tegen de grond te werken. Dolly had een van de mannen bij de keel, terwijl de andere twee hem sloegen met een stok en zich met hun volle gewicht tegen hem aan wierpen. Toen kwam Pilot binnenlopen.

Hij klapte in zijn handen, alsof hij applaudisseerde voor een voorstelling, en Dolly en Ren waren zo verbaasd dat ze ophielden met vechten. De man zag er nog steeds uit als een vogelverschrikker, met armen die twee keer zo lang waren als zijn benen. Met een van die armen veegde hij over de keukentafel en smeet alle borden, afval en schalen met halfopgegeten eten op de grond. 'Breng hem hier.'

De Hoge Hoed stapte naar voren en gooide Ren op de tafel.

Pilot boog zich over de jongen heen. 'Je hebt je oom teleurgesteld. En dat na alles wat hij je heeft gegeven.'

'Die dingen hoefde ik helemaal niet,' zei Ren.

Pilot haalde een jutezak uit zijn jas, precies zo een als Benjamin en Tom op de begraafplaats hadden gebruikt. 'Hoe dan ook, hij is nog niet klaar met je.'

Hij gaf de zak aan de Bolhoed, die Rens benen erin begon te stoppen. Ren verzette zich tegen de mannen tot zijn armen verdraaid en gevoelloos waren. Hij zat nu tot zijn middel in de zak. De Bolhoed en de Hoge Hoed pakten hem bij zijn schouders. Ze duwden de rest van zijn lichaam in de zak en trokken die tot boven zijn hoofd.

En toen klonk er een donderend geraas vanaf de andere kant van de keuken, alsof het hele huis van de kelder tot het plafond was opgetild en heen en weer werd geslingerd. De keukentafel schudde heen en weer, kantelde en balanceerde even op twee poten voordat hij op de grond stortte, en Ren viel ook, op een stapel kleren – of was het een lichaam? Hij hoorde iemand vloeken – het was wel degelijk een lichaam – en hij kon de adem van de man ruiken. Iemand hield de zak vast, en Ren gebruikte zijn vingers – hij kon zijn vingers nog voelen – om zich los te rukken.

Dolly trok hem omhoog van de grond. Binnen de kortste keren had hij de jongen uit de zak gehaald. Ren zag Pilot in de deuropening staan, met zijn mond vol bloed. Zijn rechterarm bungelde aan zijn schouder en met zijn linkerarm probeerde hij met veel moeite een pistool uit zijn jas te halen. De Strohoed was dood. De Bolhoed en de Cipierspet lagen op elkaar op de grond. Dolly gooide de zak naar de laatste man die nog overeind stond – de Hoge Hoed, die nu een stoel boven zijn hoofd hield – en duwde toen Ren naar de open haard.

'Klimmen,' zei hij. 'Wegwezen.'

De Hoge Hoed gooide de stoel door de lucht. Die brak tegen Dolly's rug in stukken toen die zich omdraaide om Ren met zijn lichaam te beschermen. 'Nu', zei Dolly, en hij gaf de jongen nog een duw en pakte toen de pook, waarmee hij net zo lang het gezicht van de Hoge Hoed bewerkte tot het bloed over zijn handen stroomde.

Ren zette een voet tegen de muur van de haard. Hij keek even over zijn schouder en zag Pilot met het pistool in zijn handen. De jongen wist dat hij moest gaan klimmen, maar hij kon geen houvast krijgen en zijn voeten gleden langs de stenen. En toen stond Dolly vlak onder hem, nam hem in zijn armen en schoof Ren omhoog de schoorsteen in; hij duwde hem met al zijn kracht naar boven, en de as viel op hen allebei neer. Dolly had Rens voet vast en hield de jongen aan die voet overeind, en Ren vond een richel waarop hij kon steunen en hees zichzelf omhoog, een paar centimeter, en toen nog een paar centimeter, tot hij loskwam uit Dolly's hand.

De bakstenen om hem heen waren nog warm en het roet prikte in zijn ogen. De schoorsteen was zo smal dat hij nauwelijks naar beneden kon kijken. Maar het lukte hem om zijn kin te draaien, precies ver genoeg om zijn vriend beneden te zien staan, naar hem opkijkend door het donker.

Toen klonk er een explosie. De muren trilden ervan. En toen nog een. En nog een. En nog een. Ren voelde hoe zijn adem naar buiten werd geperst, weg van hem, en als rook de nacht in kringelde, om vervolgens even snel weer terug te komen met een stoot koude lucht die zijn vingers gevoelloos maakte, zijn botten verkilde en zijn lichaam eraan herinnerde dat het niet meer was dan een lichaam dat op vele manieren kon sterven, en dat de eerste manier was om door de schoorsteen naar beneden te vallen, en de tweede om neergeschoten te worden.

Hij zette zich schrap met zijn voeten tegen de vervallen zijkanten. Zijn handpalm zweette en gleed weg. Ren klom een stukje omhoog, viel, klom weer verder. En toen liet iemand van bovenaf een touw zakken. Hij pakte het stevig vast en duwde met zijn benen tegen de muren, en zijn lichaam werd door de schoorsteen omhooggetild terwijl er roet en zand in zijn gezicht vielen. Hij klemde zijn vingers om een knoop en toen was hij erdoorheen; hij voelde de wind op zijn gezicht en de dwerg greep hem bij zijn schouders en tilde hem het dak op.

Ren draaide zich meteen om en greep de schoorsteen vast. Hij keek naar beneden, het zwarte gat in. 'Dolly!' schreeuwde hij. 'Dolly!' Hij wachtte op een antwoord. Maar het enige wat hij hoorde was de wind, die met een hol, laag geluid over de boven-kant van de schoorsteenpijp woei.

'Hij zit op het dak!' riep een van de mannen van beneden. Ren trok zich terug, en de dwerg kwam naast hem staan. Zijn haar zat helemaal in de war en hij had zijn jasje niet dichtgeknoopt.

'Ze kunnen hier elk moment zijn.' De dwerg rende naar de rand van het dak, klom op de daklijst en sprong. Ren schreeuwde en rende ernaartoe. Toen hij bij de daklijst kwam, zag hij dat de man op het dak van het aangrenzende gebouw terecht was gekomen, een meter of drie onder hem. De dwerg draaide zijn hoofd om en gebaarde. 'Kom op.'

Ren kon de hoedenjongens achter zich horen. Ze hadden een ladder gevonden; hij schuurde tegen de zijkant van het pension. Hij deed zijn ogen dicht. En sprong.

De aangrenzende gebouwen waren rijtjeshuizen, met niet meer dan lage stenen muurtjes tussen de daken. De dwerg liet zich er-overheen rollen en de jongen volgde hem. Verscheidene mannen volgden hen over de straat en twee andere hadden het dak van het pension weten te bereiken. De kleine man sprong achter schoor-stenen en dakramen en klom over gevels. De wind woei striemend om hoeken, de dakpannen waren glad van de regen en het kostte de jongen veel moeite om hem bij te houden. Hij gleed uit, viel op zijn knieën en greep een pijp vast, en kon zo net voorkomen dat hij van het dak viel.

Het volgende dak lag een meter of vijf verder, en tussen de daken bevond zich een diepte van drie verdiepingen. De dwerg haalde een lange plank onder een zeil vandaan. Die legde hij tus-sen de gebouwen in en hij holde er snel overheen. Aan de andere kant hield hij de plank stevig vast. 'Schiet op.'

Ren zette eerst één voet op de plank, vervolgens de andere en schoof voorzichtig naar voren, met gespreide armen om in even-wicht te blijven. Hij probeerde niet naar beneden te kijken. Hij hoorde de mannen achter hem over het dak aankomen en onder hem schreeuwen. De dwerg riep nijdig tegen hem: 'Ze komen er-aan!' Rens benen begonnen te trillen. Hij hurkte en greep met zijn hand de plank vast. Toen klonk er een schot op straat, de plank kantelde en houtsplinters vlogen krakend door de lucht. De dwerg stak zijn arm uit en Ren pakte hem vast. Even bungelde hij boven de straat, toen was hij aan de overkant en trok de dwerg de plank weg, net voordat de mannen er aan de overkant op konden stappen.

Een man verloor zijn evenwicht en viel bijna over de rand. De ander hield hem tegen, en ze trokken hun pistolen. Glasscherven en stukken metaal regenden op Ren en de dwerg neer. Een windijzer werd geraakt en begon te tollen. Verderop zagen ze nog een groep hoedenjongens. Ze waren de straat door gerend om hun de pas af te snijden, via een raam het dak op geklommen en kwamen nu op hen af, terwijl ze naar de anderen gebaarden dat ze moesten ophouden met schieten.

'Naar binnen,' zei de dwerg. 'Vlug!' Hij ontweek een stapel dakpannen en rende naar een schoorsteen. Snel haalde hij de steen eraf en kroop over de rand. Hij keek nog een laatste keer om naar Ren, gebaarde dat hij moest opschieten en verdween toen in de schoorsteen.

De jongen snelde achter hem aan. Hij sloeg eerst zijn ene en toen zijn andere been over de rand en zocht steun in de binnenkant van de schoorsteen. De mannen kwamen dichterbij. Hij zag armen op zich af komen, duwde zichzelf naar beneden en schuurde links en rechts langs de stenen.

Hij had zich een kleine halve meter in het donker laten zakken toen de schoorsteen smaller werd. Hij paste er niet doorheen. 'Help me!' schreeuwde hij. Hij voelde dat de kleine man zijn schoenen vastpakte en trok. Ren schoof heen en weer en probeerde zich met zijn ellebogen omlaag te duwen. Hij zat vast, half in de schoorsteen en half erbuiten. Toen greep een van de hoedenjongens een pluk van zijn haren vast en pakte een andere hem bij zijn jasje, en zo werd hij de vroege ochtend weer in getrokken. Zijn schoenen bleven achter bij de dwerg.

TWEEËNDERTIG

Ren wachtte op McGinty in het kantoor dat uitkeek over de fabriekshal. Hij had daar sinds zonsopgang gezeten en keek nu toe hoe de voordeuren opengingen en een nieuwe ploeg meisjes naar hun plek liep. Ze liepen snel, met hun omslagdoek om hun hoofd geslagen. Toen ze bij hun plaats kwamen, deden ze hun omslagdoek af en bonden die om hun middel. De voorman kuierde door het gangpad; hij porde een meisje in haar rug en gaf een ander een klap op haar achterwerk. Ren kon de Hazenlip bij haar zaag zien staan, waar ze stukken hout stapelde en zaagde. Ze keek niet naar hem op, maar hij wist dat ze hem achter het glas had zien staan.

De vloer trilde licht door de machines. Ren kon het voelen omdat hij geen schoenen aanhad. Hij legde zijn hand tegen het raam en het glas trilde tegen zijn vingers. Achter hem rammelden de schilderijen van de vossenjachten tegen de muur.

De deur van het kantoor ging open. McGinty kwam binnen, gevolgd door twee hoedenjongens, die aan weerszijden van de deuropening hun positie innamen. Een van hen was de Bolhoed. Hij had een gebroken neus en zijn nek zat onder de striemen. De andere man droeg de hoge hoed, met dezelfde donkere vlek op de rand. Maar het gezicht was weer anders, alsof de hoed vanaf de grond een nieuw lichaam had laten groeien.

Zonder een woord te zeggen duwde McGinty de jongen tegen het raam en begon zijn zakken te doorzoeken. Alles wat hij vond – de kraag, de scalpen, de steen – gooide hij op de grond, totdat hij het horloge te pakken had. Toen duwde hij Ren opzij. Hij klapte het horloge open om te controleren of het portret nog op zijn plek zat, staarde opgelucht naar Margarets gezicht en poetste het met zijn zakdoek schoon. Toen hij klaar was, deed hij het horloge weer dicht en begon het op te winden. Hij keek daarbij eerst zijdelings naar Ren, toen weer naar de wijzerplaat en zette vervolgens het horloge gelijk.

'Je bent een dief,' zei McGinty.

'Dat zal wel,' zei Ren,

'En niet zo'n snuggere ook,' zei McGinty. 'Ik heb je gesnapt. Twee keer.' Hij stopte het horloge in zijn vest en ging achter het bureau zitten. Toen haalde hij Pilots mes uit zijn zak, hetzelfde mes waarmee de hand van de waard was afgesneden, en legde het voor Ren neer.

'Ik begrijp dat er een man bij je was.'

'Is alles goed met hem?'

'Hij heeft Pilot gedood, en nog drie anderen.'

'Hij is mijn vriend.'

'Lekkere vriend.' McGinty wreef met zijn vinger over het uiteinde van het lemmet. 'Hij kwam hier een maand geleden naartoe om me te vermoorden. Ik heb twee man achter hem aan gestuurd om hem uit de weg te ruimen, maar in plaats daarvan heeft hij hén uit de weg geruimd.' McGinty pakte het mes op. 'Misschien is hij de man die ik zocht. Misschien is hij klaar om verantwoording af te leggen.'

'Hij is mijn vader niet.'

'Vertel me dan wie dat wel is.'

'Ik heb u al gezegd dat ik dat niet weet.'

Ren wachtte tot de man hem zou slaan, maar in plaats daarvan stak McGinty het mes in het bureau. 'Ik zal er wel voor zorgen dat je je het herinnert.'

Hij trok een la open en haalde er een zijden zakje uit, dat bestikt was met paars garen. Het koord waarmee het dichtzat was ook paars en had kwastjes aan de uiteinden. McGinty deed er even over om die te ontwarren. Toen was het zakje open en haalde hij er een kubusvormig stukje glas uit. Hij legde het op tafel. Er zat iets in, en even leek het een barst in het glas die zich naar vijf kanten uitstrekte. Het was een kleine, een piepkleine hand.

McGinty perste zijn lippen op elkaar. 'Komt dit je bekend voor?'

Ren staarde naar de hand op de tafel. Achter het glas glommen de doorschijnende vingernagels als parels. De huid was nog roze. Maar er waren ook rimpels. Honderden piepkleine rimpeltjes, waardoor de hand eruitzag alsof hij van een heel oud iemand was. Iemand die al duizend levens had geleefd.

'Ik heb hem bewaard,' zei McGinty. 'Als souvenir.' Hij boog zich naar voren en fluisterde de rest in Rens oor: 'Ze hoefde me alleen maar de naam van de vader te geven. En dat vertikte ze. Zelfs toen ik je op de tafel legde. Zelfs toen het mes je hand in ging wilde ze niets zeggen.'

Het litteken deed pijn, zo erg dat het leek of het in brand stond. Ren sprong op de deur af, maar nog voordat hij zijn hand op de deurknop kon leggen hadden de Hoge Hoed en de Bolhoed hem al te pakken. Na een knikje van McGinty tilden ze hem op het bureau. De jongen verzette zich, maar de mannen waren hem gemakkelijk de baas en al snel lag hij met beide armen strak tegen zijn lichaam stevig tegen het hout geklemd.

'Ik heb geprobeerd met je te onderhandelen. Ik heb geprobeerd om aardig te zijn.' McGinty trok Pilots mes los uit het bureau. Hij pakte Rens linkerarm vast. Hij bekeek aandachtig het litteken. Toen keek hij de jongen aan en liep naar de andere kant van het bureau.

Ren voelde het bloed uit zijn rechterarm wegtrekken en de vingers van zijn hand gevoelloos worden. McGinty boog zich over hem heen, zo dichtbij dat Ren zijn adem kon voelen. Hij liet de snijkant van het mes zachtjes over de pols van de jongen glijden, aan de onderkant van de duim. Hij maakte een klein sneetje in de huid, precies genoeg om een duidelijke rode streep te trekken. 'Ik heb graag een doel,' zei McGinty. 'Een plek waar ik op kan richten.'

Er stroomde een beetje bloed langs Rens arm. McGinty zette het lemmet tegen de pols van de jongen, op de snee die hij al had gemaakt. Ren zag zijn spiegelbeeld in het metaal, zonder handen – alleen maar twee lege uiteinden van zijn armen – en hij gilde en gilde en gilde.

'Ik wil zijn naam horen,' zei McGinty. 'Ik wil alles van hem weten.'

In gedachten wachtte Ren op de donder. Hij kon voelen hoe het onweer kwam opzetten; er hing een enorme lading in de lucht. Het enige wat hij nodig had, was een klap die voor de ontlading zou zorgen. Een glinsterende ader tegen een donkere achtergrond.

Onder hem lag een vloer. Een vloer waar zijn moeder overheen had gelopen. De stoel was een stoel waar zij in had gezeten, dit bureau een plek waar ze met haar ellebogen op had geleund. Hetzelfde gezoem van de machines was door het raam naar binnen gekomen. Dezelfde kleine trilling had aan haar voeten gekieteld. Ooit was ze in dezelfde kamer geweest. En nu was Ren er. Toen ze hier was, had ze van hem gehouden. En die liefde was er nog steeds, in de muren. Hij kon het voelen. Hij opende zijn mond en de woorden kwamen eruit.

'Mijn vader kwam uit het westen,' zei Ren. 'Hij joeg op indianen, ook al was hij zelf grootgebracht door een stam. Niemand wist wie zijn moeder of zijn vader was. Sommige mensen zeiden dat zigeuners hem uit een karavaan huifkarren hadden gestolen en in ruil voor kralen en een geweer aan de indianen hadden gegeven. Maar hij was volkomen blank en leerde zelfs Engels van een schoolmeester die op doorreis was en op hem en op het indianenleven gesteld raakte, en die bij ze bleef wonen en met een squaw trouwde die Gelukkige Veder heette.'

McGinty haalde langzaam het mes van Rens pols. Hij knikte even naar de Hoge Hoed en de Bolhoed. De hoedenjongens hielden Ren minder stevig vast en de jongen praatte verder, met zijn gezicht naar het plafond. Zijn hart bonsde in zijn borst.

'Toen hij nog jong was, begon mijn vader scalpen op te sporen. Hij kreeg daar een vergoeding voor van de familie van de doden. Als hij het lichaam van het slachtoffer zag, kon hij aan de manier waarop het haar was verwijderd herkennen welke stam het had gedaan, wat voor soort mes er was gebruikt en soms zelfs welke krijger het had gedaan. Dan klom hij op zijn paard en was hij weken weg, soms zelfs maanden, en een paar keer zelfs een heel jaar. Maar hij kwam altijd terug en in zijn zadeltas had hij altijd scalpen, vlechten of haarlokken. De mensen openden dan de graven en de kisten, en legden wat hij gevonden had erbij, zodat de dode in vrede kon rusten.

Na een paar jaar werd hij rusteloos op de prairies en reisde hij naar het oosten. Hij verkocht zijn paard en ging op zee varen. Hij zeilde de wereld rond op een koopvaardijschip, naar Afrika, naar India, naar Europa en naar het Verre Oosten. Naar plaatsen waar mensen op hoge bergtoppen leefden waar niemand kon komen, in glazen kubussen onder het wateroppervlak van een meer, en in reusachtige kastelen die waren gemaakt van ivoor en goud, met zoveel kamers dat je één dag in een kamer kon wonen en dan een volgende kon uitkiezen en daarna weer een volgende.

Toen monsterde hij aan op een walvisvaarder en zat jarenlang achter zeemonsters aan. Hij vocht tegen piraten en ontdekte verre eilanden met alleen maar vulkanen en apen. Hij werd een beroemde worstelaar die het tegen vreemde wezens opnam; hij dook in het water om te vechten tegen reuzeninktvissen en zeeslangen, terwijl zijn scheepsmaten vanaf de reling toekeken en weddenschappen afsloten.

En toen kwam er op een avond een vreselijke storm opzetten, waardoor het schip in tweeën brak. Er brak ook brand uit en de bemanning werd naar alle windstreken verspreid. Mijn vader was de enige overlevende. Hij besloot naar huis te zwemmen. En dat deed hij, duizenden en nog eens duizenden kilometers de oceaan over, terwijl hij tegen kwallen en haaien en schildpadden vocht, en tegen alle andere wezens die onderweg een hap uit hem probeerden te nemen. Toen hij uiteindelijk aanspoelde op de kust, was hij helemaal vel over been en half krankzinnig doordat hij zo lang in het water was geweest.

Hij werd gevonden door een visser, die hem te eten gaf tot hij weer aangesterkt was, en hem toen aan het leger verkocht om een gokschuld te kunnen betalen. Zijn commandant was een boze dwerg, die schreeuwend bevelen gaf en at voor tien, maar die er ook prachtig uitzag op zijn kleine witte pony en zijn soldaten tot grote moed wist te inspireren. Na vijf jaar gaf de dwerg mijn vader verlof om zijn indianenfamilie te bezoeken. Maar in plaats daarvan ging mijn vader naar het platteland, waar hij op de ingang van een oude mijn stuitte. In die mijn ontmoette hij mijn moeder.'

McGinty zat achterovergeleund in zijn stoel aandachtig te luisteren. Hij hield de glazen kubus vast en draaide die nu rond, rond en rond in de palm van zijn hand. Ren keek toe hoe dit deel van zichzelf ronddraaide, als een klokmechanisme, en de rest van het verhaal welde in hem op.

'Mijn moeder vertelde hem over de mijnwerkers die vast hadden gezeten onder de grond. Ze leidde hem door de tunnels, naar de plaatsen waar ze dicht tegen elkaar aan waren gekropen om het warm te krijgen en waar nu hun lichamen lagen. Ze droeg een groenfluwelen jurk, en toen ze haar vingers tegen de zijne drukte, smolten al zijn avonturen en zijn hele zware leven weg. Hij wist dat hij de vrouw had ontmoet van wie hij tot zijn dood zou houden. Nadat zijn peloton naar het westen was vertrokken, schreef hij mijn moeder elke dag. Hij werd bijna gek van bezorgdheid en angst en verlangen naar haar.

Ten slotte kreeg hij een brief terug. Ze was van hem in verwachting. Ze vroeg hem om bij haar terug te komen, om haar weg te halen uit North Umbrage, om haar en de baby zijn naam te schenken. Diezelfde nacht nog deserteerde hij. Hij verliet zijn legerpost, en vanaf dat moment was hij een gezocht man. Hij reisde als de nacht was gevallen en hield zich overdag schuil in het bos; hij gebruikte alle trucs die hij door de jaren heen had geleerd om in leven te blijven. Maar al die lessen waren niet genoeg en de soldaten kregen hem te pakken. Ze hongerden hem uit en sloegen hem, net zo lang tot hij geen mens meer was maar een levend geraamte – een schim van degene die hij ooit was geweest. De maanden verstreken. Hij vergat wie hij was en waar hij vandaan kwam, en kon zich op een gegeven moment alleen nog maar het gezicht van mijn moeder herinneren, al wist hij zelfs niet meer van wie dat gezicht was.

Ze stopten een moordenaar in de cel naast de zijne, een man met reusachtige handen. En toen hij die reusachtige handen gebruikte om te ontsnappen, vluchtte mijn vader met hem mee. Maar tegen de tijd dat mijn vaders verstand terugkwam en hij North Umbrage had bereikt, was het te laat. Mijn moeder was overleden en mijn vader keerde de wereld de rug toe. Hij begon te drinken. En daar, in goedkope kroegen en op de bodems van kroezen, viel hij in de diepste en donkerste plek waar hij ooit was geweest.

Er gingen jaren en nog eens jaren voorbij. Hij ging om met het laagste soort mensen, hield zichzelf op de been met de laagste genoegens en deed de laagste klusjes om het volgende rondje te kunnen betalen. Maar hij ving ook steeds meer geruchten op dat ik nog leefde. En hij herinnerde zich dat deel van zichzelf dat had gevochten met zeeschepsels en dat vulkanen had beklommen en oceanen over was gezwommen, en hij wist dat hij die kracht opnieuw zou kunnen opwekken en zou kunnen gebruiken om zijn enige zoon te vinden. Hij haalde al zijn jachttalenten van lang geleden op, het navigeren dat hem op zee was geleerd, de discipline die hij in het leger had geleerd. Elke avond keek hij omhoog naar het oneindige donker van de lucht en zei hij tegen me dat hij eraan kwam. Hij zei tegen me dat ik niet bang hoefde te zijn. Hij zei dat het niet lang zou duren voordat ik nooit meer alleen zou zijn en dat hij me, zelfs toen al, met zijn hele hart zocht.

En toen, op een dag, vond hij me. Hij bekeek een groep van duizend kinderen en pikte mij er in één keer uit. En ik wist meteen wie hij was, omdat hij me in mijn dromen had bezocht. Daarom was ik niet bang. Hij was geen vreemdeling. We hielden elkaar vast en we waren samen, en we wisten dat we nooit meer van elkaar gescheiden zouden worden.'

McGinty sloeg met zijn vuist op het bureau. 'Zo is het genoeg,' zei hij. 'Ik wil niks meer horen. Ik wil zijn naam. Ik wil zijn echte naam.'

'Zijn naam,' zei Ren, 'is Benjamin Nab.'

DRIEËNDERTIG

Wat er vervolgens gebeurde, voltrok zich allemaal heel snel. Mc-Ginty brulde naar de Hoge Hoed en de Bolhoed, die iets in de gang schreeuwden, terwijl er meer hoedenjongens binnen kwamen stormen, de ene na de andere. 'Breng hem hier!' bulderde McGinty. Hij haalde snel en piepend adem. 'Breng hem nu.'

Ren vloog naar het raam. Hij zag hoe de hoedenjongens door de muizenvallenfabriek renden. De meisjes stopten met werken en staarden naar de voorbijstormende mannen. Alleen de Hazenlip bleef staan waar ze was en ging verder met stapelen en zagen, stapelen en zagen.

McGinty sprong op van zijn stoel en begon voor zijn schilderijen te ijsberen. Hij bleef staan bij het raam en keek uit over de fabriek. Zijn gezicht was verwrongen van woeste vreugde. Hij sloeg met een hand op Rens schouder. 'Je hebt het voor mij gedaan, jongen.'

De deur ging open en Benjamin Nab kwam binnen.

Hij werd aan beide kanten ondersteund door de Bolhoed en de Hoge Hoed. Om zijn hoofd zat een stuk blauwe stof gebonden waar bloed doorheen sijpelde. Benjamins gezicht was bleek en gehavend, en de blauwe plek rondom zijn oog die hij had opgelopen bij het ongeluk, liep in een donkere streep langs zijn neus. Een van de mouwen van zijn jas was afgescheurd. Het leek of een van zijn armen was gebroken. Maar daar was hij. Hij leefde.

'Meneer Nab,' zei McGinty. 'Ik had mijn geld op u gezet, van meet af aan.'

Benjamin hief zijn hoofd op. Toen hij Ren zag, lachte hij. Maar het was niet de stralende lach die Ren zich herinnerde. Zijn voortanden waren gebroken en zijn lip was gescheurd en bloedde. De hoedenjongens lieten hem op de vloer vallen. Hij stak zijn hand uit en Ren pakte die vast.

'Je hebt ze een goed verhaal verteld, hoorde ik,' zei Benjamin. 'Ik hoop dat ik er een mooie rol in heb gespeeld.'

'Ik dacht dat je weg was,' zei Ren. 'Ik dacht dat je ons had verlaten.'

'Ik zou er niet over peinzen.' Benjamin kromp in elkaar en verplaatste toen de arm die hij op zijn schoot had liggen. Hij keek de jongen recht aan. 'Als je nog weet hoe je moet bidden, dan zou dit er weleens een goed moment voor kunnen zijn.'

'Je vader is mijn gast,' zei McGinty. 'Hij logeert in een speciale kamer in mijn kelder. Ik test daar al mijn vallen.'

'Ik heb gelogen,' zei Ren. 'Ik heb het verzonnen.'

McGinty ging achter het bureau staan. Hij opende een la, haalde er een pistool uit en legde dat op tafel. Het was hetzelfde pistool als Ren eerder had gezien, met de inscriptie op de loop. Hij haalde een doos kogels tevoorschijn en schoof ze een voor een in het magazijn. Toen dat vol zat, betrok zijn gezicht; hij leek bijna teleurgesteld te zijn.

'Margaret,' begon Benjamin.

'Spreek haar naam niet uit.'

'Ik wist het niet van de baby. Ik hoorde het pas toen ze al dood was.'

'Je liegt.'

Benjamin kneep in Rens hand en de jongen begreep dat hij hem al als zoon had opgeëist lang voordat Ren hem als vader had opgeëist. Al die tijd dat Ren opgesloten had gezeten in de bergruimte, zelfs toen hij languit op de tafel was gelegd, had McGinty al geweten wat hij zou gaan zeggen.

Het begon in de kamer naar zweet te stinken. McGinty knikte en de hoedenjongens stapten naar voren. De Hoge Hoed duwde Ren opzij en de Bolhoed wond een dun touw om Benjamins nek. Het gebeurde zo snel dat Benjamin niet eens naar adem snakte. Hij klauwde naar het touw; zijn gezicht werd wanhopig. Hij schopte met zijn benen; ze dreunden tegen het reusachtige bureau.

'Genoeg,' zei McGinty.

De Bolhoed haalde het touw weg en Benjamin viel op zijn knieen. Hij drukte zijn gezicht tegen het tapijt, terwijl hij hoestend en sputterend naar adem hapte. In zijn rechterhand hield hij de blauwe doek die om zijn voorhoofd had gezeten. McGinty keek vanachter zijn bureau toe.

'Dat was omdat je mijn tijd hebt verspild.'

Benjamin kwam moeizaam overeind. Om zijn nek zat een dunne rode streep. Hij opende zijn mond en zijn stem klonk hees. 'Ik wil een testament schrijven.'

'Heb je iets om na te laten?'

'Mijn lichaam,' zei Benjamin. 'De jongen kan het verkopen.'

McGinty dacht daar even over na. Hij haalde een vel papier uit een van de lades en schoof de gouden pen over het bureau.

Benjamin leunde met zijn gewonde arm op de tafel. Met zijn linkerarm opende hij de inktpot en doopte de punt van de pen erin. Toen begon hij te schrijven. Hij schreef de woorden snel op, alsof hij er lang over had nagedacht en ze uit zijn hoofd had geleerd. Toen hij klaar was, doopte hij de pen nog een keer in de inktpot en overhandigde hem aan McGinty. 'Er moet een getuige tekenen.'

McGinty griste het papier naar zich toe en zette snel zijn handtekening onderaan. Toen gooide hij de pen op de grond. 'Klaar,' zei hij.

'Klaar,' zei Benjamin. Hij ging weer op de grond zitten en liet de blauwe doek door zijn vingers glijden.

McGinty pakte het pistool op. 'Nu is het tijd om verantwoording af te leggen.'

Ren hield de rand van het bureau vast. Het bureau dat een hele kamer in beslag nam. Het hout was kortgeleden bewerkt met olie en die plakte nu aan zijn vingertoppen, waardoor er afdrukken op achterbleven. Aan zijn voeten lag het stuk kraag met zijn naam erop. Het was op de grond gevallen toen de zakken van de jongen waren doorzocht, en nu leken de letters wel een teken. Ren pakte het stuk stof op, waardoor hij er olievlekken op maakte, precies onder de N die eigenlijk een M was.

McGinty keek hem dreigend aan toen de jongen de kraag naar

hem toe schoof. Toen veranderde er iets in zijn gezichtsuitdrukking en boog hij zich voorover en voelde met zijn duim en wijsvinger aan het linnen. Hij streek langs alle letters. Hij streek er nog eens langs. 'Waar heb je dit vandaan?'

'Het is bij me achtergelaten in het weeshuis.'

'Dit bewijst helemaal niets.'

'Het bewijst dat ze van ons hield. Het bewijst dat ze zijn naam wilde aannemen.'

McGinty legde de kraag neer. Hij streek met zijn tong over zijn tanden. 'Het enige wat het bewijst is dat ze een beroerde naaister was.' Hij pakte de kraag weer op. Hij opende een bureaula en gooide de kraag erin, alsof hij hem uit het zicht wilde hebben. Nu was er niets meer over. Het was voorbij.

Er verscheen een merkwaardige uitdrukking op McGinty's gezicht. Hij stak zijn hand weer in de la en haalde er een kleine glazen pot uit. Hij hield hem verbaasd tegen het licht en zette hem op het bureau. 'Wat is dit, verdomme?' De pot zat vol met een gele vloeistof. Ren staarde niet begrijpend naar de pot, maar ineens wist hij het weer. Het was de plas van Ichy.

De Bolhoed en de Hoge Hoed zagen er bang uit. Als er ooit een moment was geweest om de onschuldige uit te hangen, dan was het nu. Ondertussen was Benjamin naar het raam gekropen dat uitkeek over de fabrieksvloer en hield de blauwe doek als een vlag in de lucht, alsof hij een teken probeerde te geven aan iemand beneden.

McGinty draaide het deksel los en rook aan de inhoud van de pot. Terwijl hij inademde, liep zijn rode gezicht gelijdelijk purperrood aan. Hij keek woedend naar Ren, greep zijn jasje vast en trok de jongen over het bureau. Papieren en pennen vlogen over de rand op de grond. De lamp werd omgestoten en viel in stukken toen McGinty met zijn volle gewicht over het bureau boog.

'Vieze kleine klootzak.'

'Ik heb het niet gedaan!'

'Er is hier niemand anders geweest. Niemand anders heeft de kans gehad!'

McGinty greep de revolver en duwde die onder de kin van de

jongen. Hij drukte hem hard naar boven en Ren hapte naar adem. Ren zwaaide met zijn arm en probeerde een houvast te vinden. Zijn vingertoppen raakten de rand van de pot. En toen had hij de pot in zijn hand. En hij gooide de inhoud in McGinty's gezicht.

De man liet Ren sputterend los. Hij ging met zijn rug tegen het raam met uitzicht over de fabriek staan. De voorkant van zijn pak was doorweekt – geel op geel. De geur van urine vulde het vertrek. De hoedenjongens kwamen naar voren en trokken Ren van de tafel. En daar zat Benjamin, op zijn knieën, wild zwaaiend met de blauwe doek boven zijn hoofd, alsof die hun levens zou gaan redden.

Er klonk een enorm harde dreun en het glas spatte uit elkaar; de scherven vlogen alle kanten op. De Bolhoed en de Hoge Hoed vielen op de grond en bedekten hun gezicht. Ren rolde onder het bureau. Er zat gruis op zijn huid en toen hij zijn arm bewoog voelde hij een heleboel kleine sneetjes en schrammen. Hij gluurde het vertrek in, dat nu bezaaid lag met stof en scherven. Door een gapend gat kwam een plotselinge windvlaag naar binnen.

McGinty stond voor het gebroken raam. Hij zwaaide heen en weer op zijn voeten, zuchtend en hoestend, en zijn borst kleurde helemaal rood.

De Bolhoed kroop de kamer door, greep McGinty vast en hielp hem op de grond. De Hoge Hoed rende met getrokken pistool naar het raam. Hij richtte het wapen op de fabrieksvloer en zwaaide ermee heen en weer boven de muizenvalmeisjes. De Hoge Hoed brulde: 'Wie heeft er geschoten?'

Beneden stonden de meisjes op hun plek, met hun handen aan hun werk, terwijl de machines om hen heen zoemden. Geen van hen keek omhoog. De lijmmeisjes kwakten de lijm op de juiste plek. De springverenmeisjes deden de draden in de machine. De zaagmeisjes hielden het hout vast, duwden het tegen de zaag en zaagden het door, duwden en zaagden. En daar zat de Hazenlip, met rode wangen en met haar hoofd over haar val gebogen.

McGinty probeerde zich om te draaien. Het glas stak als een beschadigde huidlaag in zijn lijf. De Bolhoed hield McGinty tegen. Hij zei tegen hem dat hij moest wachten, dat ze een dokter zouden laten komen. McGinty schudde zijn hoofd.

'Haal de jongen,' zei hij. De Hoge Hoed en de Bolhoed keken elkaar aan en sleepten vervolgens Ren onder het bureau vandaan. Het gat in McGinty's borst was diep. Elke keer als hij inademde, stroomde er een nieuwe golf bloed over zijn gele pak. Hij staarde Ren aan alsof hij iets van hem verwachtte. Toen sloot hij zijn ogen. 'Margaret,' mompelde hij. 'Doe open.' En toen was hij dood.

VIERENDERTIG

De straten waren nat van de regen die was gekomen en weer was gegaan. Het rook fris; de stank en het roet van de stad waren tijdelijk weggespoeld. Ren strompelde op zijn sokken naar buiten. Zijn gezicht zat onder de kleine sneetjes, zijn hart bonsde in zijn keel en Benjamin hield zijn hand stevig vast.

Ze waren weggeglipt terwijl er in de kamer één grote verwarring heerste. Geschreeuw en gegil weergalmde door de fabriek toen de hoedenjongens zich rondom het lichaam van McGinty verzamelden. Sommigen begonnen onmiddellijk in het bureau naar geld te zoeken, terwijl anderen de tapijten oprolden of schilderijen van de muur gristen. Al snel verdrongen de mannen elkaar om te pakken wat ze pakken konden, en ze renden door de gangen. Benjamin hield Ren vast. Samen slopen ze de trap af, baanden zich zigzaggend een weg langs de rijen muizenvalmeisjes, gingen door de zijdeur die de Hazenlip voor hen openhield – met een brede glimlach en een verlangende uitdrukking op haar gezicht – en liepen vervolgens rustig langs een groepje soldaten op een hoek, die zich omdraaiden en hen nieuwsgierig nakeken terwijl ze de straat uit liepen. Ze gingen nu in de richting van het pension, naar huis, en begonnen te rennen.

Er lagen plassen op de stoep, en Rens sokken werden nat en glad. Hij keek even op naar Benjamin. Diens gezicht was nog gezwollen, maar het verband had hij van zijn hoofd gerukt. Zijn arm zag er niet meer gebroken uit. Hij strompelde zo nu en dan maar zijn benen hielden Ren prima bij.

'Je bent niet gewond.'

'Jawel,' zei Benjamin. 'Alleen niet zo erg als zij dachten.'

'Maar je tanden dan?'

Hij legde zijn hand op zijn mond. 'Ik zal een bezoekje aan meneer Bowers moeten brengen.'

Achter hen begon de bel van de muizenvalfabriek te luiden. Niet een of twee keer, zoals gebeurde wanneer de meisjes werden opgeroepen om aan het werk te gaan, maar steeds weer, tot de zwervers die op straat lagen hun hoofd optilden, de deuren en luiken van de huizen opengingen, de weduwen zich naar buiten bogen en de oude mannen die aan het vissen waren bij de rivier fronsend hun lijnen inhaalden.

Bij O'Sullivan struikelden de stamgasten naar buiten om te zien wat al dat kabaal te betekenen had. Twee soldaten met scheefzittend uniform keken toe hoe Ren en Benjamin langsrenden. Toen hoorden ze hun kapitein bevelen geven en gespten ze hun geweer om. Benjamin trok de jongen een steeg in die vol hing met waslijnen. Het was dezelfde plek waar Ren met de Hazenlip had gestaan. Daar bleven ze samen wachten, leunend tegen een vuilnisbak. Hun adem stokte toen de soldaten voorbijkwamen.

'Ik dacht dat hij je had laten gaan,' zei Ren.

Benjamin schudde zijn hoofd. 'Hij wist wie ik was. Meteen al.' Hij leunde tegen de bak en liet zijn vingers langs zijn lichaam hangen. 'Maar ik denk dat hij het jou wilde horen zeggen.'

'Dat je mijn vader was?'

'Ja.'

Ren wachtte tot deze waarheid net als de andere weer zou vervliegen, maar dat gebeurde niet. De waarheid bleef tussen hen in hangen, net zo tastbaar als de kleren die aan de lijn boven hun hoofd hingen. Ren had het gevoel alsof hij in een sprookje zat. Alsof hij alleen maar iets hardop hoefde uit te spreken om het te laten gebeuren.

'Dit is voor jou.' Benjamin reikte in zijn jaszak en haalde het papier eruit dat McGinty als getuige had ondertekend. 'Geef het aan Tom. Verder mag niemand eraan komen.'

Het papier voelde dun aan tussen zijn vingers. De randen waren scherp. 'Ga je weg?'

'Ze zoeken me al. Ik zal een tijdje moeten verdwijnen.'

'Maar jij hebt hem niet gedood.' Ren kon het niet helpen dat zijn stem brak.

Benjamin klopte hem op de rug. 'Kom op, kleine man.'

Het was te laat. Ren huilde. Hij veegde beschaamd zijn neus af. 'Kun je me niet meenemen?'

'Ik probeer het juiste te doen,' zei Benjamin. 'Maak het niet nog moeilijker voor me.' Hij reikte omhoog en pakte een hemd, een paar overalls en een jasje van de lijn. Hij trok zijn eigen gescheurde jas uit en deed de nieuwe kleren aan, waarbij hij even heen en weer hopste in zijn lange onderbroek. Toen hij klaar was zag hij eruit als een andere man. Een man met zorgen. Een vader.

'Waarom heb je het me niet eerder verteld?' vroeg Ren.

Even keek Benjamin ernstig, toen gaf hij de jongen een harde por tegen zijn schouder. 'Ik dacht dat je me niet zou geloven.'

Ren probeerde te lachen, maar hij huiverde. De wind raasde door de steeg, alsof hij hen weer op weg wilde sturen. Er waaide stof de steeg in en de lakens klapperden boven hun hoofd.

Benjamin haalde een trui van de waslijn. Hij trok hem over Rens hoofd en stopte zijn armen een voor een in de mouwen. De trui was zo lang dat hij tot over Rens knieën hing. Maar hij was dik en warm en de kou voelde minder bijtend aan dan eerst.

'Sta eens stil,' zei Benjamin. Hij haalde een glassplinter uit de wang van de jongen. Toen liet hij hem glanzend op zijn vingertop liggen, alsof hij wachtte tot Ren een wens zou doen.

'Wat wil je het allerliefst in de hele wereld?'

De jongen sloot zijn ogen en Benjamin liet iets in zijn hand glijden. Hij kon de vierkante vorm voelen, de kleine inkepingen waar de babyvingers zich uitspreidden. Een ijzige begroeting. Het glas werd warm in zijn handpalm, alsof de vingertopjes zich naar de zijne voegden. Alsof zijn hand er eenvoudigweg op had gewacht tot ze weer samen waren, om zich weer tot een vuist te kunnen sluiten.

Toen Ren de steeg uit kwam, luidde de bel nog steeds. Het klonk als een oproep tot gebed, als een signaal dat hij weer een straat verder was. Nog vijf, toen nog vier, toen nog drie, toen nog twee. Alle woorden waar hij afstand van had gedaan, borrelden weer op, als een vroegere manier van ademhalen. *Uw koninkrijk kome. Uw*

wil geschiede. Vergeef ons onze schulden. Bid voor ons, zondaars, nu. Nu.
Nu. En in het uur. Hij stopte. Toen begon hij opnieuw.

Hij passeerde een paar muizenvalmeisjes, die hun omslagdoek stevig vasthielden, en prostituees, die hun jurk van de vorige avond nog aanhadden en vanaf de straat naar de fabriek tuurden. Achter hen zag het pension er verlaten en doods uit. Er kwam geen rook uit de schoorsteen. De luiken zaten dicht. De deuren waren op slot. Ren bonsde op het hout en schreeuwde naar de ramen.

Hij kon horen dat er meubels werden verschoven en dat er een grendel werd weggeschoven. De deur ging open en de tweeling stond in de deuropening. Ren sloeg zijn armen om allebei de jongens heen.

'Is alles goed met je?' vroeg Brom.

Ren knikte. Ichy pakte zijn elleboog en voerde hem naar binnen. Het pension zag er erger uit dan ooit: er zaten gaten in de muren en al het meubilair was kapot.

'We hoorden dat er gevochten werd,' zei Ichy.

'We maakten vader wakker.'

'En hij pakte zijn revolver.'

'Tegen de tijd dat we hem beneden hadden gekregen, was je al weg.'

'En de keuken lag vol met dode mannen.'

'We hebben ze naar buiten gesleept, naar de stal.'

'We dachten dat ze je hadden meegenomen om je te vermoorden.' De jongens probeerden dapper te kijken, maar Ren kon zien dat die gedachte hen van hun stuk had gebracht.

'Van vader moesten we de deur barricaderen.'

'Hij was bang dat ze terug zouden komen om ons ook dood te maken.'

Terwijl ze hun verhaal deden, keek Ren naar het bloed. Het lag in grote vlekken op de vloerkleden en liep in strepen over het hout. Een spoor van bloeddruppels liep naar de achtertuin.

'Waar is Dolly?'

De broers keken elkaar aan.

'Ze hebben hem neergeschoten,' zei Ichy ten slotte. 'Ze hebben zo vaak op hem geschoten dat hij niet meer op kon staan.'

Dolly lag in dezelfde stal als waar ze het paard van de boer hadden ondergebracht. De geur van mest had plaatsgemaakt voor de geur van stof en kruit. Er was een deken over hem heen gelegd en onder zijn hoofd lag een kussen dat Ren herkende uit de salon van mevrouw Sands. Er zat een verband om Dolly's nek en ook een om zijn schouder. Zijn armen, benen en borstkas waren plakkerig en modderig, en zijn monniksgewaad was nat van het bloed. De grond onder hem kleurde rood.

Voor in de stal lagen een paar zorgvuldig gedrapeerde dekens die de lichamen van Pilot en de andere hoedenjongens afdekten. Daarnaast stond de ezel sloom op een bos hooi te kauwen. Tom zat op een kruk bars naar het etende dier te kijken, met zijn been voor zich uitgestrekt en zijn revolver op schoot. Toen hij Ren in de deuropening zag staan, verzachtte zijn blik. 'Onze maat,' zei hij.

Ren stapte naar voren en streek met zijn hand over het verband op Dolly's nek. Toen hij hem weer terugtrok, zaten er wijnkleurige vlekken op zijn vingers.

'Hij zei dat hij je in de schoorsteen had getild.'

'Dat is ook zo.'

Tom trok zijn wenkbrauwen op en verschoof toen zijn voet. 'Ik dacht dat hij was doorgedraaid.'

Ren legde zijn hoofd op Dolly's borst.

'Hij is dood,' zei Tom.

Ren bleef luisteren.

De schoolmeester stopte de revolver in zijn jas. Hij bleef een tijdje naar de jongen zitten kijken. Hij schudde zijn hoofd. 'Waarom ga je niet mee naar binnen?'

'Nee,' zei Ren.

Tom plukte aan zijn baard en zuchtte. Toen kwam hij wankelend overeind, verschoof de spalk en sleepte zich met zijn been de stal uit. Ren hoorde hem de tuin door lopen het pension in en toen de deur achter zich dichtdoen.

De middag ging over in de avond. Terwijl Ren wachtte, vertelde hij zijn vriend alles wat er was gebeurd. Hij praatte tot hij niets meer kon bedenken om te zeggen, en toen praatte hij nog een beetje. Hij kon de ezel aan de andere kant van de stal horen eten.

Zo nu en dan stak het dier zijn lange grijze neus over het hek, alsof het zich afvroeg wat Ren nu weer zou gaan zeggen. Toen de sterren aan de hemel verschenen, brachten Ichy en Brom een kandelaar en nog een deken. Ren sloeg de deken om zijn schouders. Hij wilde de stal niet verlaten. Nog niet.

Toen de dag aanbrak, deed hij een raam open, zodat Dolly de vogels kon horen. Hun gezang ging onafgebroken door. Hij had een droge keel, maar hij had het gevoel dat als hij nog wat langer tegen Dolly zou kunnen praten, zijn stem de man zou bereiken. Dat de juiste woorden alles konden bewerkstelligen. Hij dacht aan het beeld van de heilige Antonius en aan alle loze gebeden die hij ervoor had opgezegd, vragend om dingen die nooit kwijt waren geraakt.

Ren vertelde Dolly over het weeshuis, en toen over de heilige Antonius zelf – hoe hij tegen de vissen preekte en de voet van Leonardo weer vastmaakte en een klein jongetje uit de dood had laten verrijzen. 'Aan het einde van zijn leven,' zei Ren, 'klom de heilige Antonius in een walnotenboom. Hij wilde de grond niet meer aanraken. Hij wilde zo dicht mogelijk bij de hemel komen.'

De jongen nam Dolly's reusachtige hand in de zijne. De hand was koud en de vingers waren stijf en onbuigzaam. Buiten kwetterden de vogels en lieten hun roep horen. Er klonk gefladder toen een zwaluwennest hoog in de spanten van de stal vol leven begon te piepen. Een vogel floot zijn lied, het wijfje beantwoordde zijn roep; hun baby's sperden hun snaveltjes open om gevoed te worden. Ren leunde tegen Dolly's kussen. Hij keek of hij een teken zag en bleef praten, over een heilige die de wereld van de mensen verliet en de bladeren in klom om daar de rest van zijn leven door te brengen, en dat Christus naar hem toe was gekomen toen hij dat deed en dat er tussen de takken wonderen hadden plaatsgevonden.

VIJFENDERTIG

Ze braken wat er nog over was van het meubilair in stukken en gooiden planken en delen van stoelen in de open haard. Ze trokken de voering uit de bank in de salon en maakten het vuur daarmee aan. Het duurde niet lang of er brandde een flink vuur. Tom, Ren en de tweeling gingen eromheen staan.

De keuken was een ravage. De tafel lag helemaal in stukken, potten en pannen waren gebutst, er zaten voedselresten op het plafond, de bank was versplinterd. De haard lag bezaaid met roet en stof.

Onder een kapotte nachtspiegel vond Ren de tas die hij had gepakt toen hij had willen vluchten. De pot augurken was gebroken en de binnenkant van de tas zat onder de reuzel. Ren vond een mes en schilde daar het laatste restje aardappelen mee. Brom haalde water. Ze schonken het in een pan boven het vuur en voegden er de reuzel aan toe en ook de aardappelen, en wat van de peterselie die nog aan het plafond hing.

Ze konden nergens zitten, dus knielden ze zo goed en zo kwaad als het ging neer op de grond. Terwijl ze aten, daalde er een zekere neerslachtigheid over hen neer. Ze staarden alle vier in het vuur en vertelden een voor een zo goed ze konden hun verhaal, terwijl ze glassplinters uit de augurken op hun bord haalden.

'Benjamin heeft negen levens,' zei Tom toen Ren was uitverteld.

'Komt hij terug?'

Tom nam met zijn vork een hap aardappel. Die was nog rauw. Hij trok een vies gezicht, deed de aardappel weer terug in de pan en veegde vervolgens met zijn mouw zijn mond af. Hij schudde zijn hoofd.

'Wat gebeurt er met ons?' vroeg Ren.

'Ik breng jullie terug naar het weeshuis.'

Daar werden de jongens stil van. Het leek ondenkbaar.

Tom zette zijn bord neer. 'Ik kan niet drie jongens voeden en kleden. Ik kan mezelf niet eens onderhouden.'

'Ik ga niet,' zei Ren.

'Wil je op straat leven? Een dief worden? Of een bedelaar?'

Ren zei niets. Dat was hij allebei al.

'Kijk nou naar je vriend,' zei Tom. 'Moet je zien wat er met hem is gebeurd.'

'Hij beschermde me,' zei Ren.

'Hij was een moordenaar. Hij móest wel zo doodgaan. Maar jij niet.'

In het vuur lagen een paar keukenstoelen, een stuk van de bank en het deksel van de kist van mevrouw Sands. Dat brandde, en de handvatten waren roodgloeiend. Ren keek de kamer rond. Het pension leek elk moment te kunnen instorten; de balken boven hun hoofd zakten ver door. Het was één grote ravage. Een zinkend schip.

'Het zal het enige goede zijn wat ik ooit heb gedaan,' zei Tom.

Ren wikkelde zijn trui strak om zich heen. Het was moeilijk te geloven dat hij, na alles wat hij had meegemaakt, terug zou gaan naar waar hij was begonnen. Hij veegde over zijn wangen en er verscheen een rode vlek op zijn vingers. Het glas was weg, maar er was een wondje ontstaan. Hij stak zijn hand in zijn zak en voelde het vel papier dat Benjamin hem had gegeven. Hij vouwde het open en gaf het aan Tom.

De schoolmeester kneep zijn ogen half dicht en begon het te lezen. En nog eens. En nóg eens. Hij barstte in lachen uit en zwaaide met het papier in de lucht voordat hij het aan Ren teruggaf. Brom en Ichy bogen zich over Rens schouder, en samen lazen ze aandachtig wat er stond:

Hierbij verklaar ik, in het volle bezit van mijn verstandelijke vermogens, en in het volle besef van de uitwerking van mijn beslissingen, dat ik al mijn bezittingen, zowel mijn onroerend goed als mijn per-

soonlijke bezittingen, na betaling van gegronde schulden en begrafe-
niskosten, bij mijn overlijden volledig nalaat aan mijn neef, Reginald
Edward McGinty. Met dit testament herroep ik alle eerder gemaakte
testamenten.

Onderaan stond een handtekening, die haastig en schuin was neer-
gekrabbeld, en de naam die er stond was *Silas McGinty.*

'Wat betekent dat?' vroeg Ren.

'Het betekent dat jij de fabriek krijgt,' zei Tom.

Ren liet de brief beduusd op zijn schoot vallen. 'Wat moet ik
met een muizenvallenfabriek?'

'Muizenvallen maken?' vroeg Ichy.

Tom begon onder zijn baard te krabben, eerst met één hand,
toen met allebei; hij wreef heen en weer tot de haren op zijn kin
statisch werden en overeind gingen staan. 'Hij moet het gepland
hebben,' zei Tom grijnzend. 'Hij moet het van begin af aan gepland hebben.'

Ren dacht aan Benjamins kapotte tanden. Zijn gebroken arm.
Hoe hij ervoor had gezorgd dat hij er heel verslagen uit had gezien. Hoe hij het testament had geschreven alsof hij de woorden
al jarenlang had kunnen dromen. Hoe hij het had uitgestoken om
het te laten ondertekenen. Benjamin had geweten dat McGinty de
tekst niet zou lezen voordat hij zijn handtekening zette. Hij wist
dat op dezelfde manier als waarop hij had begrepen dat Ren was
geslagen door vader John en dat de boer niet achter hen aan zou
komen nadat ze het paard hadden gestolen.

'Ik wil wedden dat die fabriek een hoop waard is,' zei Tom.

'Maar hij is weg,' zei Ren. 'Hij krijgt niets.'

'Hij heeft het niet voor het geld gedaan.' Tom pakte het testament weer aan van Ren. 'Hij deed het voor jou. Zijn eigen kleine
monster.'

De voordeur rammelde, alsof hij had meegeluisterd.

Tom en de jongens keken elkaar aan. De schoolmeester haalde
zijn revolver uit zijn jas. Brom pakte de pook en Ichy griste een
stuk hout uit het vuur. Ren zocht om zich heen naar iets wat hij
als wapen kon gebruiken, pakte een gebutste koekenpan op en

hield die boven zijn hoofd. Langzaam liepen ze naar de ingang, Tom met zijn been achter zich aan slepend. Hij knikte en Ren en de tweeling haalden wat er over was van het kapotte meubilair uit de weg en schoven de grendel opzij. Toen stapten ze achteruit in de schaduw en Ren zei tegen de andere kant van de deur: 'Binnen.'

Het gerammel stopte. De klink ging naar beneden. En daar stond mevrouw Sands. Ze droeg haar oude bruine jurk met schort, ze had een zware deken om haar schouders geslagen en een witte muts op haar haren vastgespeld.

'BUITENGESLOTEN UIT MIJN EIGEN HUIS! DAT IS TOCH NIET TE GELOVEN? EN DAAR IS DE VERDRONKEN JONGEN, GEKOMEN OM ME TE VERWELKOMEN.'

Ren liet de koekenpan zakken. Ze zag er dun en bleek uit. Maar op de een of andere manier was ze langer en waren haar botten steviger, alsof ze werd opgetild door iets binnen in haar. Haar ogen glinsterden en ze had een gloed over haar gezicht. En toen ze haar armen spreidde, rende Ren naar haar toe en begroef zijn gezicht in de plooien van haar jurk.

Ze rook nog precies hetzelfde: naar gist en warm water. Ze boog zich voorover en Ren voelde dat hij werd opgetild, en toen wiegde ze hem heen en weer, net als toen hij voor de eerste keer bij haar was gekomen. 'NEE,' zei ze. 'GEEN VERDRONKEN JONGEN MEER. MIJN JONGEN. MIJN JONGEN.' Mevrouw Sands lachte met haar scheve tanden en wiegde hem heen en weer. Na een tijdje zette ze de jongen weer neer, wendde haar gezicht af en veegde het af met haar rok, tot die nat was van haar eigen tranen en die van Ren.

'IK KON HET DAAR GEEN MOMENT LANGER UITHOUDEN.'

De tweeling stond opgelaten op een afstandje toe te kijken. Ten slotte zette Brom de pook neer en gooide Ichy het hout weer in het vuur. Tom stak de revolver achter zijn riem, hinkte naar mevrouw Sands toe en pakte haar hand. Mevrouw Sands liet hem begaan, maar het was moeilijk te zeggen of ze zich ergerde of amuseerde toen hij haar hand naar zijn mond bracht. Ze liet haar ogen over het groepje glijden en schudde haar hoofd.

'WAT HEBBEN JULLIE MET JEZELF UITGESPOOKT?'

Ren keek naar zijn kleren, die besmeurd waren met modderstrepen en bloedvlekken, vervolgens naar Tom, met zijn been in het verband en zijn baard die alle kanten uitstak, en toen naar de tweeling, met hun blote en smerige voeten en hun ingevallen en halfuitgehongerde smoeltjes.

'We zijn verdwaald,' zei Ren.

'DAT VERTELDE DIE ZUSTER ME, JA. EN ZE VERTELDE DE REST OOK. OVER MIJN JONGEN DIE NIEMAND WILDE. EN WAT HIJ VOOR ME HEEFT GEDAAN. EN IK ZOU NIEMAND ANDERS KUNNEN BEDENKEN DIE HETZELFDE ZOU DOEN. NIEMAND DIE HET IETS ZOU KUNNEN SCHELEN. EN NU HEBBEN WE ELKAAR GEVONDEN, NIETWAAR? WE HEBBEN ELKAAR VOOR ALTIJD GEVONDEN.'

Ze begon te huilen en hield haar rok weer voor haar gezicht. Ren begeleidde haar naar de keuken en bracht haar naar het vuur, maar realiseerde zich toen dat ze nergens kon zitten.

Mevrouw Sands liet haar rok zakken en keek de keuken rond. Ze keek naar de aan flarden gescheurde bank, de geruïneerde vloerkleden, de spiegels waarvan het glas in scherven uit elkaar was gespat. De gescheurde boeken, de gebroken vazen en de uit elkaar gereten kussens. Ze zag de gebroken ramen, het bloed en het roet waarmee de vloer was bezaaid, de stapel kapotte meubels. Ze legde haar hand tegen de muur, en toen ze hem weer terugtrok zat hij onder de viezigheid. Ze schopte een berg aardappelschillen opzij. Ze hing het borduurwerk met het onzevader recht en stak een vinger door de stof op de plek waar het in tweeën was gesneden.

'WAT HEBBEN JULLIE MET MIJN HUIS GEDAAN?' Ze rukte zich onverwacht fel los van Ren, rende de keuken door en struikelde over potten, pannen en etensresten. Ze duwde de restanten van stoelen en tafels opzij en bleef toen stilstaan voor de open deur van de lege provisiekast. Ze gilde. En toen kwam de bezem tevoorschijn, het enige voorwerp dat zich nog op dezelfde plek bevond als waar ze het had achtergelaten, hangend aan een spijker naast een klein, versleten stuk touw, en ze begon op hen allemaal in te slaan – Tom en Brom en Ichy en Ren. 'WAT HEBBEN JULLIE MET

MIJN HUIS GEDAAN?' Ze holden alle kanten op, maar ze wist hun stuk voor stuk een afranseling te geven, totdat Ren op zijn knieën viel, terwijl de harde haren van de bezem op zijn schouders beukten, en beloofde dat hij zou blijven en alles in orde zou maken.

EPILOOG

De begrafenis vond plaats op het oudste gedeelte van het kerkhof, waar de grafstenen van lei waren en bomen flink wortel hadden geschoten – sommige bomen groeiden zelfs recht uit de graven. Ren staarde naar een oeroude iep, waarvan de stam midden in een vak stond en de schors alle kanten op groeide. Het was slechts een kwestie van tijd eer de boom het graf volledig overwoekerd zou hebben.

Ren pakte de elleboog van mevrouw Sands vast. Ze had haar mooiste kleren aan: de lichtgrijze zijden jurk met een camee om haar hals. 'DEZE HELE HOEK IS VAN ONZE FAMILIE,' zei ze. 'IK KOM DAAR TE LIGGEN.' Ze wees op een ongerept stuk grond tussen een hulstbosje en een esdoorn. 'EN MIJN BROER KOMT DAAR, EN ALS HET JE TIJD IS KOM JIJ OOK BIJ ONS TE LIGGEN.'

De jongen dacht aan het papier dat hij voor dokter Milton had getekend. Mevrouw Sands had het in de open haard verbrand, nadat ze met Ren naar het hospitaal was gemarcheerd en de dokter had afbetaald met het geld uit de achtertuin. Hij had teleurgesteld gekeken toen hij de envelop teruggaf, maar zuster Agnes had het hek van het ziekenhuis achter hen dichtgedaan met een glimlachje dat schuilging onder haar nonnenkap.

De predikant schraapte zijn keel en opende zijn boek. Hij was jong. Heel jong. Fris en geestdriftig en klaar om goed te doen in de wereld. Toen hij het onzevader voorlas, vielen alle aanwezigen in. Ren en Brom en Ichy stopten bij *Verlos ons van het kwade*, terwijl de rest, die niet katholiek was, verderging: *Want van U is het Koninkrijk, en de kracht, en de heerlijkheid, tot in eeuwigheid. Amen.*

Tom zette zijn hoed af. De afgelopen dagen had hij hen allemaal verbaasd door Rens juridische papierwerk te regelen; hij had uren met pen en inkt aan de keukentafel gezeten en zich vervolgens met zijn gebroken been naar de fabriek gesleept, waar hij Mc-Ginty's bedrijfsrapportage had doorgenomen, met de voorman had gepraat om ervoor te zorgen dat de fabriek weer ging draaien en in kaart had gebracht wat er allemaal door de hoedenjongens was gestolen. Die hadden alles meegenomen wat ze maar te pakken konden krijgen voordat ze de stad verlieten. Het was genoeg om er de vergeving van mevrouw Sands mee te verdienen, en ook een kamer voor Brom en Ichy, aangezien hij had beloofd dat hij de tweeling niet terug zou brengen naar het weeshuis. Toen Tom de belofte eenmaal had gedaan, bleek het makkelijker om die na te komen dan hij had gedacht. Nu kon je bij vlagen, wanneer hij nuchter en aan het werk was, de man in hem zien die hij ooit moest zijn geweest.

Achter Tom en de tweeling stond de rest van de muizenvallenfabriek: de Hazenlip, het meisje met de spleet tussen haar tanden en alle anderen – een hele schare lelijke meisjes in hun zondagse jurk, met hun muts over hun gezicht getrokken tegen de zon, die verscheidene zware manden met eten tussen zich in hielden. Aan de andere kant van de kerk kon Ren de weduwen naar elkaar horen roepen en hun winkels horen openen.

Toen de predikant klaar was met zijn zegen, gebaarde hij naar Ren dat hij naar voren moest komen. De jongen keek in het gat. Het was behoorlijk diep. Dolly's kist lag op de bodem en Ren pakte een handvol aarde en gooide die erbovenop. Toen keek hij toe hoe de grafdelvers de rest opvulden. Hij dacht aan de mannen die in de mijn waren bedolven, die al die jaren geleden waren gestorven. Sommigen van hen zouden weleens onder deze zelfde begraafplaats kunnen liggen, slechts een paar meter dieper onder dit graf.

Hij was blij dat Dolly misschien niet alleen onder de aarde lag. Hij dacht aan de verlaten tunnels, de verloren mannen die in het donker bij elkaar waren gekropen. De jongen hoopte dat deze mannen troost zouden vinden in het gezelschap van zijn vriend. Op z'n minst hoopte hij dat ze niet bang voor hem zouden zijn.

'NOU,' zei mevrouw Sands. 'DAT WAS DAT.'

De muizenvalmeisjes spreidden hun dekens en mevrouw Sands deelde het eten uit: gebraden kip, versgebakken brood en maïs, en aardappelen, appeltaart en slagroom. Tom leunde op zijn kruk, zette een rij glazen naast elkaar en schonk de cider in. Ichy gaf de meisjes verlegen een servet. Brom liep tussen de menigte door en schepte de slagroom op, met een doek over zijn arm.

Het was de eerste echte zomerdag. Het gras was groen en vanaf de rivier woei een briesje. De muizenvalmeisjes maakten al het eten op en kwamen terug voor een tweede portie, en voor een derde, tot de zon hoog aan de hemel stond en de grafstenen geen schaduw meer boden. De meisjes leunden tegen de stenen aan terwijl ze aten en duwden hun nek tegen het graniet en het koele witte marmer. Tom zat tussen hen in zijn vingers af te likken. Toen hij klaar was, liet hij een zachte boer en begon poëzie voor te dragen – een talent dat velen verraste maar weinigen boeide.

Mevrouw Sands was druk in de weer met een bord met kliekjes voor de dwerg. Ren wist dat hij hen vanaf een van de daken in de buurt gadesloeg. De eerste avond dat hij uit de haard was gekropen en mevrouw Sands had gezien, had hij zijn gezicht verborgen en haar pas bij zich laten komen toen hij weer was gekalmeerd. Vervolgens had hij luidkeels zijn beklag gedaan over alles wat er was gebeurd terwijl ze weg was geweest: dat hij was verhongerd en verlaten en dat hij half gek was geworden van de muizenvalmeisjes en van moordenaars die over zijn dak waren geslopen. Mevrouw Sands schreeuwde terug dat hij een slokop was en een gluiperd bovendien en dat ze zeker wist dat ze meer dan de helft van haar ingelegde vruchten onder zijn bed zou vinden als ze de ladder tegen het dak zou zetten. De dwerg wierp Ren een blik toe alsof hij hem verraden had en mevrouw Sands begon te lachen, tot het lachen overging in een hoestbui en ze moest gaan zitten, terwijl de jongen en de dwerg ongerust toekeken tot het weer beter met haar ging.

'VAN NU AF AAN MAAK JE JE EIGEN AVONDETEN,' zei ze. Maar naarmate ze sterker werd, begon ze weer voor haar broer te koken en zette ze elke avond een deel van hun maaltijd opzij.

De komende maanden zou de keuken langzaam weer op orde worden gebracht en worden schoongemaakt; de tafel zou weer worden gemaakt en er zou weer ingelegd fruit worden opgeslagen in de provisiekast. En als mevrouw Sands een cake maakte, werd die verdeeld, en dan werd er een plak opzijgelegd voor Tom en de tweeling en waren de grootste plakken voor Ren en de dwerg.

Toen de groep klaar was met de picknick, werd er tikkertje gedaan tussen de graven. Het meisje met de spleet tussen haar tanden holde tussen de graven door achter Brom aan. Hij bleef haar met gemak voor, terwijl hij om de gedenktekens en kruizen heen zwenkte. De andere muizenvalmeisjes begonnen mee te doen, en vervolgens ook Ichy, en al snel klonk er een koor van geschreeuw en gegil terwijl de jongen hen telkens ontweek.

De Hazenlip had haar zware omslagdoek afgedaan en drapeerde hem om een grafsteen. De steen stond scheef en was bedekt met mos, en de naam was helemaal verweerd. Degene die eronder lag was vergeten en de wereld rouwde niet meer om hem of haar. Maar even had Ren het idee dat de kleine zwarte steen zich koesterde in de aandacht en dankbaar was dat hij was uitgekozen. De Hazenlip stond dicht bij hem; haar ogen gleden langs de randen van de begraafplaats. Ren stond even naar haar te kijken voordat hij zich realiseerde dat ze Benjamin zocht. Haar gezicht straalde van hoop.

Hij vroeg zich af of Benjamin zich daar in de bomen schuilhield. Maar na een tijdje leken andere plekken – achter de muur of om de hoek van de kerk – waarschijnlijker, tot hij zich realiseerde dat hij altijd naar hem zou blijven zoeken. Ren hief zijn hand op tegen de zon. Hij kon voorbij het hek en voorbij de meent kijken, helemaal tot de rivier. Zelfs vanaf deze afstand voelde hij de krachtige stroming. De belofte van diep water.

Brom ontweek de muizenvalmeisjes; hij dartelde alle kanten op en sprong over de graven. Toen hij langs Ren rende, veroorzaakte dat een luchtstroom. Ichy stormde achter hem aan, met de meisjes op zijn hielen, de een na de ander, zodat het leek alsof de kleuren van hun jurken in elkaar overliepen. Ren sloot zich aan bij de rij om mee te doen aan het spel. Hij was nu vlak achter hen. Zijn vingers strekten zich uit, kwamen dichterbij en misten, misten, misten, misten.

DANKBETUIGING

Voor het schrijven van een roman heb je allerlei soorten hulp nodig. Mijn agent, Nicole Aragi, heeft telkens weer opnieuw aangetoond dat ze de allerbeste agent in het uitgeverswezen is. Mijn redacteur, Susan Kamil, heeft me geïnspireerd met haar enthousiasme en heeft wijzigingen aangebracht waardoor deze roman van een ruwe tekst werd omgevormd tot een complete fantasiewereld. Mijn meelezers, Helen Ellis en Ann Napolitano, hebben onvermoeibaar ruwe versies doorgelezen, me erdoorheen gesleept toen het het zwaarst was, en me geholpen de structuur te bedenken die ik nodig had om mijn verhaal te laten slagen. Noah Eaker, Theressa Zoro, Susan Corcoran, Elizabeth Hulsebosch en iedereen van Dial Press, alsmede Lily Oei en Jim Hanks, hebben alle details voor hun rekening genomen en ervoor gezorgd dat *De goede dief* gezond en wel ter wereld kwam. Blue Mountain Center en Ucross hebben me prachtige ruimtes ter beschikking gesteld waar ik in alle rust kon werken om het zware werk gedaan te krijgen. Maribeth Batcha, Marie-Helene Bertino en de medewerkers van One Story hielden me scherp wanneer ik weer eens een hele nacht moest doorwerken. Van de honderd (en het worden er steeds meer) schrijvers wiens werk ik voor One Story heb mogen reviseren, heb ik geleerd hoe ik een betere auteur kon worden. Dan Shapiro bood wijze adviezen en bracht me vervolgens, samen met Michael Maren en Antonio en Carla Sersale, naar Italië. Mijn vrienden Yuka en Kareem Lawrence, Karin Schulze, Cynthia Medalie en Francesco Vitelli gaven me te eten en te drinken en luisterden naar me. Mijn hond, Canada, heeft me meegenomen op lange wandelingen die me weer fris in mijn hoofd maakten en energie gaven. Maar de meeste dank ben ik verschuldigd aan mijn familie. Owen Tinti-

Kane, Hester Tinti-Kane en Honorah Tinti zorgden ervoor dat ik bleef lachen wanneer ik wel kon huilen; mijn vader, William Tinti, gaf me de moed om door te zetten; en mijn moeder Hester Tinti, beurde me op met haar geloof en liefde. Ze heeft ook de titel van dit boek bedacht.

Dank je, mam.